La peur à fleur de peau

LORI FOSTER

La peur à fleur de peau

Roman

MOSAÏC

Collection :
MOSAÏC

Titre original :
WHEN YOU DARE

Traduction de l'américain par BARBARA VERSINI

MOSAÏC® est une marque déposée par le groupe Harlequin

Photo de couverture
Femme : © ROBERTO PASTROVICCHIO/ARCHANGEL IMAGES
Réalisation graphique couverture : ATELIER DIDIER THIMONIER

ISBN 978-2-2802-7123-3

A Shana Schwer

1

Dare vérifia sa montre à l'instant précis où les aiguilles indiquaient minuit. Quelques voitures circulaient encore sur le front de mer, créant un paisible bruit de fond qui se mêlait au bruit des vagues. De temps en temps, un Klaxon hurlait, des pneus crissaient. Deux clients sortirent d'un bar tout proche en riant fort, avant de s'entasser dans un gros quatre-quatre qui s'éloigna en zigzaguant sur la route.

Sur ce parking mal éclairé, envahi par les mauvaises herbes, nul ne pouvait voir les trois silhouettes qui se tenaient dans l'ombre, près du mur d'un motel décrépit, sous une lampe de sécurité qui ne fonctionnait plus.

Une lampe que Dare Macintosh venait de mettre hors service.

Les brises de l'océan agitaient l'air et aiguisaient ses sens. Tout en surveillant le parking et en jetant par intermittence des regards du côté de la camionnette noire qu'il avait louée en arrivant à San Diego, Dare assistait aux retrouvailles émues de Trace Rivers et d'Alani, sa sœur, qu'il serrait convulsivement contre lui.

Durant les dernières quarante-huit heures, Dare et Trace avaient peu dormi et à peine mangé. Dare, surtout, qui avait ramené Alani de la ville de Tijuana, au Mexique, où on la séquestrait. Il avait marché à l'adrénaline, condition nécessaire pour mener sa mission à bien.

Maintenant que l'excitation était retombée, il s'apercevait qu'il était épuisé… et affamé.

— Dis-moi tout, murmura Trace en s'adressant à Dare.

Ce dernier acquiesça tout en jetant de nouveau un regard inquiet vers sa camionnette.

— Elle était bien à Tijuana, comme tu le pensais. Enfermée dans une caravane, avec d'autres femmes, dans un endroit isolé.

— Avec des gardes armés, je suppose ?

— Oui.

Trace poussa un soupir las.

— Traite des Blanches, dit-il seulement.

Dare opina.

— Elles étaient séquestrées dans des conditions épouvantables. La caravane était sale, pas aérée, toutes les ouvertures bloquées. Ils les avaient...

Il hésita. Trace serait ulcéré, mais il ne pouvait pas lui cacher la vérité.

— Ils les avaient attachées à des chaînes rivées à des œillets scellés dans le sol, en leur laissant juste assez de mou pour atteindre les toilettes. Pas de lavabo.

— Les enfoirés !

Submergé par une rage froide, Trace glissa sa main dans les cheveux d'Alani et la serra contre lui, comme si son geste avait pu réparer ce qu'elle avait subi.

Elle ne protesta pas.

Trace évitait en général de jurer devant sa sœur. Son écart de langage prouvait à quel point il était furieux. Dare détourna le regard du duo qu'il formait avec Alani. Il comprenait.

Ses yeux se posèrent de nouveau sur la camionnette.

— J'ai dû éliminer plusieurs guetteurs et quelques gardes armés pour arriver jusqu'à elle.

— En silence.

Il s'agissait d'une affirmation, pas d'une question.

— Tu sais bien que je n'aime pas le remue-ménage, confirma Dare.

Il préférait effectivement agir en silence. Question d'efficacité. Un bruit, un cri, un coup de feu, auraient attiré d'autres gardes, sans doute en trop grand nombre pour qu'il puisse en venir à bout. Alors, à défaut d'abattre tous les salauds qui trempaient dans ce trafic, il avait dû se limiter au strict nécessaire.

Trace, lui, avait dû attendre sur le territoire des Etats-Unis. Les trafiquants l'avaient repéré et sa présence aurait compromis le sauvetage d'Alani.

Le temps que ceux qu'il avait épargnés découvrent la caravane vide, Dare revenait déjà à San Diego. Grâce à ses contacts, il n'avait pas eu de mal à franchir la frontière. On ne l'avait pas arrêté au poste de contrôle ; on avait inspecté sommairement sa camionnette, ignoré ses armes, et personne ne s'était étonné quand il avait expliqué que ses deux passagères étaient fatiguées — même si celle qui était assise près de lui était hagarde, couverte de traces de coups et à moitié dévêtue, et que l'autre gisait sur la banquette arrière, dans un état comateux.

Car Dare était allé là-bas pour Alani, mais il avait ramené une passagère supplémentaire — celle qui dormait encore sur le siège arrière de la camionnette.

Alani lova son visage contre l'épaule de Trace en poussant un gémissement étouffé. Le frère et la sœur avaient les mêmes cheveux blonds et les mêmes yeux d'un marron doré, mais leur ressemblance s'arrêtait là. Trace avait trente ans, un an de moins que Dare et huit de plus qu'Alani. Il mesurait un mètre quatre-vingt-quinze pour quatre-vingt-dix kilos de muscles.

Comparée à lui, Alani paraissait petite et fragile, surtout ce soir, après deux jours de séquestration. Depuis que Dare l'avait sortie de la caravane, les ecchymoses qui marquaient ses bras et ses fins poignets avaient changé de couleur. Son visage n'était pas abîmé. Les ordures de la caravane n'y avaient pas touché, pour qu'elle ne perde pas de sa valeur marchande.

A vingt-deux ans, Alani était une beauté. En général, les blondes aux yeux bleus étaient les plus chères, mais le contraste des yeux bruns et des cheveux clairs d'Alani faisait d'elle une denrée rare.

Dare espéra qu'elle n'avait pas été violée. Probablement

pas, mais il préférait laisser à Trace le soin d'aborder cette question délicate.

Un faible gémissement leur parvint aux oreilles. Dare reporta son regard sur la camionnette. Il avait laissé la porte arrière ouverte pour entendre sa passagère si elle se réveillait... Apparemment non. Elle avait simplement changé de position.

Cela faisait déjà trois heures qu'il l'avait sortie de cette caravane et elle n'avait toujours pas repris conscience. Il commençait à se faire sérieusement du souci.

— Dare ?

Le regard de Trace exprimait à la fois le chagrin, la colère et le soulagement.

— Merci, murmura-t-il.

Alani avala bruyamment sa salive, avant d'articuler à son tour un faible remerciement.

Dare se contenta de poser sa main sur son épaule. Il connaissait Alani depuis des années. Il l'avait vue grandir, il s'était déplacé pour la remise de ses diplômes, au lycée, puis à l'université. Il avait assisté à l'enterrement de ses parents. Elle était pour lui comme une sœur.

Trace, quant à lui, était son meilleur ami.

Aussi, quand on avait enlevé Alani, deux jours plus tôt, c'était lui que Trace avait appelé au secours. Ils avaient dû agir vite. Les femmes étaient vendues rapidement. Ensuite, il devenait pratiquement impossible de les retrouver.

A présent, le frère et la sœur avaient besoin d'être seuls. Dare, lui, avait hâte d'en savoir plus sur sa cargaison supplémentaire.

Trace suivit le regard de Dare, qui fixait toujours la camionnette, et aperçut un pied petit et crasseux qui dépassait de la porte, côté passager. Il haussa les sourcils.

— Qui est-ce ?

— Une petite complication. Rien d'inquiétant.

— Une petite complication ? Tu es sérieux ?

Dare haussa les épaules.

— Il y avait six femmes dans cette caravane, Trace. Quatre

d'entre elles devaient être du coin parce qu'elles ont filé sans demander leur reste aussitôt libérées. Je suppose qu'elles savaient où aller.

Il désigna la camionnette du menton.

— Celle-là était droguée, sous-alimentée, sale.

Et on l'avait tenue à l'écart des autres, en dépit de l'exiguïté des lieux.

De toute évidence, on ne la destinait pas à être vendue sur le florissant marché du sexe.

— Elle est américaine, ta « complication » ?

— Elle n'a pas encore repris conscience. Je ne sais rien d'elle.

Alani pivota dans les bras de son frère pour se tourner vers la camionnette.

— C'est une femme courageuse, murmura-t-elle. Elle n'a cessé de leur tenir tête.

Elle frissonna.

— C'était vraiment affreux. Ils la battaient pour la faire taire, mais ça ne la calmait pas, au contraire.

Dare fronça les sourcils.

— C'est une téméraire, alors ? commenta-t-il.

— Je crois qu'elle était surtout hors d'elle, murmura Alani d'un ton admiratif.

Elle était visiblement impressionnée par le courage de sa compagne d'infortune.

— Même quand ils l'ont immobilisée pour la droguer de force, elle n'a pas pleuré. Elle a continué à hurler de rage.

— Elle parlait anglais ?

— Oui, répondit Alani en acquiesçant. Sans accent. Je pense qu'elle est américaine.

Elle était donc américaine. Et trop âgée pour être vendue. Que faisait-elle dans cette caravane ? Dare se mit à réfléchir.

— Elle n'était pas retenue pour la même raison que vous, dit-il enfin.

— C'est aussi mon avis. De temps en temps, quatre ou cinq hommes entraient et se mettaient en rond autour d'elle, mais je n'ai pas pu voir ce qu'ils lui faisaient. Apparemment, ils ne la reluquaient pas comme...

Elle se mordit la lèvre et fut de nouveau secouée d'un frisson.

— Comme ils nous reluquaient. Je n'ai pas eu l'impression qu'ils tentaient d'évaluer sa valeur marchande. Ils se contentaient de la harceler.

Trace la serra un peu plus contre lui.

— C'est fini. Tu ne risques plus rien, à présent.

Elle acquiesça avec un soupir de soulagement.

— Quand nous sommes arrivées, elle était déjà là, et plutôt en mauvais état, poursuivit-elle, toujours en s'adressant à Dare. Elle m'a parlé une fois, avant d'être droguée. Elle m'a dit qu'elle s'appelait Molly.

— Molly comment ?

Alani secoua la tête.

— Nous n'avions pas le droit de communiquer... J'ai eu peur et je ne lui ai pas demandé de précision, répondit-elle d'un air contrit.

Trace l'attira de nouveau contre lui.

— Que vas-tu faire d'elle ? demanda-t-il à Dare par-dessus la frêle silhouette de sa sœur.

— Aucune idée.

Dare songea au corps de la jeune femme, si léger qu'il lui avait paru immatériel quand il l'avait chargé sur son épaule, à ses cheveux bruns et tout emmêlés qui dissimulaient en partie son visage tuméfié.

— Avec un peu de chance, je trouverai une bonne âme disposée à m'offrir une récompense pour l'avoir libérée.

Sans lâcher son frère, Alani donna un petit coup de poing à Dare, une manière de lui reprocher ce commentaire déplacé. Il sourit, lui saisit le poignet au passage et déposa un baiser sur les articulations de ses doigts.

Elle avait vécu dans la terreur durant deux jours, mais elle avait de la ressource. Elle s'en remettrait, grâce à Dieu.

Quant à l'autre femme... Comment savoir ? Depuis quand

était-elle prisonnière? Impatient d'en apprendre davantage, Dare décida qu'il était temps de quitter ses amis.

— Je dois y aller, murmura-t-il.

— Une seconde!

Trace fouilla dans la poche de son jean et en sortit une épaisse enveloppe.

Dare fit un pas en arrière.

— Qu'est-ce que c'est que ça, merde? protesta-t-il.

— Je tiens à te rembourser les frais du voyage. Et ne jure pas devant Alani, je te prie.

Dare était un mercenaire privé. Sauver des gens dans ce genre de situation, c'était son boulot, mais jamais il n'aurait accepté de l'argent pour avoir tiré Alani de là. Pour elle, il serait allé à Tijuana en rampant.

— Je n'en ai pas besoin, dit-il sèchement.

Trace lui tendit l'enveloppe d'un air solennel.

— Je sais, mais je tiens à ce que tu l'acceptes. C'est important pour moi.

Trace se sentait coupable de n'être pas allé chercher sa sœur lui-même. Dare soupira et prit l'enveloppe — avec l'intention de la rendre plus tard.

— Merci, grommela-t-il.

Il se pencha vers Trace.

— Au fait, j'ai réglé leur compte à ceux qui auraient pu te reconnaître.

— Si j'avais su, j'aurais doublé le montant de ta récompense, ricana Trace avec une joie mauvaise. Si tu savais ce que ça me fait plaisir!

— Pour moi aussi, ce fut un plaisir, répondit Dare.

La question de l'argent étant pour l'instant résolue, Trace et Alani firent leurs adieux à Dare. Ils quittèrent le parking dans une Jaguar gris métallisé que Dare suivit des yeux jusqu'à ce que ses phares disparaissent dans la nuit. Puis il demeura là quelques instants, sous le regard de la pleine lune, à écouter le discret chant des créatures nocturnes.

Mais il ne se laissa pas gagner par le calme environnant.

Les mains sur les hanches, il jeta de nouveau un regard vers la camionnette.

Et maintenant ?

Devait-il emmener la fille à l'hôpital, où il serait bombardé de questions auxquelles il ne saurait répondre, ou bien devait-il opter pour une chambre dans le motel tout proche ? Il préférait le motel, sauf si la fille était mourante…

On l'avait manifestement droguée. Impossible de se faire une idée claire de son état de santé.

Il décida de tenter de la réveiller, pour la faire boire et manger si elle en était capable. Ensuite, il verrait bien…

Il s'approcha du véhicule. Une main sur la portière, l'autre sur la carrosserie, il jeta un regard à l'intérieur. Ah ! Elle était réveillée. Ses grands yeux tuméfiés lui mangeaient le visage.

Il se pencha un peu plus, pour lui parler. Il ne vit son pied qu'un dixième de seconde avant qu'il ne s'écrase sur son visage.

Il fit un bond en arrière.

— Putain de m…

L'attaque l'avait pris par surprise. Merde, ça faisait mal. Son nez pissait le sang.

Mais il n'en voulut pas à la pauvre fille, qui se croyait probablement dans la caravane. Il se pencha donc posément vers elle, prêt à parer les coups, cette fois, et, après un bref corps à corps, il la cloua au siège, les bras au-dessus de la tête, ses jambes coincées sous les siennes.

De grands yeux au regard encore vague le fixèrent. Ils étaient d'un brun sombre, un peu comme du chocolat noir.

Elle s'abstint de crier, fort heureusement, mais elle se débattit pour échapper à son emprise.

— Vous êtes en sécurité, à présent, tenta d'expliquer Dare, tout en s'efforçant de l'immobiliser sans lui faire mal. Vous êtes à San Diego. Vous êtes sortie du Mexique.

Elle battit des paupières, plusieurs fois, et se figea.

Dare s'efforça de trouver les mots justes pour la rassurer.

— J'étais venu pour une amie, une des filles enfermées avec vous. Et vous étiez là, donc…

Ne trouvant pas d'argument concret pour justifier sa décision de l'emmener avec lui, il se contenta de hausser une épaule.

— Je vous ai embarquée aussi.

Elle le fixa d'un air méfiant et incertain. Plein d'espoir. Quelques secondes s'écoulèrent. Le nez de Dare gouttait sur la peau sale et tuméfiée de la femme, mais il n'osait pas lui lâcher les mains — aussi décida-t-il de ne pas s'en préoccuper pour le moment.

Elle leva la tête pour tenter de voir derrière lui, mais il faisait sombre. Trop sombre pour qu'elle puisse se rendre compte qu'ils se trouvaient bien en territoire américain.

Brusquement, son frêle corps se relâcha totalement et elle laissa retomber sa tête sur son torse. Il la sentit trembler sous lui et se demanda si c'était à cause de l'effort musculaire qu'elle venait de fournir, ou bien parce qu'elle avait peur.

D'une voix tremblante, elle murmura :

— Je voudrais que vous m'emmeniez à l'hôtel, s'il vous plaît.

— Excellent choix, approuva-t-il.

Il attendit une crise, des cris qui ne vinrent pas. Il la dévisagea prudemment.

— Est-ce que je peux vous lâcher sans risquer de me faire agresser ? demanda-t-il.

Elle lui répondit d'un bref hochement de tête.

Il se redressa lentement et se hissa hors de la camionnette. Elle ne remua pas un muscle, comme si elle en était incapable.

Il enleva sa chemise et s'en servit pour essuyer son nez ensanglanté.

Que faire, à présent ? S'il la laissait seule le temps d'aller réserver une chambre, elle risquait d'en profiter pour s'échapper. Or, elle n'était pas capable de se débrouiller seule.

Mais il ne pouvait pas se présenter avec elle à la réception du motel.

Parce qu'elle puait trop.

Elle ne s'était pas lavée depuis des jours. Il l'avait trouvée allongée sur un matelas infect, couvert de taches et de moisissures. La boue et la crasse avaient formé une sorte de croûte sur ses pieds nus. Quant à ses cheveux, on aurait dit qu'on les avait coiffés avec un mixeur.

Et puis il y avait son accoutrement : elle portait un long T-shirt qui ne couvrait pas tout à fait ses genoux sales et écorchés, et, par-dessus, une chemise d'homme trop grande pour elle et boutonnée jusqu'au col.

Tandis qu'il réfléchissait à la conduite à adopter, elle se redressa en s'agrippant au dossier du siège arrière pour conserver son équilibre.

— Vous auriez quelque chose à boire ? demanda-t-elle en avalant convulsivement sa salive.

Sans un mot, il ouvrit la portière côté passager pour prendre une bouteille d'eau sur le plancher. La sachant faible, il dévissa le bouchon avant de la lui tendre.

Il s'apprêtait à lui dire qu'elle ne devait pas trop boire d'un coup, mais cela ne fut pas nécessaire. Elle prit une petite gorgée, avec un gémissement de plaisir, puis une deuxième, prudemment.

— Seigneur… Comme c'est bon ! soupira-t-elle. J'ai la gorge tellement sèche que je pourrais avaler tout un fleuve.

— Pas de problème, dit-il.

Elle s'adossa à la banquette et ferma les yeux quelques secondes.

— Quel jour sommes-nous ? demanda-t-elle.

Fascinant… Elle reprenait lentement ses esprits et, au lieu de s'affoler, elle s'efforçait de faire le point sur sa situation. Dare ne put s'empêcher d'admirer cette attitude — celle qu'il aurait lui-même adoptée.

— Nous sommes le 9 mars. Lundi 9 mars.

Elle se pinça le nez, comme si la réponse lui avait donné des palpitations.

— Ils… Ils m'ont gardée neuf jours ?

Puis, plus bas, pour elle-même, elle ajouta :

— J'avais complètement perdu la notion du temps… Ça m'a paru beaucoup plus long.

Dare laissa échapper un sifflement de surprise. Neuf jours ?

— Vous êtes restée tout le temps dans la même caravane ? demanda-t-il.

— Oui.

Luttant visiblement contre l'émotion, elle but une autre gorgée, s'humecta les lèvres, et se tourna vers lui.

— Je suis désolée pour votre nez. Je ne pensais pas que...

— Ne vous inquiétez pas pour ça.

Il avait connu bien pire. D'ailleurs, il ne saignait déjà plus.

— J'ai la tête qui tourne, se plaignit-elle. Je n'ai pas mangé depuis des siècles.

Elle se passa la main dans les cheveux et fit la grimace.

— Je crois que j'aurais besoin d'une douche, murmura-t-elle. Et dans un bon lit, je me sentirais au paradis.

Elle but de nouveau, en avalant avec difficulté.

Dare la regarda faire, impressionné par tant de calme et de présence d'esprit. Elle avait compris qu'en buvant trop vite, elle risquait de vomir.

Elle frotta l'un de ses yeux tuméfié de son poing — un tout petit poing —, et soupira.

— Je ne peux pas me montrer dans cet état, commenta-t-elle. Ce n'est pas une question de coquetterie, je n'en suis plus là, mais les gens vont se demander ce qui m'est arrivé.

Elle posa sur lui un regard interrogateur, comme si elle attendait de lui une solution.

— Je me présenterai seul à la réception, dit-il.

A présent, il ne craignait plus qu'elle cherche à s'enfuir. Elle paraissait plutôt lucide, et se montrait étonnamment raisonnable.

Elle but de nouveau. Et cette fois, il comprit qu'elle en profitait aussi pour réfléchir.

Elle soupira, la main crispée sur la bouteille.

— J'ai de l'argent, vous savez... Monsieur... ?

— Appelez-moi Dare.

Il n'en savait pas encore assez sur elle pour lui accorder sa confiance. Pas question de lui dévoiler son identité au complet.

Elle hocha la tête et tendit une main sale aux ongles abîmés.

La peur à fleur de peau

— Molly Alexander, dit-elle.

Tout en se sentant un peu ridicule, il conserva un peu cette petite main dans la sienne. Elle la reprit d'un geste vif et effarouché.

— J'ai de l'argent et je vous rembourserai, Dare. Je vous le promets. Mais évidemment, je n'ai rien sur moi... Et pour des raisons que je vous exposerai plus tard, je ne veux pas mêler la police à cette affaire.

Ah oui? Intéressant. Quels secrets pouvait bien cacher ce petit bout de femme?

— Donc, pas d'hôpital?

— Non!

Cette simple mention parut l'affoler.

— Non, pas d'hôpital, répéta-t-elle plus calmement.

A l'hôpital, on lui aurait demandé son nom, et, vu son état, on aurait prévenu la police. Elle tenait décidément à éviter les flics. Pourquoi donc?

— On vous a droguée, fit remarquer Dare.

Il se demandait ce qu'on lui avait donné, et si elle risquait des effets secondaires.

— Il vaudrait tout de même mieux voir un médecin pour savoir où vous en êtes, ajouta-t-il.

— Inutile... Je sens que ça va aller.

Il haussa un sourcil tout en fixant ostensiblement les bleus et les égratignures qui marbraient sa peau délicate.

— On vous a battue.

— J'ai subi des horreurs, en effet, répondit-elle d'une voix bourrue, les yeux voilés de larmes. Mais je vous assure que ça va aller.

— C'est moi que vous essayez de convaincre? Ou vous-même?

— Ça va aller, insista-t-elle. Je vous le promets.

Elle faisait décidément beaucoup de promesses. Il baissa les yeux vers sa chemise ensanglantée, et la lança vers une poubelle qui débordait déjà. Puis il tendit le bras par-dessus Molly, pour attraper son sac et en sortir une chemise propre.

Elle poussa un cri étouffé et se couvrit instinctivement le visage en se recroquevillant. Elle se ressaisit aussitôt et se redressa, les yeux brillant de défiance.

Dare s'immobilisa.

— Je vous ai sauvée. Je ne vais pas vous frapper, fit-il remarquer.

Elle acquiesça en silence.

Il enfila sa chemise et attendit, les bras croisés, qu'elle se décide à bouger.

Elle vacilla, comme prise de vertige, et se racla la gorge.

— Si vous pouviez vous occuper de louer une chambre ce soir, je vous en serais vraiment reconnaissante.

— D'accord.

Cette attitude digne, solennelle et retenue, le surprenait de plus en plus. A sa place, d'autres n'auraient cessé de commenter la situation, de se plaindre, de réclamer l'aide d'un proche. N'avait-elle donc personne dans sa vie ? Pas de famille ? Pas d'homme ?

Elle évita son regard en s'humectant de nouveau les lèvres.

— J'aimerais bien une seule chambre, si possible avec deux lits.

Ses yeux se remplirent de larmes et elle battit des paupières avant d'ajouter, d'une voix brisée :

— C'est que, voyez-vous, j'ai peur de passer la nuit seule.

Maintenant qu'elle se sentait en sécurité dans cette petite chambre de motel, Molly tentait de sérier ses priorités. Pour ne pas s'évanouir, il était urgent qu'elle mange. Il fallait aussi qu'elle dorme, qu'elle pense à se laver, à se procurer des vêtements.

Elle baissa les yeux et frissonna de dégoût. La douche venait en premier. Pas de doute. Pas question de passer une nuit de plus dans cet état, ni de manger avec des mains aussi dégoûtantes.

Elle fit un effort surhumain pour rassembler ses forces et

se tourna vers Dare pour l'observer. Bon sang, ce qu'il était grand ! Et pas très aimable, avec ça. Elle l'avait vu torse nu tout à l'heure, quand il avait ôté sa chemise, et elle avait remarqué plusieurs cicatrices sur sa cage thoracique et ses épaules, certaines causées par des coups de couteaux, d'autres par des balles. Impressionnant et inquiétant... Même assis et immobile, comme il l'était en ce moment, il demeurait imposant.

Pourtant, elle n'avait pas peur de lui. Cet homme-là n'était pas un criminel. Il l'avait sauvée, elle ne l'oubliait pas. Et maintenant, il s'occupait d'elle. Restait à savoir pourquoi, tout de même.

— Je vous prie de m'excuser, dit-elle. Mais si je peux me permettre d'exprimer une exigence de plus...

Il fit brusquement volte-face vers elle.

— Laissez tomber cette politesse de salon, coupa-t-il sèchement. Vous en avez bavé, pas vrai ?

Des yeux bleus, bordés d'une épaisse frange de cils, la jaugeaient posément. Elle acquiesça.

— En effet, murmura-t-elle.

Et c'était peu dire. Jamais elle n'aurait été capable d'imaginer une aventure aussi atroce — et pourtant, elle avait une imagination particulièrement débridée.

Mais elle avait survécu. C'était tout ce qui comptait.

— Inutile de vous montrer si cérémonieuse avec moi, renchérit-il.

Il posa la bouteille d'eau sur la table de nuit, près d'elle.

— Pas besoin non plus de vous forcer à faire bonne figure. Vous êtes une toute petite femme... Vous ne pesez certainement pas bien lourd.

Elle pesait normalement autour de cinquante-sept kilos, mais elle avait maigri, en effet. Ça se voyait donc à ce point-là ?

— De plus, vous êtes blessée, poursuivit Dare. Affamée, fatiguée, déshydratée. Et vraiment très sale.

Le visage de Molly se ferma. Elle se sentait de nouveau sottement au bord des larmes.

— Où voulez-vous en venir ? demanda-t-elle.

— Je veux simplement vous dire que vous avez le droit de craquer. Je ne vous jugerai pas et ça restera entre nous.

En somme, il l'autorisait à baisser sa garde. Quelle délicatesse...

— Non, merci, trancha-t-elle.

Elle n'avait pas supporté l'enfer pour s'effondrer maintenant qu'elle en était sortie.

— Ça va aller.

Il croisa ses bras musclés sur un torse tout aussi musclé. Une ombre de barbe durcissait sa mâchoire. Elle remarqua que ses articulations étaient rouges, comme s'il avait récemment cogné dans quelque chose — ou sur quelqu'un.

Elle espéra que ce quelqu'un était l'un des salauds qui l'avaient malmenée.

— Comme vous voudrez, dit-il. Mais je vais vous demander de vider lentement cette bouteille. Et ensuite une autre.

Il avait raison. Elle avait besoin de s'hydrater. Mais elle avait l'impression que son estomac n'en supporterait pas tant.

— Et laissez tomber la comédie, ajouta-t-il. Inutile de faire comme si tout allait bien.

Une bouffée de colère secoua les muscles endoloris de Molly, lesquels n'avaient pas besoin de ça.

— Je ne vais pas lâcher maintenant, compris ? fit-elle sèchement.

Elle prit la bouteille pour boire lentement, en respirant entre chaque gorgée, et la reposa sur la table de nuit, à laquelle elle dut s'agripper pour ne pas tomber, car ses genoux s'étaient mis à trembler.

— J'ai tenu le coup pendant neuf jours, fit-elle d'une voix rauque. Ce n'était ni pour vous, ni pour personne d'autre. Ces salauds ne m'ont pas brisée, un point c'est tout.

Dare haussa un sourcil étonné et la dévisagea longuement, en silence, puis il secoua la tête d'un air contrarié.

— Vous feriez mieux de vous asseoir avant de tomber, dit-il.

Elle n'aimait pas obéir aux ordres, mais elle n'hésita pas à s'asseoir. Avec soulagement. Elle dut même faire appel à toute sa volonté pour ne pas s'effondrer sur le lit et sombrer dans l'oubli. Mais elle ne voulait pas dormir et se réveiller dans sa crasse. Elle avait la nausée rien que d'y penser.

Dare s'approcha du lit. Il examina la bouteille et parut satisfait. Pour le moment, du moins.

— Par quoi voulez-vous commencer ? demanda-t-il.

— Une douche, gémit-elle.

Elle avait désespérément besoin de se sentir propre.

— Très bien, je vais vous préparer le terrain.

Il hésita.

— Vous vous sentez capable de vous doucher seule ?

La question lui donna un coup au cœur.

— Bien entendu, dit-elle.

Au lieu d'aller dans la salle de bains, il vint s'accroupir près du lit. Elle ne put s'empêcher de remarquer ses cuisses musclées qui tendaient le tissu de son jean et s'empressa de lever les yeux vers son visage. Une fois de plus, elle fut frappée par l'intensité de son regard bleu.

— Vous êtes en sécurité avec moi, Molly, murmura-t-il.

— Je... Je sais...

Elle en avait l'intuition et, pour le moment, elle préférait s'y fier. Elle ne se sentait pas la force de poser des questions.

— Donc, si vous avez besoin d'aide..., poursuivit-il.

— Pour la douche ? Pas question.

Elle n'allait tout de même pas demander à un homme de la laver !

Il pinça les lèvres.

— A votre guise.

Il se redressa et marcha vers la salle de bains.

— Pendant que vous serez là-dedans, j'en profiterai pour traverser la rue et vous rapporter de quoi vous habiller. Je vous prends une taille 38 ?

De quoi vous habiller. Il veillait sur elle comme un ange gardien et il allait lui acheter des vêtements propres à enfiler après sa douche.

Que Dieu le bénisse.

Ces maudites larmes menaçaient de nouveau de couler, lui nouant la gorge, lui bouchant le nez.

— Oui, parvint-elle à répondre d'une voix rendue rauque par l'émotion. Quelque chose de simple serait… merveilleux. Et aussi des chaussures, s'il vous plaît. Taille 38, je vous prie. Pour le style, peu importe, je ne ferai pas la difficile.

Elle entendit couler l'eau. A travers la porte restée entrouverte, elle le vit préparer les serviettes, ôter le papier qui protégeait le savon, ouvrir le shampoing, l'après-shampoing.

Il prenait décidément grand soin d'elle.

Son estomac vide se contracta, mais elle n'aurait pas pu manger tout de suite. Elle tenta un peu d'eau, parce que Dare avait raison : son organisme avait avant tout besoin de liquide.

Il revint dans la chambre, en se déplaçant avec une légèreté et une aisance surprenantes pour un homme de son gabarit.

— Je vais également vous rapporter une brosse à dents. Il vous faudrait autre chose ?

Il lui aurait fallu tant de choses qu'elle ne se sentait pas capable de dresser une liste pour le moment. Ses lèvres sèches et crevassées lui faisaient mal chaque fois qu'elle cédait à la tentation de les humecter avec de la salive.

— De quoi manger. Quelque chose de facile à digérer.

— J'y avais déjà songé.

Il s'arrêta sur le seuil de la porte.

— Vous êtes certaine de pouvoir rester seule ?

— Je serai prudente, promit-elle. Si j'ai un vertige, j'arrête l'eau et je m'assieds dans la baignoire.

Il hésita encore quelques secondes, puis acquiesça.

— Ne vous enfermez pas, ordonna-t-il.

Tout en parlant, il revint vers le bureau sur lequel il avait déjà aligné un grand revolver noir et un couteau à l'aspect particulièrement menaçant. Le couteau disparut dans une poche. Le revolver, il le glissa dans son dos, dans l'étui qu'il portait en bandoulière en travers de son torse, puis il le dissimula sous les pans de sa chemise. Elle constata avec une certaine fascination qu'il manipulait ces armes avec autant de désinvolture que son portefeuille et son téléphone portable. En repassant devant elle, il s'arrêta de nouveau.

— Surtout, ne fermez pas, lui rappela-t-il. Si vous vous évanouissez, je veux pouvoir rentrer sans ameuter la réception et causer un scandale.

— C'est d'accord.

— Je ne serai pas long, ajouta-t-il. Ne traînez pas, vous non plus.

C'était lui qui traînait. S'il tardait encore à partir, elle allait s'endormir sur le lit sans passer par la douche !

— Je ferai vite, assura-t-elle.

Il se servit de son poing pour l'obliger à lever le menton et à le regarder droit dans les yeux.

— Vous ignorez à quel point vous êtes faible, dit-il.

Il se trompait. Elle était beaucoup plus forte qu'il ne le pensait, au contraire. Mais son inquiétude partait d'un bon sentiment. Aussi se contenta-t-elle de le rassurer de nouveau.

— Ça ira.

Il passa une main nerveuse dans ses courts cheveux bruns, puis opina en silence et sortit.

Molly comprit qu'il aurait voulu lui poser des questions. Il se demandait sans doute pourquoi elle acceptait son aide sans savoir d'où il venait ni qui il était. Mais il n'avait rien dit, sûrement pour la ménager, et elle appréciait sa discrétion. Pour l'instant, elle avait tout juste la force de gérer les urgences. Et en parlant d'urgences…

Se lever de nouveau lui demanda un effort surhumain, mais elle y parvint. Elle fit passer sa chemise et son T-shirt crasseux et déchirés par-dessus sa tête, et les jeta dans la poubelle placée près du bureau avec un sentiment de satisfaction frisant le sublime. Ce tissu infect ne toucherait plus jamais sa peau.

Elle était nue en dessous. Un rapide coup d'œil lui permit de constater l'étendue des dégâts, et elle se souvint à quel point elle avait été secouée, bousculée, frappée… Elle en eut soudain le souffle coupé.

C'était fini, à présent. Elle ne devait plus y penser. Elle entra sous le jet d'eau chaude avec ravissement. Elle allait enfin profiter de ce dont elle avait été privée pendant neuf jours, et qui lui faisait aujourd'hui l'effet d'un luxe.

D'un paradis…

Tous ses muscles tremblaient et elle se sentait affreusement faible, mais jamais douche ne lui avait paru plus agréable. Elle glissa le savon dans un gant de toilette et entreprit de se récurer. Entièrement. Elle voulait se débarrasser de la saleté et du dégoût.

Elle avait intérêt à se dépêcher avant que ses dernières forces ne l'abandonnent. Déjà, elle commençait à s'épuiser. Elle avait la nausée, ses genoux flageolaient.

Sans parler d'une affreuse migraine, conséquence du manque de sommeil, qui lui brûlait les yeux et l'empêchait de réfléchir correctement.

Après avoir nettoyé sa peau, elle fit couler de l'eau fraîche et se rinça la bouche, puis utilisa le gant pour se laver les dents, du mieux qu'elle put.

Ensuite elle demeura immobile quelques instants, appuyée au carrelage. Son cœur battit la chamade quand elle songea à tous les problèmes qui lui restaient à résoudre. Elle tenta de se calmer en se disant qu'au moins, pour l'instant, elle était en sécurité.

En sécurité. Parfois, dans cette caravane, elle avait cru… Elle avait cru qu'ils allaient la tuer. Ils avaient pris un malin plaisir à la provoquer, à la gifler, à laisser planer le doute quant au sort qu'ils lui réservaient. Elle n'avait dormi que par intermittence, parce qu'elle ignorait tout de leurs intentions et qu'elle se sentait à leur merci dès qu'elle fermait les yeux.

Elle serra les poings, submergée par une rage sourde qui lui conféra un regain d'énergie. Elle lutta pour emplir ses poumons d'air, pour repousser ce sentiment de panique qui ne l'avait pas quittée depuis le jour de son enlèvement.

Oui, elle avait beaucoup de problèmes à élucider… Mais

pour l'instant, elle devait seulement veiller à terminer sa toilette. Et à manger.

Puis à s'endormir, sans craindre de ne pas se réveiller.

Elle inspira longuement avant d'attraper le shampoing d'une main tremblante. Ses cheveux étaient si emmêlés qu'elle décida de les couper — une fois qu'ils seraient propres —, plutôt que de chercher à les peigner. Elle s'empêcha de baisser les yeux pour voir ce qui descendait dans la bonde.

Elle se vida tout de même le contenu du petit flacon d'après-shampoing sur la tête, se massa le crâne, rinça... C'était fini, mais elle n'avait plus d'énergie, plus de réserves. Pas même la force de s'essuyer. Elle parvint tout juste à s'envelopper dans les deux serviettes que Dare lui avait préparées. L'une pour ses cheveux. L'autre pour le corps.

Elle retourna dans la chambre en titubant, trébucha sur le lit, s'effondra sur le matelas, et sombra.

2

Dare poussa doucement la porte et entra. La vue de Molly recroquevillée sur le lit lui fit froncer les sourcils. La serviette dans laquelle elle s'était enroulée la couvrait à peine et, comme elle dormait les genoux remontés, il aurait pu avoir une vue digne d'un *peep-show* — à condition d'aller se placer sous le bon angle.

Mais il n'avait pas l'intention de profiter de son sommeil pour se rincer l'œil. S'il lui arrivait de mettre ses scrupules de côté — cela faisait même partie de son travail —, avec les femmes, il se montrait respectueux, voire chevaleresque. Et cette femme-là, en dépit de son attitude bravache et du calme avec lequel elle encaissait le cauchemar qu'elle avait vécu, lui semblait particulièrement fragile. Elle éveillait chez lui un instinct protecteur qu'il croyait oublié...

Pourtant, mieux valait conserver ses distances avec elle. Il avait l'intention de découvrir ce qui lui était arrivé et pourquoi on l'avait enlevée. Le plus vite possible. Parce que c'était l'unique moyen de se séparer d'elle.

Elle s'était affalée sur le lit sans même prendre la peine de se glisser sous les draps : elle était épuisée.

Pour reprendre des forces, il fallait qu'elle s'alimente, mais aussi qu'elle dorme. Il hésita. Devait-il la réveiller pour la faire manger ?

Il ne se sentait pas l'âme d'une nounou, mais puisqu'il avait sorti cette femme du Mexique, il ne pouvait pas l'abandonner. En la sauvant, il avait accepté de se charger d'elle.

Il referma la porte derrière lui et la verrouilla, en jonglant avec les sacs de vêtements et de nourriture, tout en s'efforçant de ne pas faire de bruit.

Un coup d'œil au réveil de la table de nuit lui apprit qu'il était 1 h 30 du matin. Il ne s'était absenté qu'une demi-heure. Par chance, le Walmart situé de l'autre côté de la rue était ouvert vingt-quatre heures sur vingt-quatre. Il avait trouvé tout ce qu'il cherchait — vêtements et nourriture. Habiller cette pauvre femme et l'inciter à s'alimenter faisaient partie des urgences.

Il rangea les boissons dans le petit réfrigérateur de la chambre et posa la soupe de Molly dans le micro-ondes.

Puis il sortit son portefeuille, sa monnaie et son portable de ses poches, et les aligna soigneusement sur le bureau. Ensuite, il se débarrassa de son couteau et de son Glock 9mm, puis il s'étira pour dénouer ses muscles endoloris. Au cours des dernières vingt-quatre heures, il avait rampé, plongé au sol pour se cacher, attaqué plusieurs hommes. Ce parcours du combattant, ajouté au manque de sommeil et de nourriture, l'avait épuisé.

Il s'installa sur une chaise, devant la table ronde de la chambre, et ôta le couvercle qui recouvrait son café.

Il venait de mordre dans un *pancake* quand il entendit Molly remuer. Il se tourna vers elle. Elle humait l'air, les yeux encore gonflés de sommeil, et lui lançait des regards de biche aveuglée.

Il contempla son petit corps recroquevillé sur le lit, son visage enflé, ses yeux tuméfiés. Jamais femme ne lui avait paru plus vulnérable.

— Vous avez faim ? demanda-t-il d'un ton qu'il espérait dégagé.

Elle se hissa sur un coude, et l'expression de son visage changea aussitôt. De nouveau, elle dissimulait son angoisse et sa peur derrière un masque de courage.

— Je suis littéralement affamée, répondit-elle.

Maintenant qu'elle s'était lavée, il remarquait à quel point ses grands yeux envahissaient son petit visage. Les traces de coups sur sa joue et sous son œil gauche étaient plus visibles. Elle en avait aussi deux autres, plutôt impressionnantes, au niveau de la poitrine et de l'épaule droite.

En songeant aux hommes qui l'avaient battue, Dare ressentit un profond dégoût. Il méprisait les êtres qui se servaient de leur supériorité physique pour harceler plus faibles qu'eux, et considérait ceux qui s'en prenaient aux femmes comme la lie de l'humanité.

Molly inspira profondément en fermant les yeux.

— Ça sent vraiment bon, murmura-t-elle.

Dare s'était déjà levé pour l'aider.

— Vous voulez vous asseoir à table, ou vous préférez rester au lit?

Elle hésita, les yeux baissés, comme si elle n'arrivait pas à se décider. Ou comme si elle craignait d'abuser de sa gentillesse en se faisant servir.

— Je crois que je vais me lever, mais… Il faudrait d'abord que je m'habille.

— Entendu.

Il ouvrit le sac de vêtements, dont il tira quelques T-shirts, des sous-vêtements, un short en coton.

— Vous ferez vous-même d'autres achats demain si vous vous sentez d'attaque, dit-il. Il vous faudra peut-être quelque chose de plus chaud, et aussi de plus habillé, pour prendre l'avion. Mais j'ai pensé que ça suffirait pour l'instant.

Elle ne jeta pas un regard à ce qu'il sortait du sac. Le bras sur lequel elle s'appuyait la soutenait à peine et sa respiration s'était accélérée.

— Je suis désolée… Ça fait vraiment trop longtemps que je n'ai pas mangé. Je me sens sur le point de défaillir.

Dare se redressa, inquiet. Elle n'allait tout de même pas tomber dans les pommes!

— Si… Si vous pouviez m'aider à aller jusqu'à la salle de bains, je crois que j'arriverais tout de même à m'habiller, reprit-elle.

Dans la salle de bains? Si elle s'évanouissait, sa tête heurterait les carreaux. Il aurait préféré qu'elle s'habille sur le lit, mais il comprit qu'elle avait besoin d'un peu d'intimité et n'osa protester.

— D'accord, dit-il.

Il glissa un bras sous ses aisselles pour la hisser sur ses pieds. Elle chancela et agrippa sa chemise d'une main, fermement, pour ne pas tomber.

Elle se collait à lui, mais il fit mine de trouver ça tout naturel.

— Que voudriez-vous faire? demanda-t-il.

— Je ne peux pas...

Elle s'étrangla, se racla la gorge, puis reprit, d'une voix si basse qu'il l'entendit à peine :

— C'est un peu gênant à avouer, mais la douche...

Elle avala sa salive.

— La douche m'a épuisée. Je suis sans force.

Il la reposa sur le lit et comprit qu'il allait devoir se montrer ferme pour obtenir son assentiment.

— Très bien, Molly, écoutez-moi, commença-t-il d'un ton calme et impersonnel. Je peux vous habiller. On ne va pas en faire toute une histoire. Je peux aussi vous donner à manger.

Elle se mordit la lèvre, signe qu'elle était gênée, une mimique qu'il avait déjà appris à décrypter.

— Ça m'est déjà arrivé, d'aider une femme à s'habiller parce qu'elle n'était pas en mesure de le faire seule, mentit-il.

La remarque dut la surprendre parce qu'elle leva ses yeux noirs vers les siens.

Bon sang... Ce regard. Il vous faisait fondre.

— Mon travail, c'est de protéger les gens, insista-t-il. J'en ai sauvé d'autres avant vous. Et certaines se trouvaient dans un état bien pire que le vôtre.

Encore un mensonge. En général, quand une femme était enlevée, on la retrouvait au bout de quarante-huit heures, avant qu'elle soit trop amochée. Ou on ne la retrouvait pas du tout.

— C'est d'accord? insista-t-il.

Elle acquiesça, son regard toujours rivé au sien.

— Parfait, approuva-t-il.

Il alla chercher les vêtements dans le sac. Sans être décontenancé par la tâche qui l'attendait, il avait hâte de s'en débarrasser. Pour déshabiller une femme, ça oui, il avait de l'entraînement. Mais pour habiller une demi-morte... non, pas vraiment.

— On commence par les sous-vêtements, d'accord ?

Avait-elle été agressée sexuellement ? Si oui, l'exercice risquait de se révéler pénible pour elle.

— Si vous sentez venir la panique, n'hésitez pas à me le dire.

— Je ne paniquerai pas.

Il la fixa attentivement.

— Tant mieux, parce que je n'ai pas envie de me prendre un autre coup de pied dans la figure.

— Pas de coup pied, c'est promis, dit-elle seulement.

En s'agenouillant devant elle pour faire passer son petit pied dans une culotte en coton, il remarqua d'autres égratignures et traces de coups qu'il se promit de désinfecter et de panser. Lorsqu'elle aurait mangé, bien sûr.

Quand la culotte fut au niveau de ses genoux, il prit Molly par le coude et l'aida à se lever.

— Accrochez-vous à mon épaule, dit-il.

Elle était bien plus petite que lui : il mesurait un mètre quatre-vingt-dix ; elle ne dépassait pas un mètre soixante-cinq. Aussi dut-elle lever le bras pour atteindre son épaule.

Il se pencha pour achever de remonter sa culotte sur ses fesses, tandis qu'elle s'appuya contre lui. Elle était étonnamment charnue pour une femme si menue. Et à présent, elle sentait bon — le shampoing, le savon, le chaud, la douceur.

D'une voix tremblante et pleine de nervosité contenue, elle demanda :

— Vous étiez venu chercher qui, dans cette caravane ?

— Une amie. Presque une sœur.

Elle avait des cuisses fermes et bien galbées. Il fit de son mieux pour ne pas les regarder tout en faisant glisser la culotte sous la serviette humide. Ses articulations effleurèrent la peau douce de ses fesses, qu'il trouva plus rondes qu'il ne l'aurait cru.

Mais il ne s'intéressait pas à ses courbes. Elle tremblait d'épuisement contre lui et il avait l'impression de jouer les infirmiers. La situation n'avait rien d'érotique, même pour un homme qui n'avait pas fait l'amour depuis des mois.

— A présent, le T-shirt, dit-il.

Il ôta la serviette qui enveloppait sa tête et la jeta au loin. Ses cheveux retombèrent en mèches emmêlées et humides sur ses épaules nues. Il remarqua qu'elle avait un cou long et gracieux, un menton volontaire.

— Vous vous sentez mieux, à présent que vous êtes propre? demanda-t-il.

Elle rougit d'embarras.

— Vous n'avez pas idée à quel point, répondit-elle.

Il lui enfila le T-shirt — pas de soutien-gorge, parce qu'il n'avait pas su en choisir un, question de taille. Dès que sa tête réapparut par l'ouverture, elle ajouta :

— Vous auriez une paire de ciseaux?

Il dut l'aider à soulever ses bras pour passer les manches. Le T-shirt était tellement grand qu'il flottait au-dessus de la serviette qu'elle n'avait pas encore ôtée.

— Des ciseaux? Pour quoi faire?

— Je vais couper.

— Couper quoi?

Il dut glisser les mains sous le T-shirt pour enlever la serviette et ce qu'il découvrit le laissa rêveur… Bon sang, ce qu'elle était bien roulée…

Il s'en voulut aussitôt de l'avoir remarqué.

— Mes cheveux.

Elle se laissa retomber sur le lit, visiblement proche de l'évanouissement, mais elle fit l'effort de rester assise et bien droite, les jambes serrées.

— Il n'y a pas moyen de démêler tout ça. Et franchement, je suis trop épuisée pour essayer. De plus, je m'en fiche.

Ce qu'elle comptait faire de ses cheveux ne le concernait en rien, mais, pour une raison qu'il ne parvenait pas à s'expliquer, il ne supportait pas l'idée qu'elle refuse de lutter. Pas même pour une futile question de coiffure.

— On verra ça demain, d'accord ?

Il la prit par le bras et la fit de nouveau lever pour poser ses pieds dans les jambes du short, en remarquant une fois de plus que propre et décemment habillée, elle était plutôt mignonne, en dépit des vêtements trop grands qui lui donnaient une allure dépenaillée, de sa mine défaite, des ecchymoses et des égratignures qui la défiguraient.

Il la guida jusqu'à la table.

— Vous êtes certaine que vous ne préférez pas manger au lit ?

Elle répondit par un rire rauque.

— Je suis restée ligotée sur un matelas sale et puant pendant neuf jours. Je n'avais pas le droit de m'asseoir, encore moins celui de me lever et de marcher. Croyez-moi, je suis ravie de m'installer à une table.

— Compris, murmura-t-il.

Il posa le jus de fruits devant elle.

— Essayez de tout boire. Ça vous fera du bien.

Puis il alla ouvrir le micro-ondes et en sortit le bol de soupe encore tiède.

— Je sais que les *pancakes* vous font envie, et il y en a suffisamment pour vous si vous y tenez, mais je vous déconseille de tenter…

— Vous avez raison.

Elle but quelques gorgées de jus de fruits. Attendit quelques minutes. But de nouveau.

— Je n'ai pas mangé depuis si longtemps que ça me rendrait malade. Je dois m'y remettre progressivement. Je ne veux surtout pas vomir de nouveau. Je préférerais encore être battue.

— Vomir de nouveau ?

Le visage de Molly se rembrunit, puis, comme si elle était encore sous le choc de l'humiliation, elle poursuivit, sans oser le regarder :

— Au début, ils m'ont apporté des tortillas de maïs et un alcool fort. Je ne voulais pas me soûler, pour rester consciente, et j'ai donc refusé de boire. Du coup, ils m'ont servi une eau croupie, qu'ils avaient dû prendre dans une flaque de boue. Je n'ai pas voulu boire non plus, parce que je craignais les maladies. Ils ont essayé de me forcer, mais...

Ses épaules s'affaissèrent, comme si elle cherchait à disparaître. Elle baissa la voix.

— C'est là qu'ils ont décidé de me droguer.

Dare reposa sa fourchette. Ce qu'elle avait vécu était tellement atroce qu'il regretta de ne pas avoir éliminé tous ceux qui se trouvaient aux abords de la caravane.

— Ensuite, j'ai bu ce qu'ils voulaient.

Elle ferma les poings et tout son corps se raidit.

— Il n'y avait pas vraiment un endroit où j'aurais pu vomir... Pas de salle de bains. Pas même un seau. J'ai tout déversé sur place, là où j'étais, y compris les cachets qu'ils m'avaient enfoncés dans la gorge.

Seigneur... L'idée de cette pauvre femme seule, effrayée et malade, à la merci d'une bande de brutes, le rendit fou de rage, mais il s'efforça de ne rien laisser paraître.

— Ils se sont mis à hurler en espagnol, langue que je comprends très mal, mais suffisamment pour que je saisisse qu'ils m'ordonnaient de me nettoyer. C'est ce que j'ai fait, comme j'ai pu, avec les chiffons qu'ils m'ont lancés. Ensuite, ils m'ont donné à manger avec juste de quoi me tenir en vie. Une fois par jour. Au moins, ils m'apportaient de l'eau qui paraissait potable. Je suppose qu'ils n'appréciaient pas plus que moi les odeurs de vomi.

Les ordures.

— Mais hier et aujourd'hui, je n'ai eu droit à rien. Je ne sais pas pourquoi.

Il aurait voulu lui réclamer certains détails, mais il préféra s'abstenir. Elle avait dû se sentir misérable, enfermée dans cette petite caravane sans aération. Traitée comme un animal.

Sans compter la hantise d'être violée, comme n'importe quelle femme dans cette situation.

Il déposa le bol de soupe devant elle, avec une cuillère, et décida d'aborder le sujet.

— Ils vous ont sérieusement malmenée, dit-il.

Elle ne répondit rien et goûta sa soupe en poussant un gémissement de plaisir.

— Molly... Si vous avez été blessée...

Quel crétin... Il s'en voulut de sa maladresse. Bien sûr qu'elle était blessée, ça se voyait !

— Je veux dire... Je ne parle pas des traces de coups, qui sont visibles. Je pense à d'autres endroits du corps... Dans ce cas, il faudrait peut-être tout de même passer à l'hôpital.

Elle ne répondit pas et continua à manger. A chaque cuillerée de soupe, elle paraissait un peu plus léthargique, comme si le fait de se nourrir lui demandait un effort surhumain.

— Molly ?

— Je ne peux pas.

Ses joues reprenaient des couleurs, mais ses paupières commençaient à se fermer.

— Vous ne pouvez pas quoi ?

Elle porta de nouveau lentement la cuillère à sa bouche. Quelques secondes s'écoulèrent dans le silence.

— Je ne peux pas parler de ça... Pas maintenant... Ni aller à l'hôpital.

Elle leva les yeux vers lui.

— Je vous en prie. Si nous pouvions remettre cette conversation à demain matin. Ce soir, je n'en ai pas la force.

Bon sang ! Elle n'était vraiment pas raisonnable ! Il se leva et se mit à arpenter la pièce, pour réfléchir.

— Dare ?

Il se tourna vers elle, la mâchoire crispée.

— Ils ne m'ont pas violée, je vous assure.

Quelque chose lâcha en lui. Il tenta de lire dans ses yeux si elle disait la vérité, mais son regard sombre et désolé ne se laissait pas aisément deviner.

— Vous me le diriez, n'est-ce pas, si vous aviez été agressée sexuellement ?

— Si je l'avais été, je ne sais pas si je serais capable de vous le dire...

Elle releva crânement le menton.

— Mais je ne l'ai pas été, vous pouvez me croire.

Il continua à la dévisager. Il y avait tant d'émotions sur le visage de cette femme, tant de secrets dans ses yeux... Comment savoir ?

— Ce n'est pas ce qu'ils voulaient de moi, conclut-elle.

Il se souvint qu'en effet elle n'avait pas été traitée comme les autres, comme une marchandise de valeur, et décida de la croire. Du moins pour le moment.

Demain, il aborderait avec elle le pourquoi de son enlèvement.

— Je vous crois, acquiesça-t-il.

Elle se leva en vacillant.

— Attendez, intervint Dare. Je vais préparer votre lit.

Il lui ouvrit les draps, comme on le ferait pour un enfant, puis revint vers elle.

— Vous avez besoin d'aller aux toilettes ? demanda-t-il.

Elle secoua la tête. Depuis qu'elle était debout, elle avait de nouveau pâli.

— Non, répondit-elle.

Dare comprit qu'elle n'osait pas lui demander de l'accompagner jusqu'à la salle de bains.

— Bien sûr que si, vous en avez besoin.

Il la prit dans ses bras et la porta dans la petite salle de bains. Elle ne pesait presque rien. Il fut surpris de sa légèreté, de sa fragilité.

Il la déposa près de la cuvette des toilettes.

— Ça va aller ?

Elle s'agrippa au lavabo.

— Oui.

Elle tenait à peine debout, mais il ne pouvait pas faire plus. Elle était déjà suffisamment gênée comme ça.

— Appelez-moi quand vous aurez fini, dit-il.

Il sortit pour aller s'adosser au mur, près de la porte, et se mit à réfléchir à ce qu'il avait appris, et surtout à ce qu'il ignorait encore. Au bout de quelques secondes, il entendit couler la chasse d'eau, puis le robinet du lavabo.

La porte s'ouvrit.

Les yeux à demi fermés, Molly passa devant lui en traînant les pieds, comme un zombie, en direction du lit. Il se précipita pour la saisir par le coude, la soutenir, l'aider à se glisser entre les draps.

— Désolée, murmura-t-elle tout en s'effondrant sur le matelas. Tellement fatiguée…

De nouveau, il eut une bouffée d'inquiétude. Devait-il l'emmener à l'hôpital, qu'elle le veuille ou non ?

Mais elle avait déjà fermé les yeux et, pour la première fois, elle lui parut vraiment détendue. Il décida de la laisser dormir. L'hôpital pouvait attendre. Mais si elle ne se sentait pas mieux après quelques heures de sommeil, il insisterait pour qu'elle voie un médecin.

Il lui caressa les cheveux et se rendit compte qu'ils étaient encore trempés. Apparemment, ça ne la gênait pas.

Il remonta les draps, puis la couverture jusqu'à son menton, et l'entendit soupirer.

— Reposez-vous, Molly. Ne pensez plus à rien. Nous ferons le point demain.

Pas de réponse.

Il la fixa longuement, en se demandant ce qu'il allait faire de cette étrange petite femme.

Elle avait tenu le coup grâce à une volonté de fer et à une détermination sans faille. En dépit de ce qu'elle avait traversé, elle avait su se montrer raisonnable, capable de réfléchir, de faire des choix intelligents.

Mais elle refusait de porter plainte, et elle n'avait fait aucun commentaire à propos de ses armes.

Elle n'avait pas non plus demandé à prévenir qui que ce soit.

Et ça, c'était vraiment inattendu.

Dare avait sauvé bien des gens avant elle et il était bien placé pour savoir qu'un rescapé réclamait en général à parler à quelqu'un de son entourage. Tout le monde avait quelqu'un à rassurer.

Pas Molly.

Cette femme était décidément un mystère.

Il s'efforça de déployer ses cheveux sur l'oreiller, pour qu'ils sèchent plus vite. Puis, en homme qui appréciait l'ordre dans tous les domaines, il prit le temps de débarrasser la table et de la nettoyer.

Il glissa son revolver et son couteau sous son oreiller. Ils formaient une bosse familière qui l'apaisait et l'aidait à se sentir en sécurité — sensation indispensable quand on exerçait un métier comme le sien.

Après s'être dévêtu, il plia ses vêtements et les rangea dans le sac posé près de son lit. Il alla jeter un dernier regard au parking désert et silencieux à travers la fenêtre, puis il tira les rideaux, plongeant la chambre dans le noir, et alla se coucher. La climatisation ronronnait et sifflait, tout en envoyant des bouffées d'air glacé dans la pièce. Il soupira de bonheur. Cela faisait si longtemps qu'il ne s'était pas reposé!

Il ne tarda pas à s'endormir.

Des heures plus tard, un cri de panique le tira d'un rêve confus. Le cri ne s'était pas éteint qu'il était déjà debout, son revolver à la main.

Le cœur battant, le ventre noué, Molly se redressa d'un bond, les poings serrés. Sa gorge la brûlait du cri qu'elle venait de pousser. Une immense silhouette se penchait sur elle.

— Molly?

Cette voix lui semblait familière... Elle tenta de se contrôler et balaya du regard l'endroit où elle se trouvait. Ce lit n'était pas le sien, mais il était propre, et elle ne reconnut pas l'odeur pestilentielle de la caravane — un mélange de corps mal lavés, de peur, de vomi.

Alors seulement, elle se rappela où elle était. A San Diego, aux Etats-Unis. Elle poussa un cri étouffé et tendit le bras à l'aveugle devant elle.

— Dare?

Sa main rencontra un obstacle. La cuisse de son compagnon, peut-être? Dure comme de la pierre.

— Oui, c'est moi.

Il posa un objet lourd sur la table de nuit, puis s'assit sur le matelas et lui toucha l'épaule.

— Un cauchemar? demanda-t-il.

Elle eut un soupir.

— Désolée. Je vous ai réveillé.

— Vous vous sentez bien, à présent?

— Je...

Que pouvait-elle répondre? Qu'elle ne se sentirait plus jamais bien? Non. C'était faux. Ces salauds n'avaient pas réussi à l'abîmer. Elle s'en remettrait.

— Oui, ça va, éluda-t-elle.

La peur qui la traversait par vagues commençait à refluer.

— Désolée de vous avoir réveillé, répéta-t-elle.

— Cessez de vous excuser, d'accord?

Etrangement, sa voix bourrue la rassura. Elle acquiesça tout en luttant pour rassembler ses idées.

— J'ai cru que...

— Que vous étiez encore dans cette caravane?

Lentement, maladroitement, il l'attira à lui.

— C'est normal, dit-il. Il va vous falloir un peu de temps pour balayer tout ça de votre esprit.

Il lui mit une bouteille d'eau dans la main.

Elle retint un rire nerveux. Il s'était exprimé d'un ton anodin, comme si les choses étaient simples. Mais il était fort et solide, lui. Sans doute aurait-il « balayé tout ça » — comme il disait si bien —, d'un revers de la main.

Elle but consciencieusement un peu d'eau, puis lui rendit la bouteille, qu'il dut poser sur la table de nuit, car la seconde d'après il eut de nouveau les mains libres pour l'attirer vers lui.

Molly se laissa faire, calant sa joue contre la peau nue de

son torse. Une peau étonnamment chaude. Baignée d'une odeur agréable, propre, pure. Et surtout, rassurante.

Son sauveur n'avait vraiment rien à voir avec les brutes dépravées qui l'avaient gardée prisonnière. Elle frissonna en songeant que quelqu'un avait probablement payé ces salauds pour la séquestrer... Mais dans quel but ?

Bercé par les battements lents et réguliers du cœur de Dare, le sien se calma un peu. Il l'avait enlacée pour la réconforter, mais il ne bougeait plus. L'une de ses mains reposait sur son épaule, légère, immobile, mais bien présente, pour lui rappeler qu'elle n'était pas seule, mais sous sa protection.

— Dare ?

— Oui ?

Il semblait parfaitement à l'aise, comme s'il passait son temps à rassurer des femmes en détresse.

Elle se surprit à envier sa sérénité. Jamais, au cours de sa vie, elle ne s'était trouvée dans une telle situation. Totalement vulnérable. C'était affreusement gênant, mais elle n'avait pas la force de s'y opposer. Elle se contentait de se laisser guider par son instinct de survie.

— Ça vous ennuierait que je reste contre votre épaule encore quelques minutes ? demanda-t-elle d'une petite voix.

— Pas de problème, répondit-il.

Comme pour appuyer cette affirmation, il lui caressa le dos, de haut en bas, puis de bas en haut, avant de glisser sa main dans ses cheveux.

— Vos cheveux sont presque secs, à présent, fit-il remarquer.

Elle laissa échapper un petit rire teinté d'ironie.

— Oui. C'est déjà ça...

Il demeura silencieux quelques secondes, puis reprit la parole :

— Je n'ai pas pensé à vous le demander, mais voulez-vous prendre de l'aspirine ou un analgésique ?

Elle secoua la tête.

— Je ne sais pas ce qu'il y avait dans les cachets qu'ils m'ont forcée à avaler... Je préfère ne rien prendre. On ne sait jamais !

— Ils contenaient probablement un produit hallucinogène. Ou un tranquillisant.

Elle s'écarta légèrement pour lever la tête vers son visage. Il faisait si sombre qu'elle n'en distinguait que le contour.

Il devait avoir raison... Elle se souvenait de ses membres gourds, de son esprit encombré de rêves confus, incohérents, stupides. De cette sensation de ne plus appartenir au monde réel.

— Je ne bois pas d'alcool et je n'ai jamais touché à la moindre drogue. Pas même fumé un peu d'herbe quand j'étais adolescente... Mais maintenant qu'ils m'ont forcée à expérimenter la chose, je comprends encore moins ceux qui vont vers ce genre de produits !

— Tout à fait de votre avis, renchérit-il.

Elle le crut. Il était du genre à prendre les choses en main. Pas à avaler des trucs pour planer.

Plus pour elle-même que pour lui, elle murmura :

— Je n'ai pas besoin de déformer la réalité... Je préfère garder la pleine possession de mes moyens.

Il ne trouva rien à répondre.

Elle avait besoin de parler pour se débarrasser des vestiges de son cauchemar. Elle leva de nouveau les yeux vers lui.

— Les autres femmes... A part celle que vous étiez venu chercher... Que sont-elles devenues ?

— Elles devaient être mexicaines parce que, aussitôt libérées, elles sont parties de leur côté.

— J'espère que tout s'est bien passé pour elles.

Il haussa les épaules.

— Elles semblaient savoir où se réfugier.

— Ces hommes..., commença-t-elle. Ils étaient... tellement cruels ! Ils ne cessaient de tripoter ces femmes, de les peloter.

Il tressaillit. Elle eut l'impression que tous les muscles de son corps se raidissaient, comme s'il s'apprêtait à bondir.

— La femme blonde, ils l'ont pelotée aussi ? demanda-t-il d'une voix que la colère rendait glaciale.

— Un peu... Mais j'ai l'impression qu'ils la considéraient

comme un objet précieux. Ils avaient peur de l'abîmer. Ils disaient qu'elle allait rapporter beaucoup d'argent.

Elle agrippa son épaule, mais cette fois c'était lui qu'elle cherchait à rassurer, pas elle.

— C'est elle que vous cherchiez? Celle dont vous m'avez dit que vous la considériez comme une sœur?

— Oui.

Elle cala de nouveau sa joue contre son torse.

— Et où est-elle, à présent?

— Avec son frère. En sécurité.

En sécurité. Ça sonnait bien. Sauf qu'elle savait maintenant qu'il pouvait vous arriver n'importe quoi, n'importe quand. Que l'on n'était jamais en sécurité nulle part.

— Tant mieux, dit-elle. Elle semblait si jeune!

La douce chaleur qui émanait du corps de cet homme l'engourdissait lentement.

— J'ai essayé de parler avec elle, mais elle avait trop peur pour me répondre.

— Et vous? Vous n'aviez pas peur?

— Je n'ai jamais eu aussi peur de ma vie, soupira-t-elle.

Dans la pénombre et le silence de cette chambre de motel, avec cette main rassurante qui lui caressait l'épaule, elle trouvait soudain facile de se confier.

— Dare, est-ce que je peux vous dire quelque chose?

Il remua, comme s'il s'installait confortablement pour mieux l'écouter.

— Oui.

— Je ne sais pas trop comment l'expliquer, mais… je crois que je n'étais pas dans cette caravane pour les mêmes raisons que les autres.

— Je l'avais déjà compris, dit-il seulement.

Ah bon?

— Toutes ces filles avaient moins de vingt ans et elles étaient superbes. Elles avaient le droit de se laver, on leur fournissait des vêtements propres. Des vêtements destinés à montrer leurs appas, mais des vêtements tout de même.

Elles étaient nourries correctement. On leur donnait à boire. Visiblement, nos ravisseurs n'avaient pas envie qu'elles aient trop mauvaise mine.

— Je sais, dit-il.

— Je ne veux pas dire par là que c'était plus facile pour elles que pour moi. Elles aussi étaient retenues contre leur volonté.

— Et où voulez-vous en venir... ?

Elle avala sa salive.

— Je... J'ai trente ans... Je sais que je ne suis pas une femme d'une beauté exceptionnelle. Je n'avais rien à voir avec ces femmes, c'est certain. Je ne suis pas stupide.

— En effet, vous n'êtes pas du tout stupide, approuva-t-il d'un ton qui lui fit chaud au cœur.

— Ils n'avaient donc pas l'intention de me vendre comme les autres.

— En effet, acquiesça-t-il. Mais dans ce cas, pourquoi vous ont-ils enlevée ? Le savez-vous ? Vous l'ont-ils dit ?

Ils avaient dit pas mal de choses, mais ils s'exprimaient surtout en espagnol, et elle n'y comprenait quasiment rien.

— Je n'ai cessé de réfléchir à la question et j'en suis venue à la conclusion que quelqu'un avait dû les payer.

Elle attendit sa réaction. Il ne dit rien, mais son corps se crispa de nouveau, ce qui ne l'empêcha pas de continuer à la serrer contre lui avec tendresse.

Quand il reprit la parole, ce fut d'un ton très naturel.

— Et qui, d'après vous ?

Molly ferma les yeux et soupira. Elle détestait l'idée de devoir réfléchir à une telle question. Elle détestait ce que sa vie était devenue.

— Aucune idée, répondit-elle franchement. La vérité, c'est que je ne vois pas à qui je peux faire confiance autour de moi.

Il lui caressa doucement les cheveux, puis sa main s'arrêta à l'arrière de son crâne.

— Vous croyez que vous pourrez vous rendormir, à présent ?

Se rendormir, peut-être. Mais seule, non.

— Quelle heure est-il ? demanda-t-elle.

— Peu importe. Nous avons encore du temps devant nous.

Elle fut gênée à l'idée qu'elle l'encombrait. Personne ne l'avait payé pour la sauver. Il l'avait probablement embarquée avec l'intention de la déposer de l'autre côté de la frontière… mais elle était si faible qu'il l'avait sur les bras, à présent. Malheureusement, elle n'avait personne d'autre que lui sur qui compter. Pour le moment, du moins.

— Vous parliez d'avion, tout à l'heure… Vous avez un avion à prendre? risqua-t-elle.

Avant de lui répondre, il la força à s'allonger sur le lit. Sa tête s'enfonça dans le coussin moelleux. Les draps, bien qu'un peu rêches, sentaient bon. Il la borda délicatement.

Elle aurait pu s'inquiéter à l'idée qu'un homme se penchait sur elle dans l'obscurité. Surtout un homme de la taille de Dare.

Mais il n'en était rien — au contraire : jamais elle ne s'était sentie aussi bien depuis qu'on l'avait forcée à monter dans une camionnette garée en face de son immeuble, alors qu'elle sortait de chez elle pour poster une lettre. Elle songea que sa petite bourgade de l'Ohio ne lui paraîtrait plus jamais ennuyeuse.

Dare lui couvrit les épaules avec les couvertures.

— Non, je n'ai pas d'avion à prendre. Je n'ai rien prévu, en fait. Quand je pars pour ce genre de mission, je ne sais jamais quand je rentrerai. Si les choses avaient mal tourné, si je n'avais pas délivré Alani ou si on l'avait déjà emmenée ailleurs, je serais encore en train de la rechercher.

— Vous n'auriez pas abandonné?

— Jamais.

L'assurance avec laquelle il avait prononcé ce simple mot la réconforta. Elle envia Alani d'avoir quelqu'un comme Dare pour veiller sur elle.

— Comment avez-vous su où elle se trouvait?

Il remua et elle craignit qu'il ne s'installe sur son lit à lui — *et qu'il ne l'abandonne* —, mais il s'adossa à la tête de lit et allongea ses jambes sur le matelas.

— Ça fait longtemps que je fais ce métier, dit-il en guise d'explication.

— Combien de temps ? Vous avez à peu près mon âge, n'est-ce pas ?

— J'ai trente-deux ans. Donc, ça fait déjà plus de dix ans.

— Vous avez commencé jeune…

— C'est un truc qui m'a toujours convenu, commenta-t-il en haussant les épaules.

— Vous êtes accro à l'adrénaline ?

— Sans doute. Et j'ai besoin de maîtriser la situation. C'est pourquoi je comprends que vous ayez si mal supporté de vous sentir à la merci de vos ravisseurs. Moi aussi, ça m'aurait rendu malade.

Mais vous, ils n'auraient pas pu vous réduire à l'impuissance. Il aurait sûrement trouvé un moyen d'échapper à ses geôliers, lui !

Il prit son silence pour une invitation à poursuivre, ce qui l'enchanta, car elle mourait de curiosité. De plus, l'écouter parler l'empêchait de ruminer.

— Je porte aux détails une attention presque obsessionnelle, reprit-il. Du coup, les gens me savent compétent et j'ai pu nouer des contacts un peu partout, en particulier au Mexique, où ce n'est pas difficile d'obtenir des informations du moment qu'on graisse la patte aux coyotes.

— Les coyotes ? Vous parlez de ceux qui font passer illégalement la frontière à des étrangers sans papiers ?

Il acquiesça.

— Oui. C'est grâce à eux que j'ai pu sortir de Tijuana. Pourtant, certains d'entre eux sont des ordures. Je sais qu'ils facilitent la traite des Blanches.

— Votre amie Alani a des cheveux d'une couleur exceptionnelle.

Il acquiesça.

— Ça m'a aidé à la retrouver, parce que tous ceux qui l'avaient vue se souvenaient d'elle. Ses ravisseurs espéraient en tirer un bon prix, c'est certain.

Elle frémit. Comment pouvait-on seulement *envisager* de vendre un être humain ? Ses ravisseurs avaient manifestement perdu toute notion du bien et du mal.

Maintenant que ses yeux s'étaient accoutumés à la pénombre, elle distinguait mieux le profil de Dare. Elle se souvint du bruit sourd fait par l'objet qu'il avait posé sur la table de nuit avant de s'asseoir.

— Vous portez un revolver, dit-elle.

— Il est sur la table de nuit, confirma-t-il. C'est un Glock 9mm. Ça vous inquiète ?

Elle secoua la tête.

— Tant mieux, dit-il.

Elle se rendit compte qu'il distinguait son visage, lui aussi.

— Vous voulez bien me le montrer ?

— Vous l'avez déjà vu.

— Je veux dire... Le toucher. J'aimerais le tenir dans ma main.

Il émit un drôle de bruit qui aurait pu passer pour une sorte de rire.

— Sûrement pas.

Bon... Elle se demanda si elle devait s'offenser de ce refus. Puis elle songea de nouveau aux hommes qui l'avaient séquestrée.

— Vous avez déjà tué quelqu'un avec ? demanda-t-elle.

— Oui, répondit-il sans la moindre hésitation.

Le cœur de Molly s'accéléra. Elle s'humecta les lèvres et prit le temps d'inspirer avant de poursuivre :

— Et ceux qui gardaient la caravane, vous les avez tués ?

Il baissa les yeux vers elle et la dévisagea pendant quelques secondes, sans un mot.

— Pourquoi cette question ? demanda-t-il enfin.

— Ce sont des brutes qui prennent plaisir à maltraiter les femmes, murmura-t-elle d'une voix rauque d'émotion.

Elle aurait bien voulu en parler d'un ton dégagé, mais c'était au-dessus de ses forces.

— Et qui vous ont maltraitée, vous, ajouta-t-il d'un ton plein de sollicitude.

Elle sentit sa gorge se nouer.

— Ils...

Sa voix se brisa. Seigneur... Que c'était difficile à dire...

Elle lui fut reconnaissante de son silence. Il ne la brusquait pas. Il attendait patiemment qu'elle poursuive.

— Leur but, c'était de me faire pleurer. Ils voulaient me mettre à genoux. Ils voulaient que je les supplie.

Elle renifla. Soupira.

— Juste pour s'amuser.

Sans un mot, comme s'ils étaient déjà intimes, il la serra contre lui et posa son menton sur son crâne.

— Vous savez, Molly, si je le pouvais, je les tuerais une seconde fois.

Elle sursauta.

— Une seconde fois ?

— Oui.

Elle se sentit prise de vertige.

— Vous les avez donc tués ?

— Oui. Ils sont morts et bien morts.

Il baissa les yeux vers elle.

— Ils le méritaient, conclut-il.

— En effet.

Ils étaient morts. Ils ne pouvaient plus nuire, ni à elle ni à personne d'autre. Elle se sentit immensément soulagée. L'aube commençait à poindre à travers les rideaux. Pour la première fois depuis longtemps, Molly l'accueillit avec espoir.

— Dare ?

— Oui ?

Elle se serra contre lui.

— Merci pour tout.

3

Tout en buvant son café à petites gorgées, Dare passait en revue les scénarios possibles pour la journée. Il devait à présent décider de ce qu'il allait faire de Mlle Molly Alexander. Il ne pouvait pas l'abandonner. Primo, elle n'était pas en état de rester seule. Et secundo, elle n'avait visiblement personne auprès de qui se réfugier. Quant à la police, elle refusait d'y aller. A juste titre, d'ailleurs : les flics n'auraient sûrement pas été d'une grande utilité dans l'immédiat.

Que faire, alors ? Il n'allait tout de même pas l'emmener avec lui ?

Chez lui.

Il lui tardait de rentrer, pourtant. Et de retrouver ses *filles*. Il prit son téléphone portable. Chris Chapey, son secrétaire particulier, décrocha à la première sonnerie.

— Salut, Dare. J'espère que tu as de bonnes nouvelles à m'annoncer.

Dare leva les yeux au ciel. Il avait beau essayer, pas moyen d'obtenir de Chris qu'il réponde décemment au téléphone, comme un secrétaire digne de ce nom. Chris s'était probablement donné la peine de vérifier l'identité de l'appelant, mais tout de même...

— Alani est avec Trace, répondit-il.

— Félicitations. Excellente nouvelle ! s'exclama Chris.

Puis, d'un ton plus modéré, il ajouta :

— Elle va bien ?

— Tout dépend de ce qu'on entend par là. Je pense qu'elle

s'en remettra, mais Trace ne la laissera certainement pas repartir de sitôt en vacances sans lui!

Pas tant qu'Alani n'aurait pas un homme pour veiller sur elle.

— Il a raison, commenta Chris. Et toi? Je suppose que tu t'en es sorti sans une égratignure?

Dare jeta un regard à Molly qui dormait toujours dans son lit — lit qu'ils avaient partagé, mais platoniquement.

— Plus ou moins, grommela-t-il.

— Tu rentres quand?

— Je ne sais pas encore. J'ai un...

Réveillée sans doute par le son de sa voix, Molly ouvrit des yeux gonflés de sommeil et encore vagues. Puis elle le vit et, de nouveau, elle eut ce regard de biche traquée.

— Une complication, acheva-t-il.

S'entendre qualifiée de « complication » ne parut pas déranger la jeune femme, qui roula sur le dos, bâilla, puis repoussa les couvertures et se redressa. Elle s'étira lentement et fit la grimace. Sous son T-shirt froissé par une nuit de sommeil, Dare remarqua une fois de plus qu'en dépit de sa minceur, elle ne manquait pas de courbes, notamment au niveau des seins.

Comment ne s'en était-il pas aperçu plus tôt? Il n'avait vu au début qu'un corps malmené et couvert de traces de coups, mais à présent...

Molly laissa pendre ses jambes hors du lit, comme pour se lever, puis demeura quelques minutes immobile, les épaules voûtées, à respirer lentement, sans doute pour maîtriser ses crampes et ses douleurs. Il était prêt à parier qu'elle avait mal partout.

Elle finit tout de même par se lever, en poussant un gros soupir, pour se rendre dans la salle de bains, pieds nus. De dos aussi, elle avait de belles courbes, que son short lâche et son T-shirt trop grand ne parvenaient pas à dissimuler.

Il constata avec plaisir qu'elle marchait avec un peu plus d'aplomb que la veille. Manger et dormir lui avait fait du bien.

Quand elle referma la porte derrière elle, il se rendit compte que Chris n'avait pas cessé de lui parler et qu'il n'avait rien écouté.

— Il faut que je te laisse, dit-il.

Chris ricana.

— Pas la peine de jouer les mystérieux. Si tu as des ennuis...

— Je n'ai pas d'ennuis.

— Tu parlais d'une complication.

— Rien de grave.

Du moins l'espérait-il.

— Je vais régler ça au mieux. Je te rappellerai plus tard, quand j'aurai décidé de la conduite à tenir.

Molly émergea de la salle de bains, le visage humide, les cheveux en bataille.

Elle s'approcha pour renifler le café et souleva une tasse en guise de question. Dare approuva d'un hochement de tête.

Elle articula un silencieux merci.

A la lumière du jour, ses yeux bruns paraissaient moins inquiets, mais les ecchymoses qui les soulignaient s'étaient étendues.

Merde.

Dare reporta son attention sur Chris.

— Embrasse les filles pour moi, dit-il.

— Je m'en occupe bien, ne t'inquiète pas. Je les chouchoute.

Il ne s'inquiétait pas.

Il aurait confié sa vie à Chris. Il lui confiait ses *filles* les yeux fermés.

— A plus tard, dit-il.

Il referma son téléphone et dévisagea sa compagne. Elle évita son regard. Pourquoi ?

— Comment vous sentez-vous ? demanda-t-il. Et répondez franchement, s'il vous plaît. Inutile d'enjoliver le tableau.

Un bref sourire passa sur les lèvres de Molly.

— Heureuse d'être en vie et libre. Mais j'ai mal partout et je suis fatiguée. Et surtout, je meurs de faim.

Elle jeta un regard avide sur les denrées étalées sur la table.

— Je ne voudrais pas me montrer impolie, mais… Puis-je me servir ?

— J'ai terminé de petit déjeuner, prenez tout ce que vous voulez, répondit-il.

Il la regarda s'asseoir et soulever le couvercle des trois barquettes qui contenaient des œufs brouillés, du bacon, des toasts.

Elle ouvrit des yeux ronds.

— C'est un véritable festin ! s'exclama-t-elle.

— N'exagérons rien, dit-il.

Il était réellement surpris par tant de bonne humeur. Peut-être en rajoutait-elle ? Il s'était préparé à la materner, mais elle n'en avait visiblement pas besoin. A la voir si pleine d'allant, il avait peine à croire qu'elle venait d'être séquestrée pendant neuf jours.

— Je n'ai rien vu de plus appétissant depuis bien trop longtemps, aussi… Je vous remercie. Et ne vous en faites pas. J'ai réellement de quoi vous rembourser pour tout ça. Je n'ai jamais été très douée pour le calcul mental et je n'ai pas de quoi noter, mais…

Elle lui jeta un regard à la dérobée.

— Rien sur moi, je veux dire.

Cette femme avait été rouée de coups, et elle se préoccupait du prix de son repas ?

— Depuis combien de temps êtes-vous levé ? demanda-t-elle.

Elle goûta les œufs, ouvrit un sachet de sel, un autre de poivre, assaisonna, goûta de nouveau.

— C'est le paradis, gémit-elle en levant les yeux au ciel.

Dare trouva adorable son expression de béatitude gourmande.

— Depuis quelques heures, déjà, dit-il.

Je suis resté un long moment allongé sur le lit, avec vous pelotonnée contre moi.

C'était la première fois qu'il se réveillait auprès d'une femme. Enfin, il y avait peut-être eu une ou deux exceptions à la règle. En tout cas, c'était la première fois qu'il se réveillait au côté d'une femme qui avait vécu neuf jours de séquestration.

Elle dormait à poings fermés, mais s'agrippait si fortement à lui qu'il avait eu du mal à se dégager pour sortir du lit. En la quittant, il avait remarqué que sa chaleur lui manquait et qu'il sentait encore sur lui son odeur.

Perturbant.

— Quelle heure est-il ?

Elle mordit dans le bacon qu'elle mastiqua avec une expression ravie.

— Midi.

— Oh ! Je suppose, que pour vous c'est très tard.

Elle lui lança un regard amusé.

— Un homme organisé comme vous se lève sûrement à l'aube, ajouta-t-elle en balayant la pièce du regard, comme pour souligner ses dires.

Il avait déjà fait son lit, parce qu'il détestait le spectacle des couvertures et des draps froissés. Et surtout, il ne voulait pas qu'une femme de ménage s'approche de ses affaires.

Il haussa les épaules.

D'habitude, il se levait avant l'aube, mais aujourd'hui il avait traîné un peu, parce qu'il avait besoin de se reposer.

Il tenta d'orienter la conversation vers un sujet plus sérieux.

— Molly, qu'avons-nous d'urgent à faire, d'après vous ?

Elle s'apprêtait à enfourner une autre bouchée de bacon, mais arrêta son geste à mi-course et laissa retomber sa main sur la table.

— Eh bien… J'y ai un peu réfléchi.

— Vous y avez réfléchi ? Durant les trente secondes que vous avez passées dans la salle de bains ?

Le reste du temps, elle avait parlé ou dormi. Quand avait-elle donc pu s'intéresser sérieusement à la question ?

Elle releva fièrement le menton.

— J'y réfléchis depuis que je me suis réveillée à l'arrière de votre camionnette et que j'ai compris que j'étais libre.

Surprenant. Mais il la crut. Elle lui avait déjà prouvé qu'elle était une femme avisée, organisée, prévoyante.

— Et vous avez des idées ?

— Tout dépend...

Elle remua sur sa chaise, visiblement gênée, puis inclina la tête.

— Est-ce que vous êtes cher, Dare?

Où voulait-elle en venir? Il croisa les bras et s'adossa posément à son dossier.

— Plutôt, oui.

— Donc, ça signifie que vous êtes compétent.

Il plissa les yeux.

— Très compétent.

Elle se tut, comme si elle réfléchissait à ce qu'impliquait cette réponse, puis acquiesça.

— Je n'ai pas très bien saisi la nature de votre travail, mais j'ai bien noté que vous portiez sur vous un revolver et un couteau. J'ai aussi remarqué que vous étiez doué pour vous tirer d'affaire dans des situations périlleuses.

Elle esquissa un sourire amusé, attendant la suite.

— Tout ça me donne confiance en vous, poursuivit-elle. De plus, vous m'avez sauvée. Et cela uniquement parce que ça vous a semblé la seule chose à faire. Vous êtes un homme d'honneur... Donc... Je me demandais si je pouvais recourir à vos services?

Il s'agissait d'une question. Elle lui réclamait sa coopération et n'était pas certaine qu'il accepte.

Dare l'observa avec attention. Il n'arrivait décidément pas à anticiper ses réactions. Depuis qu'il la connaissait, elle n'avait cessé de le surprendre.

— Et qu'attendriez-vous de moi?

Si elle le prenait pour un tueur à gages, il allait mettre les pendules à l'heure. Oui, il avait tué. Mais uniquement quand c'était nécessaire et toujours pour protéger un innocent. Jamais de sang-froid. Jamais pour de l'argent.

Il respectait la loi, comme n'importe quel citoyen. Chaque fois que c'était possible.

Molly posa ses coudes sur la table et le regarda droit dans les yeux.

— Quelqu'un me veut du mal, je n'en doute plus. Ce quelqu'un a commandité mon enlèvement et prévoyait peut-être de me faire éliminer. Il faut que je sache qui, sinon je ne pourrai jamais plus vivre en paix. Et en attendant de le savoir, j'ai besoin de protection.

Elle posa un regard appuyé sur son torse et ses bras musclés, fit la moue, puis revint sur ses yeux en laissant échapper un soupir.

— Il est clair que vous avez les capacités requises pour protéger quelqu'un, conclut-elle.

En effet, mais il n'était pas homme à s'engager à la légère. Il ignorait tout d'elle, non ? A lui de poser des questions, à présent.

— Vous avez dit « Il ». Vous pensez donc que c'est un homme qui a payé pour votre enlèvement ?

Elle fit la moue.

— Je n'en sais rien. C'était juste une façon de parler. Ça pourrait être n'importe qui.

Rien que ça...

— Vous avez beaucoup d'ennemis, Molly ?

Elle eut un rire nerveux, puis se ressaisit et prit un toast.

— Au moins un, dit-elle d'un ton neutre.

Elle avait probablement raison. Elle n'avait pas le profil pour la traite des Blanches. Quelqu'un avait dû payer pour qu'on l'enlève. Et ce quelqu'un était son ennemi.

Mais il voulait entendre jusqu'au bout ses arguments.

— Qu'est-ce qui vous fait croire que vous n'avez pas été choisie au hasard, comme les autres ?

— Parce que je ne corresponds pas aux standards. Les autres étaient jeunes et superbes. De plus, on m'a réservé un traitement à part, ne l'oubliez pas.

Elle frémissait de nouveau, de colère et de peur.

— Les autres femmes, ils ne cessaient de les reluquer, de les examiner comme de la marchandise. Mais moi, ils m'ont provoquée, harcelée, comme s'ils se sentaient autorisés à m'abîmer.

— Ces coups qu'ils vous ont donnés au visage le prouvent, murmura Dare en réprimant une bouffée de colère. Une femme au visage marqué ne vaut pas grand-chose sur le marché.

Elle haussa les épaules.

— Ils ne frappaient pas les autres au visage. En fait, ils ne les battaient pas du tout. Ils les ont un peu malmenées, pour les effrayer, mais rien de plus.

— Vous leur avez tenu tête, fit remarquer Dare. Vous les avez même provoqués, si j'ai bien compris.

— C'est Alani qui vous l'a raconté? Eh bien... Je suppose qu'il y a du vrai là-dedans. Et vous trouvez sans doute que j'ai agi comme une idiote?

— Je ne sais pas. Tout dépend.

Elle serra les poings.

— Ils voulaient me briser, j'ai résisté. J'avais peur de leur céder, parce que je pensais que si je lâchais, ils risquaient de me tuer.

Elle s'aperçut qu'elle venait de broyer un toast dans sa main et épousseta ses doigts avant de croiser sagement les mains sur ses genoux.

— J'étais terrifiée, croyez-moi. Mais plutôt que de le leur montrer, j'ai préféré leur manifester mon mépris.

Il ne put s'empêcher de l'admirer, une fois de plus. Elle avait réussi à garder la tête froide et à réfléchir dans des circonstances effroyables.

— Poursuivez, enjoignit-il.

— J'ai surpris quelques conversations, en espagnol le plus souvent. Une fois l'un d'eux était furieux contre moi et il a dit qu'il allait me tuer. Un autre lui a répondu qu'il ne pouvait pas. Pas encore.

Dare fronça les sourcils. Ils attendaient donc un ordre. Mais lequel ? Et venant de qui ?

— Ils obéissaient à quelqu'un, assura-t-elle.

— C'est probable, concéda-t-il.

C'était probable, en effet. Sinon, pourquoi l'auraient-ils

gardée pendant neuf jours, sans chercher à la vendre ni à la tuer ?

— Ensuite, reprit-elle, un autre a dit que...

Sa voix mourut lentement. Elle était visiblement bouleversée. Et furieuse.

— Il a dit quoi ? s'enquit Dare.

Elle ferma les yeux.

— Que j'avais sûrement compris la leçon.

Il frémit. *Incroyable.* Quelqu'un avait payé les ravisseurs de Molly pour lui « donner une leçon » ? Il fallait une bonne dose de haine et de ressentiment pour manigancer un truc pareil.

Comment une petite femme comme Molly, si douce et inoffensive, pouvait-elle inspirer tant de haine ?

— Vous ne savez vraiment pas qui a pu les engager ?

Comme elle ne répondait pas, il insista :

— Faites un effort, Molly. Si vous voulez que je vous aide, il me faut des détails.

Elle soupira.

— Disons que ça pourrait être mon père, n'importe lequel de ses associés, mon ex-petit ami ou un lecteur mécontent.

Son petit ami ? Il en resta sous le choc. Puis son cerveau enregistra la suite.

— Un lecteur ?

Elle se tourna vers lui, le dos bien droit, le menton fier.

— J'écris des romans.

— Et vous êtes publiée ?

Elle battit des paupières.

— Eh bien, oui, fit-elle d'un ton qui signifiait que la question lui paraissait idiote.

— Je n'ai jamais entendu parler de vous.

Une expression fugitive passa sur son visage, comme si elle se tenait brusquement sur la défensive.

— Sans doute ne lisez-vous pas ce genre de romans... Je mêle intrigue policière et histoire d'amour. Et d'après mes lecteurs, j'y parviens très bien !

Elle inclina la tête, avec un brin de suffisance.

— Une maison de production vient d'acheter les droits de mon quatrième livre pour en faire un film. On parle de Ryan Reynolds pour le rôle principal.

Dare poussa un sifflement admiratif et incrédule.

— Bon sang… Pas étonnant que vous puissiez vous payer mes services !

Elle reprit sa fourchette en main. L'appétit lui revenait.

— J'ai de quoi payer ce petit déjeuner, et, si cela vous intéresse, beaucoup plus encore.

En annonçant à Dare qu'elle publiait des romans, Molly savait qu'elle ferait son petit effet. Mais elle n'avait pas cherché à l'épater. Il avait raison : si elle voulait qu'il l'aide, elle ne devait rien lui cacher.

Aussi était-elle décidée à tout lui dire — mais progressivement. Chaque chose en son temps.

Le petit déjeuner était succulent. Elle décida de n'en rien laisser. Manger l'aidait à revenir parmi les êtres humains, elle qui avait vécu pendant neuf jours comme un animal. Dare l'observa en silence jusqu'à ce qu'elle achève la dernière bouchée de bacon et s'adosse à sa chaise avec un soupir de contentement.

— Merci, murmura-t-elle.

— Vous n'allez pas être malade ? s'inquiéta-t-il.

Elle secoua la tête.

— Non. Ça va très bien.

Et cette fois, c'était vrai.

— Vous voulez que j'aille vous chercher autre chose ? Du gâteau ? Une tarte ?

Cette offre polie contrastait avec l'expression fermée de son visage.

Elle ne comprenait décidément rien à cet homme-là, mais il lui inspirait confiance. C'était tout ce qui comptait.

— Non. Je suis rassasiée. Merci.

Elle s'attendait à ce qu'il la bombarde de questions, mais il se leva et marcha vers la porte.

— Je me suis déjà douché et rasé, annonça-t-il.

— Et le bruit ne m'a pas réveillée? s'étonna-t-elle. J'ai pourtant le sommeil léger.

— Vous étiez exténuée, fit-il remarquer. Je vous laisse seule, profitez-en pour... Ce que vous voudrez. Je serai de retour dans une demi-heure.

Il referma la porte avant qu'elle ait eu le temps de lui demander où il allait. Elle eut l'impression très nette qu'il la fuyait. C'était un combattant, un solitaire. Sa présence lui pesait. Elle l'étouffait.

Elle s'approcha de la fenêtre pour voir où il allait.

Tout en le regardant s'éloigner, elle songea qu'il n'était pas très curieux.

Quand les gens apprenaient qu'elle écrivait des romans, elle avait généralement droit à une avalanche de questions. *Où trouvez-vous vos idées? Combien de temps mettez-vous à écrire un livre? Combien ça vous rapporte? Qu'est-ce qui vous a poussée à écrire?*

Quand elle répondait qu'elle écrivait pour le plaisir, pour distraire les gens et les faire rêver, et non pour satisfaire de quelconques ambitions littéraires, il arrivait qu'on lui manifeste du mépris. Mais ça lui était égal.

On lui demandait aussi si les magazines féminins parlaient d'elle ou si on allait faire un film avec l'un de ses livres, comme s'il suffisait de claquer des doigts pour devenir une célébrité, ou comme si c'était la seule chose qui comptait. La renommée. Et l'argent qui allait souvent avec.

D'ailleurs, depuis le projet de film, une question s'était ajoutée aux autres : *Est-ce que tu pourrais me prêter de l'argent?*

Presque tous ses proches en voulaient à son argent. De vagues connaissances se déclaraient soudain ses amis et ne cessaient de lui rendre visite. Et quand ce n'était pas pour l'argent, c'était pour qu'elle leur présente des stars.

Elle ricana intérieurement. Tant pis pour ceux qui la regardaient autrement depuis le projet de film. Elle, elle n'avait pas changé.

Elle ouvrit la fenêtre pour humer l'air frais. Leur chambre donnait sur le parking et elle vit Dare monter dans sa camionnette de location et prendre la direction du Walmart.

Sur sa gauche, elle apercevait l'océan, les vagues qui s'échouaient sur la plage, des surfeurs, des promeneurs avec leur chien, des amoureux main dans la main.

Elle soupira. Elle avait le temps de prendre une douche avant le retour de Dare. Peut-être parviendrait-elle à démêler ses cheveux avec une bonne dose d'après-shampoing ?

Quelques minutes plus tard, alors qu'elle était sous le jet d'eau tiède, elle entendit frapper à la porte de la salle de bains.

— Molly ?

Il était revenu plus vite que prévu — ou bien c'était elle qui s'était attardée sans s'en rendre compte.

— J'arrive tout de suite, cria-t-elle.

— Je vous ai acheté d'autres vêtements. Vous n'êtes pas obligée de remettre ceux d'hier.

— Une seconde, répondit-elle en sortant de la cabine de douche.

Elle s'enveloppa dans une serviette et entrebâilla la porte.

— Vous n'étiez pas obligé, fit-elle remarquer.

Il jeta un regard sur son épaule droite, laquelle était nue, puis lui tendit un sac.

— Il y a de quoi vous habiller, dit-il. Et vous brosser les dents.

Elle se mordit la lèvre, comme chaque fois qu'elle était gênée ou émue, et acquiesça.

— Merci, dit-elle.

Elle voulut refermer le battant, mais il le retint du plat de la main.

— Vous vous sentez bien ? demanda-t-il.

Elle n'aurait pas su dire pourquoi son cœur battait comme ça. A présent qu'elle se sentait moins faible, leur relation lui

apparaissait sous un jour différent. Ils partageaient tout de
même une certaine intimité. C'était troublant.

— Tout à fait, affirma-t-elle. Je suis pratiquement redevenue moi-même.

Il plissa les yeux d'un air méfiant.

— On dirait que vous tremblez encore.

Un peu, oui, mais c'était surtout parce qu'elle se trouvait
quasiment nue face à un très beau spécimen masculin.

— Pas du tout, nia-t-elle.

— Et vous êtes pâle, insista-t-il.

Pâle ? Pourtant, elle se sentait rougir.

— Je crois que c'est mon teint naturel.

Il la dévisagea encore quelques secondes, puis décida de
ne pas insister.

— Je suis à côté si vous avez besoin de quoi que ce soit,
dit-il en lâchant la porte.

Le souffle coupé par une émotion qu'elle ne parvenait pas à
identifier, Molly referma le battant, puis mit le loquet, lequel
fit un déclic qui lui arracha la grimace. Puis elle s'adossa à la
porte en poussant un soupir de soulagement.

La première fois qu'elle avait posé les yeux sur Dare, elle
avait été impressionnée par sa taille, par ses larges épaules,
par ses biceps saillants, par son torse puissant. Elle l'avait vu
comme un protecteur, une planche de salut.

A présent qu'elle était de nouveau en état de réfléchir, elle
prenait conscience qu'il était avant tout un homme.

Et pas n'importe quel homme.

Comment n'avait-elle pas remarqué plus tôt à quel point
il était séduisant ? Elle était enfermée dans une chambre de
motel avec plus d'un mètre quatre-vingt-dix de sensualité.
Des cheveux bruns ébouriffés, des yeux bleus et perçants, un
calme bouleversant...

Et dire qu'elle avait dormi dans son lit, lovée contre lui,
en ne songeant qu'à profiter du réconfort et du sentiment de
sécurité qu'il lui apportait !

Seigneur...

Ses joues la brûlèrent, et elle y appuya ses mains pour les rafraîchir. Au téléphone, il avait parlé de « filles ». Il avait donc des enfants ? Ou était-ce une allusion à ses conquêtes ? Et à qui s'adressait-il ?

S'il avait quelqu'un dans sa vie, c'était tout de même gênant qu'ils aient partagé le même lit.

— Molly ?

Elle tressaillit.

— Oui ?

— Vous allez retourner sous la douche ou pas ?

Elle ouvrit de grands yeux. Il ne voyait tout de même pas à travers les murs ! Sans doute était-il attentif au moindre bruit. Au moindre signe de défaillance.

Elle se racla la gorge.

— Oui, j'y retourne tout de suite.

Puis elle fronça les sourcils.

— Vous pouvez allumer la télévision ? demanda-t-elle.

Elle ne voulait pas qu'il entende tout. C'était gênant.

Elle attendit qu'il mette le son de la télévision, plutôt fort, pour farfouiller dans le sac qu'il venait de lui donner.

Une brosse à dents et du dentifrice ! Cette découverte l'enchanta. Ignorant les vêtements, elle se mit à passer en revue les articles de toilette : de la crème pour le corps, un coupe-ongles, une lime, un rasoir, du shampoing et de l'après-shampoing de meilleure qualité que ceux du motel.

Que Dieu bénisse cet homme ! Sous ses muscles impressionnants se cachait une délicatesse inattendue.

Elle rouvrit les robinets de la douche et se lava longuement les dents. Le shampoing et l'après-shampoing sentaient bon et l'aidèrent à améliorer l'aspect de ses cheveux. Puis elle se rasa les jambes en veillant à ne pas appuyer sur ses égratignures et ses ecchymoses.

Tout cela lui réclama une énergie considérable. Une fois séchée, elle se sentit de nouveau épuisée. Mais pas question de s'habiller avant de s'être enduite de crème et d'avoir coupé ses ongles.

Il lui avait pris les mêmes vêtements que la veille, mais dans une autre couleur. Sauf la culotte, toujours blanche et en coton.

Habillée, rafraîchie, mais vidée, elle sortit enfin de la salle de bains et trouva Dare devant la fenêtre, dos à la télévision. Il semblait surveiller quelque chose. Ou quelqu'un. Encore un danger? Non… Ce n'était pas possible. Elle allait lui demander ce qui se passait, mais il la prit de vitesse.

— Vous avez fini? dit-il.

Elle ne voulait pas s'affaler sur le lit. Aussi se dirigea-t-elle vers la table, qu'il avait déjà débarrassée et nettoyée.

— Je me sens pratiquement humaine, assura-t-elle.

Mais que voyait-il par cette fenêtre?

— Parfait, approuva-t-il en lâchant le rideau. Nous allons pouvoir partir.

— Nous partons?

Il acquiesça.

— Aujourd'hui. Je vais essayer de trouver un vol pour rentrer, sinon nous changerons tout simplement de motel.

Un avion pour rentrer? Chez lui ou chez elle? Et ensuite?

Ils n'avaient rien décidé ensemble, mais elle était toujours en danger et préférait s'en remettre à lui. S'il lui proposait de l'accueillir chez lui, verrait-elle ses filles? Et aussi cette Chris qu'il était justement en train d'appeler pour lui annoncer leur arrivée?

Etait-ce sa petite amie? Sa femme? Mais Chris pouvait aussi désigner un homme… Il s'agissait peut-être tout simplement d'un employé ou d'un collègue?

Elle aurait pu lui poser la question, mais elle se l'interdit. Sa vie privée ne la regardait pas.

Il referma le téléphone, le posa sur le bureau, puis la contempla fixement, les bras croisés.

— J'ai acheté les ciseaux que vous m'avez réclamés pour vous couper les cheveux, annonça-t-il. Mais avant d'en arriver à une telle extrémité, vous devriez tout de même essayer de les démêler.

Dare commençait à se lasser d'entendre Molly répéter que tout allait bien, alors qu'elle était encore en état de choc. En ce moment, elle passait dans ses cheveux un peigne à larges dents et tirait sans ménagement. Il aurait bien voulu ignorer sa façon de faire… Mais ce fut plus fort que lui. Il s'écarta de la fenêtre, renonçant temporairement à surveiller une vieille camionnette rouge, qui stationnait depuis un moment sur le parking. Il avança d'un pas décidé jusqu'à la chaise où Molly s'était installée et se plaça derrière elle.

— Donnez-moi ce peigne, dit-il.

Elle lui jeta un regard surpris.

— Pardon ?

— Le peigne, répéta-t-il en le lui prenant des mains. Vous ne faites que tirer sur les nœuds… Vous n'arriverez à rien.

Elle ouvrit des yeux ronds.

— Je tire pour ne pas y passer la journée.

— Vous auriez besoin d'apprendre la patience, grommela-t-il.

Il saisit une mèche, et, en commençant par les pointes, il sépara avec ses doigts les nœuds les plus gros, puis les attaqua avec le peigne, lentement, jusqu'à ce que la mèche devienne parfaitement lisse.

Puis il passa à la suivante.

Figée et silencieuse — trop, peut-être ? —, Molly ne se plaignait pas quand le peigne dérapait. Pourtant, il avait encore des questions à lui poser. Pour assurer sa protection, il devait tout savoir d'elle.

— Vous avez mentionné un petit ami, commença-t-il.

— Ex, corrigea-t-elle.

Ex, ça signifiait une séparation, et donc une dispute. Une dispute suffisante pour que l'ex organise un enlèvement ?

— Pourquoi vous êtes-vous séparés ? demanda-t-il.

Elle haussa les épaules.

— Il voulait que j'achète des nouvelles jantes pour sa voiture. J'ai refusé. Nous nous sommes disputés.

Dare fronça les sourcils.

— Pour des jantes ? Et pourquoi voulait-il se faire offrir des jantes ?

Cette fois, elle ne haussa qu'une épaule.

— Je venais de recevoir un chèque grâce au contrat pour le film, donc je suppose qu'il s'est dit que c'était dans mes moyens.

Elle inclina la tête de côté.

— Il n'était pas le seul à penser que je devais distribuer des cadeaux. Apparemment, tout le monde avait la même idée. J'avais touché gros, donc je devais partager.

— Pour les autres, je ne sais pas, mais votre petit ami est un imbécile.

— Ex-petit ami, corrigea-t-elle de nouveau en riant. Vous avez raison — mais je ne m'en suis aperçue que lorsque ma carrière a décollé. Avant ça, il était drôle et généreux. Il est propriétaire d'un bar qui marche plutôt bien.

Dare avait terminé de démêler les cheveux qui tombaient dans sa nuque. Il se déplaça pour entamer un côté.

— Et tout d'un coup, il vous a demandé de lui payer des trucs ?

— En quelque sorte, oui.

De profil, il la vit serrer les dents. Elle lui en voulait encore, à ce petit ami. Il se demanda si elle était toujours amoureuse de lui…

— Nous avions déjeuné ensemble et nous rentrions chez moi. Il a voulu s'arrêter dans un magasin de pièces détachées en prétendant qu'il avait quelque chose à voir. Les voitures, ça ne m'intéresse pas, mais je l'ai suivi et j'ai attendu pendant qu'il parlementait sans fin avec un vendeur. Ensuite, il est venu me chercher pour me montrer les jantes qui lui plaisaient.

Elle secoua la tête.

— Je n'y connais rien, moi, à ces machins ! Donc je me

suis contentée de m'extasier bêtement, pour lui faire plaisir. Vous voyez ce que je veux dire ?

Dare acquiesça.

— Oui, je vois très bien. J'imagine. Vous étiez vaguement condescendante ?

— Euh... Peut-être bien... Un peu...

Il y avait de quoi. Dare comprenait.

— Et ? pressa-t-il.

— Quand il m'a annoncé qu'elles étaient trop chères pour lui, je lui ai demandé ce que nous faisions là. C'est pour ça qu'il s'est énervé...

Elle faisait donc partie de ces femmes qui disent les choses sans détour. Dare se retint de sourire.

— Vous n'aviez pas eu la réaction qu'il espérait.

— Apparemment non, soupira-t-elle.

Elle remua sur sa chaise.

— Vraiment, Dare, je peux terminer, maintenant. Vous en avez fait assez, protesta-t-elle.

Il éleva hors de sa portée le peigne qu'elle tentait de lui prendre.

— Vous avez eu votre chance, dit-il.

Il aimait finir ce qu'il avait commencé. De plus, ça lui plaisait, de la peigner.

Résignée, elle croisa les bras et les jambes.

— Vous vous êtes disputés dans le magasin ?

— Presque. Quand il m'a annoncé que j'avais les moyens de les lui acheter et que ça lui aurait fait très plaisir, je lui ai éclaté de rire au nez. Ce n'était pas tant à cause des jantes. C'était surtout la façon dont il s'y était pris qui me semblait ridicule. Et, là, ça a été l'explosion. Il m'a fait une scène.

Dare secoua la tête.

— C'était grotesque et embarrassant... Je lui ai demandé de se calmer. Il est sorti comme un fou du magasin.

— Le retour a dû être agréable, commenta Dare.

Molly n'était pas du genre à se laisser faire... Le pauvre type avait dû en prendre pour son grade !

Elle ricana.

— Je suis rentrée en taxi.

— Il est parti sans vous ?

— Non, c'est moi qui ai refusé de monter dans sa voiture parce qu'il ne se calmait pas.

Elle poussa un long soupir.

— Adrian a voulu s'excuser plus tard, mais je n'ai même pas accepté de l'écouter. Je déteste les humiliations publiques.

— Comme tout le monde.

— Il y avait déjà eu des mésententes entre nous. Et aussi de petites alertes par rapport à l'argent. Mais ce jour-là, il s'est dévoilé.

Dare en déduisit qu'elle n'avait jamais été amoureuse de son Adrian. Une femme amoureuse ne met pas fin à une relation pour une question d'argent.

— J'ai terminé, annonça-t-il.

Elle passa la main dans ses mèches encore humides, puis regarda le petit tas de cheveux accumulés sur la table.

— On dirait que nous avons tué un rat, commenta-t-elle.

Il s'apprêtait à répondre quand son téléphone sonna. C'était Chris. Molly passa une dernière fois le peigne dans ses cheveux, puis attrapa la brosse et disparut dans la salle de bains. Il l'entendit mettre en route le sèche-cheveux, lequel n'était pas discret. Elle ferma la porte à cause du bruit.

— Qu'est-ce que tu m'as trouvé, Chris ?

— Tu vas prendre un jet de sept places, qui part dans trois heures. Je sais que ça ne te laisse pas beaucoup de temps, mais tu m'as dit que c'était urgent. Ça ira ? J'ai précisé que vous seriez deux.

— Tu t'es renseigné sur les pilotes ?

Dare posait la question, mais il savait déjà que oui. Chris savait s'occuper des détails.

— Bien sûr. Rien à signaler. Ils sont irréprochables.

— Très bien. Je prendrai cet avion.

— L'un des pilotes m'a donné son numéro de portable, au

cas où vous auriez un peu de retard. Il m'a dit qu'avec ce que tu payais, il pouvait se montrer arrangeant.

Dare secoua la tête. Chris adorait dépenser son fric — on aurait même dit que ça l'amusait... Mais il ne fit pas de commentaires. Il nota le nom et le numéro de téléphone du pilote sur un papier qu'il fourra dans sa poche.

— Au fait, autant que tu saches, je ramène la « complication » à la maison.

Chris mit quelques secondes à réagir.

— Sans déconner ? Une fille ?

— Une femme, corrigea Dare en jetant un coup d'œil sur le parking. Une cliente.

La camionnette rouge était partie, mais ça pouvait être une ruse. Il était certain qu'on les avait surveillés et ça ne lui plaisait pas du tout.

— Et tu la ramènes ici ?

L'étonnement de Chris était justifié. Sa maison était son sanctuaire : il n'y avait jamais invité une femme ou un client.

— C'est compliqué...

Molly n'était pas vraiment en état de voyager et le long vol jusqu'au Kentucky lui paraîtrait pénible. Mais l'enfermer dans sa propriété était pour l'instant le seul moyen de la mettre en sécurité.

— Elle vient de m'engager pour la protéger.

— La protéger de quoi ?

Dare laissa retomber le rideau et se tourna vers la salle de bains. Il imagina Molly qui se démenait là-dedans pour se sécher les cheveux. Cette femme était une énigme. Une énigme qui avait un gros problème.

Il secoua la tête.

— Franchement, Chris, j'aimerais bien le savoir. Ça me faciliterait la tâche.

4

Quand Molly sortit de la salle de bains, elle était méconnaissable. Dare en resta saisi. Elle avait... Elle avait vraiment de très beaux cheveux. Pas bruns, comme il l'avait cru, mais d'un brun-roux rehaussé de mèches dorées qui lui parurent naturelles.

Encadré par cette masse souple et ondulée, son visage paraissait plus doux et plus féminin. Elle était complètement transformée.

Il n'avait jamais fréquenté suffisamment longtemps une femme pour entrer dans les secrets de sa toilette, mais il commençait à comprendre pourquoi certaines d'entre elles s'enfermaient des heures dans la salle de bains.

La coiffure d'une femme changeait tout. Il en prenait conscience pour la première fois.

On ne pouvait pas dire que Molly s'était vraiment coiffée — elle n'avait pas ce qu'il fallait pour ça —, mais ses cheveux brillaient. Fasciné, Dare la regarda glisser une mèche derrière une oreille, d'un geste souple et naturel.

— Nous partons dans trois heures, annonça-t-il d'un ton égal, en espérant qu'elle n'avait pas remarqué son trouble.

Le regard de Molly s'illumina.

— Entendu. Mais pour aller où ?

Dare haussa les épaules, comme si la question lui paraissait superflue.

— D'abord chez moi. J'ai des trucs à régler. Ensuite, je vous accompagnerai chez vous.

La réponse sembla l'étonner, mais elle alla sagement s'asseoir sur le bord du matelas.

— Oh! d'accord.

— Mais je resterai avec vous.

Elle eut un sourire dépité.

— Molly... il faudra bien que vous retourniez chez vous un jour ou l'autre, non?

— Oui, je sais.

Elle se redressa, comme pour lui montrer qu'elle se sentait d'attaque.

— Je dois parler à mon éditrice et à mon agent. J'ai... Je dois arroser mes plantes.

Elle se mordilla la lèvre.

— J'ai besoin de récupérer mon disque dur et mes vêtements, et...

Elle hocha la tête.

— Oui, c'est une bonne chose de retourner chez moi.

Il se demanda si elle avait envisagé de refuser. Il fronça les sourcils, puis sortit sa trousse de secours de son sac. Il en avait toujours une sur lui, et plutôt bien fournie. Il tira une chaise à lui et s'installa devant Molly.

En s'asseyant, il remarqua qu'elle évitait son regard.

— C'est tout? s'étonna-t-il. Vous acceptez sans poser la moindre question?

Elle inspira profondément, ce qui fit saillir ses seins sous le T-shirt trop grand. Leurs yeux se croisèrent, mais, de nouveau, ceux de Molly tentèrent de se dérober.

— Vous n'avez pas l'air de donner aisément des informations et je reste prudente avec vous, parce que je ne voudrais pas que vous changiez d'avis... pour notre arrangement.

Sa réponse était franche, au moins.

— Vous avez l'impression d'être un poids?

Elle contempla la trousse de secours d'un air inquiet, mais ne dit rien.

— Si ce n'était pas pour moi, vous seriez déjà chez vous, n'est-ce pas? Au lieu de ça, vous êtes obligé de me supporter, moi et mes problèmes. Je n'aime pas dépendre de quelqu'un. Et je ne voudrais pas que ma présence finisse par vous irriter.

— Rassurez-vous. Puisque nous partons aujourd'hui, je n'ai retardé mon retour que de vingt-quatre heures. Et si vous faites allusion à la nourriture et aux vêtements...

— Oui, à ça, mais aussi...

Elle passa une langue nerveuse sur sa lèvre supérieure.

— Au fait de dormir avec vous.

C'était donc ça !

— Vous aviez fait un cauchemar. N'en parlons plus.

Elle leva les yeux vers lui, puis les détourna vivement.

— En principe, je devrais être remise... Mais j'avoue que l'idée de passer une nuit seule dans le noir...

— Oui...

Il avait sauvé d'autres femmes, mais il n'avait pas dormi avec elle. En fait, il n'avait pas souvent partagé le lit d'une femme, même après lui avoir fait l'amour.

— En général, quand je libère une femme séquestrée, elle se précipite immédiatement dans les bras de quelqu'un d'autre, admit-il.

Il haussa les épaules.

— Il s'agit la plupart du temps de la personne qui m'a payé pour aller la chercher.

Molly acquiesça.

— Personne ne vous a payé pour aller me chercher et en plus, vous m'avez sur les bras.

— Je ne vous ai pas sur les bras.

Il avait choisi de son plein gré de s'occuper d'elle. Que croyait-elle ? Nul ne pouvait l'obliger à faire ce qu'il n'avait pas envie de faire.

— Comprenez-moi bien, Molly... Pour le moment, je vais vous protéger. Une fois que j'aurai identifié la source du danger qui vous menace, je l'éliminerai, et nous serons arrivés au bout de notre accord.

— De notre accord financier, vous voulez dire ?

Eh bien, oui... De quoi d'autre aurait-il pu parler ? Il acquiesça, mais ajouta :

— Oui. Mais, attention, j'y ajoute quelques conditions dont nous n'avons pas encore parlé.

— Lesquelles ?

Il ouvrit la trousse de secours.

— Si vous voulez que je vous protège, vous devez accepter de m'obéir à la lettre. Pas de protestation, pas de discussion.

Elle s'humecta de nouveau les lèvres, tout en faisant signe qu'elle acceptait.

— Parfait. Je vais commencer par soigner vos plaies. Il ne faudrait pas qu'elles s'infectent.

Il la regarda droit dans les yeux.

— Donnez-moi votre bras.

Comme si elle venait seulement de prendre conscience de l'état de ses bras, elle les contempla d'un air désolé.

— Je peux m'en occuper seule.

— Je le ferai mieux que vous.

— Ah oui ? Et qu'est-ce que vous en savez ?

— Je le sais. On ne discute pas.

Il lui prit le bras et se pencha pour examiner une coupure.

— Ça va piquer un peu, dit-il en ignorant ses protestations.

Quand il désinfecta la blessure, elle souffla bruyamment, mais ne cria pas. L'entaille n'était pas profonde et ne nécessitait pas de points de suture, mais il la badigeonna tout de même avec une pommade antibiotique et la recouvrit d'un bandage.

Il répéta la même procédure pour une blessure plus petite sur son autre bras, puis s'intéressa à ses jambes. Elle recroquevilla les orteils.

— Dare, je vous assure que...

Comme il se penchait vers une égratignure sur la face interne de sa cuisse, elle ajouta précipitamment :

— Est-ce que je pourrais au moins connaître votre nom de famille ?

Le ton lui arracha un sourire. Ce n'était pas la peur qui lui donnait cette voix tremblante et haut perchée. Sûrement pas.

— Macintosh, dit-il.

— Eh bien, Dare Macintosh, vous admettrez tout de même que j'ai deux bras pour soigner mes jambes.

En effet, mais il préférait s'en charger. Quant à savoir pourquoi... Il n'aurait pas su le dire.

— Taisez-vous et ne bougez pas, c'est tout ce que je vous demande.

Elle avait des jambes lisses et bien galbées. De petits pieds. Sa peau, aux endroits où elle n'était pas blessée, était douce comme de la soie. Il la saisit par l'arrière du genou pour observer de plus près ce qui ressemblait à une brûlure par frottement, probablement faite au moment où on l'avait traînée de force dans la camionnette. Sans doute avait-elle tenté de résister...

Il trouva deux autres égratignures profondes sur ses jambes, et une coupure assez profonde au pied, qui méritait d'être protégée par de bonnes chaussures — les sandales qu'il avait achetées ne convenaient pas.

Il avait terminé, il se redressa.

— Vous avez d'autres blessures?

Elle fit la moue, puis se massa la nuque d'un geste las.

— Dans la nuque peut-être, parce que ça m'a piquée quand je prenais ma douche.

Elle souleva ses cheveux et se tourna pour lui montrer.

Dare tressaillit de colère. Il y avait une ecchymose, bien nette, et dessous, une profonde égratignure.

Il poussa un sifflement rageur.

— Les salauds!

Elle avala sa salive.

— C'est pratiquement guéri, dit-elle comme pour le rassurer.

— Pas vraiment, non, commenta-t-il sombrement.

Il la prit par l'épaule pour la faire pivoter et la sentit frissonner sous ses doigts.

Tout en tenant la masse de ses cheveux, elle baissa la tête, une pose à la fois innocente et provocatrice, confiante, qui l'émut profondément.

Bon sang, non... ce n'était pas du désir. Elle déclenchait

en lui une sensation bien plus profonde — et bien plus déran-
geante. Il s'efforça de se concentrer sur la blessure.

— Comment ont-ils fait ça ? demanda-t-il.

C'était sûrement douloureux, bien qu'en voie de cicatrisation.
Elle haussa l'une de ses frêles épaules.

— L'un d'eux portait une bague avec une pierre.

La gorge nouée, il soigna la blessure sans un mot.

— C'est fait, annonça-t-il.

Elle pivota pour lui faire face de nouveau, tandis qu'il allait
remettre la chaise à sa place.

— Vous avez trouvé une solution pour partir d'ici ?
demanda-t-elle.

— Nous décollons dans moins de trois heures. Dès que
nous aurons rassemblé nos affaires, nous quitterons ce motel.

Elle acquiesça, puis hésita.

— Je... Euh... Je sais que ce n'est pas le plus important,
mais je ne voudrais pas me faire remarquer en prenant l'avion
dans cet état, murmura-t-elle d'un air contrit en tirant sur
son T-shirt. Est-ce qu'on ne pourrait pas au moins m'acheter
un jean et un soutien-gorge ?

Il pinça les lèvres d'un air contrarié. Effectivement, elle
serait plus décente avec un soutien-gorge. Ses seins pointaient
à travers le fin coton du T-shirt. Ils embarquaient dans un
avion privé et la décence n'était pas vraiment un problème,
mais il lui fallait au moins des chaussettes et de nouvelles
chaussures.

— Je peux vous accorder vingt minutes.

— Pas de problème. Ça me suffira largement.

Elle rassembla en un rien de temps ce qu'il lui avait acheté.
Dare lui désigna son sac.

— Mettez vos affaires avec les miennes, dit-il.

— Comment allez-vous faire pour prendre l'avion avec
vos armes ?

— Ne vous inquiétez pas de ça.

Chris avait déjà réglé le problème avec les pilotes.

Il ne leur fallut que quelques minutes pour s'acquitter des

formalités de départ et quitter le motel. En sortant, Dare jeta un coup d'œil circulaire au parking, mais ne remarqua rien d'anormal. Ils montèrent dans sa camionnette de location pour aller se garer devant le Walmart, un peu à l'écart des autres voitures.

Molly avait sûrement l'habitude des boutiques de luxe, mais elle ne fit pas la grimace devant les vêtements simples que l'on vendait à l'intérieur. Elle paraissait fatiguée, mais elle parvint tout de même à choisir rapidement un jean, puis des chaussettes, des bottines, un soutien-gorge, quelques sous-vêtements supplémentaires et un sweat à fermeture Eclair et à capuche, le tout dans les vingt minutes qui lui étaient imparties.

Tout comme lui, elle n'aimait pas perdre son temps dans les boutiques, et il en fut agréablement surpris. Il paya ses achats et l'entraîna vers le parking.

Ils allaient sortir quand il remarqua la camionnette rouge. Il tendit le sac à Molly et l'écarta de la porte.

— Restez là jusqu'à ce que je revienne vous chercher, compris ? Ne bougez pas. C'est bien compris ?

— Pourquoi ? Attendez !

Elle le retint par le bras, prise de panique.

— Où allez-vous ?

Dare balaya le parking du regard, pour choisir le meilleur angle d'attaque.

— Dites-moi seulement que vous avez compris, murmura-t-il entre ses dents.

— J'ai compris, répondit-elle d'une voix que la peur faisait chevroter. Je ne bougerai pas d'ici.

— Très bien.

Sans quitter des yeux le conducteur de la camionnette qui ne les avait pas encore vus, Dare suivit une voiture qui circulait pour se déplacer dans le parking. Il passa ainsi de voiture en voiture, pour approcher la camionnette du côté conducteur, tout en surveillant Molly de temps à autre, pour s'assurer qu'elle n'avait pas bougé.

Par chance, le conducteur de la camionnette descendit. Il avait repéré Molly et la regardait, puis il chercha Dare du regard.

C'était un homme de couleur avec des cheveux noirs et des lunettes miroir. Il avait son téléphone portable à la main. Pour appeler des renforts ou pour faire son compte rendu ?

Tout en continuant à se camoufler derrière des voitures, Dare alla se positionner derrière lui. L'homme ne se doutait de rien. Parfait. Il se redressa. Ils se trouvaient suffisamment loin de la sortie du magasin pour se permettre d'attaquer. Le parking était grand. On ne les remarquerait pas.

Le cœur de Dare battait lentement, son souffle demeura régulier. Il était dans son élément.

Il se racla la gorge pour attirer l'attention de l'homme qui sursauta et voulut se retourner. Mais il ne lui en laissa pas le temps, il lui envoya un coup de pied bien appuyé à l'arrière de la jambe, au niveau du genou, tout en lui saisissant le bras pour le lui bloquer dans le dos.

L'homme poussa un cri de douleur.

— Qui êtes-vous ? siffla Dare. Dépêchez-vous de répondre, ou je vous démets l'épaule.

— J'ai été engagé pour un travail, et je le fais, c'est tout.

— Pour quel travail ?

Comme l'homme se remettait à parler en espagnol, il lui coupa la parole :

— En anglais, connard !

— Je devais appeler quand vous sortiez du magasin, pour qu'on puisse récupérer la fille.

Il s'était exprimé en anglais. Sans le moindre accent.

— Qui vous a demandé de la tuer ?

— La tuer ?

L'homme secoua la tête.

— Il ne s'agit pas de ça. Pas que je sache. Tout ce que je sais, c'est qu'elle s'est enfuie et que ça pose un problème.

Quelqu'un tenait donc à ce qu'elle retourne dans cette caravane. Mais qui ? Et pourquoi ? Dare lâcha le bras de l'homme et l'obligea à faire volte-face.

— Enlevez vos lunettes.

— Allez vous faire foutre.

Avec une rapidité qui ne laissa pas à l'homme le temps de parer, Dare lui envoya son poing dans le ventre. Le coup lui coupa le souffle et il se pencha en avant en ahanant. Dare en profita pour lui arracher ses lunettes, tout en le prenant par son col de chemise pour le hisser sur la pointe des pieds.

Comment cet homme avait-il fait pour les retrouver ? Quand il avait quitté la caravane, il n'avait pas laissé derrière lui de témoins susceptibles de l'identifier. Sauf pour quelqu'un qui avait d'excellents contacts à la frontière.

— Qui étiez-vous supposé appeler ?

— Je ne sais pas.

— Vous vous foutez de moi !

L'homme tenta de se libérer, mais Dare le tint fermement par la chemise et tira son couteau de sa poche.

— Je commence à être à bout de patience, *amigo*, dit-il en appuyant la lame sur les côtes de l'homme.

Celui-ci cessa de lutter et le fixa avec des yeux agrandis par la peur. Dare appuya la lame un peu plus fort.

— Une personne qui tenait à la récupérer, mais j'ignore qui, je vous le jure.

Dare le plaqua contre la camionnette.

— Appelez-le, ordonna-t-il.

L'homme composa le numéro en tremblant et tendit le téléphone à Dare.

Une sonnerie résonna dans le parking.

Surpris, Dare chercha du regard d'où venait le bruit... D'une cabine téléphonique, tout près de l'entrée du magasin, tout près de l'endroit où il avait laissé Molly.

Merde !

Il assomma le conducteur de la camionnette d'un coup de coude dans la mâchoire et se mit à courir, mais un autre homme apparut derrière Molly, passa un bras autour de sa gorge et lui bâillonna la bouche de sa main. Puis il chercha à l'entraîner vers une Dodge Charger qui attendait un peu plus loin, mais Molly se débattit furieusement.

Autour d'eux, les gens regardaient, horrifiés, mais personne ne bougea.

Aucune importance. Dare n'avait pas besoin d'aide.

Il parvint à rejoindre Molly avant que l'homme ne la fasse monter dans la voiture. A l'intérieur, un troisième homme attendait, derrière le volant. Aucune importance. Ils auraient pu être quatre, ça n'aurait rien changé.

Dare n'aurait laissé personne emmener Molly.

Au cri d'avertissement que poussa le conducteur, l'assaillant de Molly leva les yeux vers Dare. En voyant le Glock 9mm qui le visait, il repoussa Molly et se jeta dans la Charger qui démarrait déjà. La voiture fila hors du parking en faisant grincer ses pneus.

Adossée au mur de briques du bâtiment sur lequel l'homme l'avait projetée, ses achats éparpillés autour d'elle, Molly toussait et tentait de reprendre son souffle. Des larmes coulaient le long de ses joues pâles.

A présent, les curieux se rassemblaient autour d'elle. Une femme ramassa ses paquets et les lui tendit, puis, comme elle ne faisait pas mine de les prendre, elle les déposa à ses pieds.

Sans quitter Molly des yeux, Dare fendit le groupe qui l'entourait.

— Molly ?

Elle se jeta contre lui.

Il referma ses bras sur elle et posa sa main sur son visage, pour la protéger du regard de ces idiots qui n'avaient pas remué le petit doigt pour l'aider et la fixaient à présent avec des airs hébétés.

— Je suis là, murmura-t-il. Tout va bien.

C'était faux. Tout allait mal. On avait tenté d'enlever Molly en plein jour dans un parking bondé... Celui qui s'acharnait sur elle était donc prêt à prendre de gros risques. Et ça, c'était une très mauvaise nouvelle.

De plus, Dare était furieux contre lui-même. Le conducteur de la camionnette rouge ne s'était montré que pour faire diversion, et il était tombé dans le piège comme un bleu. Il écarta Molly pour la dévisager, d'un geste un peu plus brusque qu'il n'aurait voulu.

— Vous êtes blessée ? demanda-t-il.

Les yeux écarquillés, le visage toujours blafard, elle secoua la tête.

— Non, je ne pense pas, dit-elle d'une voix qui tremblait.

Mais ses genoux saignaient et elle avait de nouveau les cheveux en bataille. Il en fut bouleversé, ce qui ne fit qu'accroître son malaise.

Il se secoua pour résister au tourbillon des sentiments qui l'envahissaient, la prit fermement par le coude et ramassa ses paquets.

— Partons, dit-il.

Derrière eux, quelqu'un cria.

— J'ai appelé la police. Une voiture de patrouille va arriver.

Dare ne répondit pas. Il avait hâte de foutre le camp d'ici. De la mettre à l'abri du danger.

Pour rien au monde, il n'aurait raté leur avion.

Il ouvrit la portière de leur camionnette, posa les achats sur le plancher et fit grimper Molly sur le siège passager. Elle se laissa faire sans un mot.

Elle paraissait sous le choc. Elle était pâle et tremblante, et son silence lui fit mal au cœur. Bon sang, il n'était pourtant pas homme à se laisser démonter et à agir sous le coup d'une impulsion… Mais avec elle…

Impossible de résister.

Il lui prit le visage à deux mains et déposa sur ses lèvres un baiser rapide, mais appuyé.

Le geste eut le mérite de la rappeler à la réalité. Elle rougit et inspira profondément. Puis elle porta des doigts tremblants à ses lèvres, tout en le fixant avec des yeux écarquillés.

La main toujours posée sur ses joues écarlates, il murmura :

— Je ne les laisserai plus vous faire de mal, Molly. Je vous le jure.

Deux longues et profondes inspirations gonflèrent sa poitrine. Elle s'humecta les lèvres, le fixa encore quelques secondes, puis acquiesça.

— Très bien, je…

Elle battit des paupières.

— Merci, Dare.

Son ton plein de gratitude lui arracha un grognement ému. Pourquoi l'avait-il embrassée ? Il aurait voulu se justifier, mais comment lui expliquer un geste qu'il ne s'expliquait pas lui-même ? Il claqua sa portière et contourna la camionnette au pas de course. Il fallait filer avant l'arrivée des flics. Il avait intérêt à se concentrer. Et à cesser de penser à cette bouche si douce…

En quelques minutes, ils furent loin du Walmart et de la voiture de patrouille qui avait dû arriver entre-temps.

Il profita du trajet jusqu'à l'aérodrome pour lui poser quelques questions.

— L'homme qui a tenté de vous enlever a-t-il dit quelque chose ?

Elle avait posé ses mains sur ses genoux, bien à plat. Elle avait l'air perdue, et il se demanda si c'était à cause de la tentative d'enlèvement ou du baiser qu'il lui avait volé.

— Il a dit que je n'avais pas intérêt à résister si je tenais à la vie.

Elle leva les yeux vers lui.

— Mais ils m'auraient tuée si je les avais suivis, non ? C'est pour ça que je me suis débattue.

— Vous avez bien fait. Votre résistance les a ralentis et m'a donné le temps d'intervenir.

— Je savais que vous n'étiez pas loin et que vous arriveriez à temps.

Cette confiance le bouleversa.

— Merci, Dare, murmura-t-elle d'un ton incertain. Ça fait deux fois, maintenant.

— Ne me remerciez pas, merde ! s'exclama-t-il.

Elle sursauta et il s'enjoignit au calme.

— J'ai manqué de prudence, poursuivit-il d'une voix plus douce. Et d'à-propos. Quand j'ai vu ce crétin se montrer ostensiblement dans le parking, j'aurais dû flairer le traquenard. J'aurais dû…

— Non, protesta-t-elle fermement, d'un ton que le calme rendait encore plus solennel. Vous n'êtes pas extralucide. Vous ne pouviez pas deviner.

— J'ai de l'expérience et de l'entraînement.

Elle tendit le bras pour lui toucher l'épaule.

— Je vous jure que je me sens en sécurité avec vous, Dare. Ne vous découragez pas.

Pour l'amour du ciel ! Elle était en état de choc — une fois de plus — et il manifestait une mauvaise humeur qui la déstabilisait. Il prit le temps d'inspirer plusieurs fois.

— Je ne suis pas découragé, Molly. C'est tout le contraire. Je sais maintenant que je dois redoubler de prudence et c'est tant mieux. Vous pigez ?

— Oh… Très bien. Merci. J'apprécie votre professionnalisme.

Voilà qu'elle recommençait à se cacher derrière les bonnes manières… Il soupira.

— Parlez-moi de votre famille, dit-il.

— Pourquoi ?

— Vous l'avez dit vous-même : celui qui a commandité votre enlèvement peut être n'importe qui. Vous devez tenter d'analyser la situation avec du recul. Le plus simple est de commencer à passer vos proches en revue.

— Et parmi mes proches, ma famille vient en premier, commenta-t-elle d'un ton railleur.

— Absolument. Donc, dites-moi tout ce qui vous passe par la tête et laissez-moi le soin de trier ce qui est important et ce qui ne l'est pas.

Elle haussa les épaules, comme pour dire qu'après tout, ça lui était égal.

— Comme je vous l'ai déjà expliqué, j'ai quitté récemment

mon petit ami, Adrian. En fait, il était plus que ça. Nous étions fiancés. Mais nous n'avions pas encore fixé de date pour le mariage.

Fiancés ? Dare eut l'impression qu'un poing glacé lui broyait le ventre. Bon, peu importait. Il ne voulait pas s'appesantir sur ce détail. De toute façon, il était certain que Molly n'avait jamais aimé cet Adrian.

Elle s'en était probablement aperçue elle-même, d'ailleurs. C'était pourquoi elle avait profité d'une dispute idiote pour le quitter.

— Est-ce que votre famille l'appréciait ? demanda-t-il.

— Ma famille se réduit à mon père, à Kathi, son épouse, et à ma sœur, Natalie. Les parents de mon père sont décédés. Il était fils unique. J'ai des oncles et des tantes du côté de ma mère, mais ils vivent loin de l'Ohio et je ne les ai rencontrés qu'une fois ou deux au cours de ma vie.

— Ainsi, Kathi n'est pas votre mère ? insista Dare qui cherchait à comprendre la dynamique de la famille.

— C'est ma belle-mère, confirma Molly.

Puis elle enchaîna aussitôt.

— Ma mère s'est suicidée en se jetant d'un pont. Ça fait des années. Après une première tentative ratée.

Dare prit le temps de digérer l'information. Molly parlait du suicide de sa mère avec tant de détachement que c'en était perturbant.

— Je suis désolé, murmura-t-il.

Molly détourna la tête pour regarder par la vitre de sa portière. Elle tremblait toujours. Elle lui parut angoissée.

— Papa rendait maman très malheureuse. J'avais douze ans la première fois qu'elle a tenté de se tuer. Elle a sauté d'un pont, mais une équipe de secouristes effectuait justement des exercices ce jour-là, ils l'ont repêchée.

— Eh bien… Ça a dû vous fiche un sacré coup.

Elle poussa un petit grognement évasif.

— Maman a passé quelque temps à l'hôpital. Chaque fois que papa lui rendait visite, il lui reprochait sa faiblesse et l'égoïsme de son geste. Ensuite elle est sortie, et nous pensions qu'elle allait mieux.

— Mais ce n'était pas le cas.

— Non.

— Quand j'avais quinze ans, elle a appris que papa avait une maîtresse. Je suppose que ça a été pour elle la goutte d'eau qui fait déborder le vase.

Elle se tourna vers Dare.

— Cette fois, elle a choisi un pont au-dessus d'une autoroute, pour être certaine de ne pas se rater.

— Seigneur, gémit Dare qui regrettait d'avoir obligé la pauvre Molly à évoquer de si terribles souvenirs.

— Oui, comme vous dites.

Elle joignit les mains et fixa un point dans le vide, droit devant elle.

— Papa n'a manifesté aucune culpabilité, mais il a cessé de voir l'autre femme. Je crois qu'il ne tenait ni à ma mère, ni à sa maîtresse.

— Votre père me fait l'effet d'un véritable gentleman.

— C'est un homme égocentrique, imbu de lui-même, snob. Personne ne trouve grâce à ses yeux.

— Pas même ses filles ?

— Surtout pas ses filles.

Elle jeta un regard en coin du côté de Dare, en fronçant le nez.

— Je me demande parfois comment Kathi fait pour le supporter.

Bien décidé à mener la conversation, Dare reprit :

— Est-ce que Kathi appréciait Adrian ?

— Elle le trouvait gentil et elle nous souhaitait tout le bonheur du monde. Elle a toujours été riche, même avant de rencontrer mon père, mais ça ne l'a pas rendue pimbêche. Elle est du genre à accepter les gens comme ils sont.

Intéressant.

— Donc, vous vous entendez bien avec Kathi ?

Molly haussa les épaules.

— Nous n'avons pas grand-chose en commun. Elle passe son temps dans les clubs huppés et s'intéresse un peu trop aux vêtements de marque. Elle est aussi passionnée par la décoration, l'art, les musées.

— Vous dites que votre père est riche... Vous devez être habituée à ce type de vie, non?

— Pas vraiment. Papa a toujours tenu à ce que nous apprenions à nous en sortir seules. Nous n'avons pas eu droit aux écoles privées, ni aux coûteux voyages à l'étranger, et nous étions obligées de travailler l'été. Je suis heureuse qu'il ait pris ce parti, parce que je n'aimerais pas lui ressembler. Mais j'ai eu beau faire tout ce qu'il désirait, je ne lui conviens pas. Je gagne ma vie, je me débrouille seule, mais il me considère comme un fardeau.

Une fois de plus, Dare vit rouge. Ce père ne lui plaisait pas du tout. Il figurait même déjà en tête de sa liste de suspects. Mais il devait garder la tête froide et envisager la situation d'une manière rationnelle.

Il prit le temps d'inspirer, puis serra les dents, et se décida à poser la question qui lui brûlait les lèvres.

— Un fardeau? Comment ça se fait?

— Je ne sais pas. Je crois qu'il a honte de moi. Les filles de ses amis s'impliquent dans des œuvres de bienfaisance et tous ces trucs-là — elles font ce pour quoi on les a dressées. Certaines travaillent avec Kathi, laquelle donne de son temps et de son argent. Personnellement, je me contente d'envoyer des chèques.

— C'est plus que ce que font la plupart des gens, fit-il remarquer.

Il était heureux d'avoir réussi à lui faire un peu oublier la tentative d'enlèvement sur le parking. Elle ne tremblait presque plus et avait repris des couleurs.

— Peut-être.

Elle lui jeta un regard en coin.

— Je pense qu'au fond, papa est soulagé que ses filles restent en dehors du milieu dans lequel il évolue.

— Il ne m'est vraiment pas sympathique, votre père. Pardonnez-moi, mais il m'a tout l'air d'un salaud.

Elle sourit.

— Possible. La plupart des femmes qui fréquentent notre famille vivent dans de beaux quartiers, dans des résidences luxueuses. Moi, j'habite un appartement tout simple.

— La simplicité, c'est bien.

— Mon appartement est très fonctionnel. C'est petit. Je retrouve facilement mes dossiers et mes notes de recherches quand j'en ai besoin. J'ai toujours privilégié le confort au tape-à-l'œil. Chez moi, il y a des affiches de film, pas des tableaux. La peinture ne m'intéresse pas.

Elle laissa échapper un petit rire.

— Papa ne peut pas supporter l'idée que je ne possède pas une seule véritable œuvre d'art.

Dare tenta d'imaginer son appartement. La description qu'elle en faisait correspondait parfaitement à ce qu'il savait déjà d'elle.

— Kathi m'a souvent proposé de m'accompagner pour faire des achats.

Elle fit la moue.

— Pour me conseiller, sans doute. Parce qu'il faut que je présente bien pour ne pas faire honte à mon père. Elle se charge aussi de l'image de papa. Mais moi, je suis trop occupée. J'ai du travail, des délais à respecter, je ne peux pas faire de la représentation... A part pour moi-même, en tant qu'écrivain.

— Cette Kathi se donne de grands airs. C'est vous qui vous conduisez normalement.

— Ne la jugez pas trop vite. Nous nous entendons très bien, toutes les deux. Kathi aime le luxe, mais contrairement à mon père, elle fait de son mieux pour s'adapter, et elle ne méprise pas les romans.

— Y compris ceux que vous écrivez?

— Elle lit tout ce que j'écris avec attention.

Elle eut un demi-sourire et ajouta d'un ton de conspiratrice :

— Ce qui exaspère mon père.

— Il ne vous lit pas, lui ?

— Seigneur, non...

La simple idée que son père lise ses romans parut l'horrifier.

Mais pourquoi donc ?

— Je pensais que toute votre famille se jetait sur ce que vous publiez !

Lui-même mourait de curiosité. Il avait déjà prévu de s'acheter un de ses livres à la première occasion.

— Ma sœur me lit de temps en temps, mais bon... C'est ma sœur... Vous voyez ce que je veux dire ? C'est plutôt pour me faire plaisir. Elle préfère les intrigues politiques ou criminelles. Quant à mon père...

Elle eut une mimique moqueuse.

— Il préférerait mourir plutôt que d'exposer un livre de ce genre dans sa bibliothèque. Un livre avec des scènes de sexe. Pas question ! Et surtout signé par moi.

Des scènes de sexe...

— Vous décrivez des scènes sensuelles dans vos livres ?

Elle fut aussitôt sur la défensive.

— Le sexe fait partie de la vie. J'écris sur la vie, sur des gens qui doivent surmonter des épreuves et qui y parviennent. Il me semble qu'il ne peut pas y avoir de fin heureuse sans un amour éternel, non ?

Elle ne lui laissa pas le temps de répondre.

— L'amour c'est essentiel, dans la vie, reprit-elle. Et dans l'amour, il y a aussi le sexe, sinon ça n'a pas de sens.

Dare haussa un sourcil. Il n'avait rien contre le sexe, ni contre l'amour. De nouveau, il revint à l'essentiel de leur conversation.

— Et votre sœur ? Vous disiez qu'elle lisait vos livres uniquement pour vous faire plaisir. Mais à part ça, comment vous entendez-vous ? Est-ce qu'elle appréciait Adrian ?

Molly resta songeuse.

— Nous sommes très proches, ma sœur et moi. Elle n'a que trois ans de moins que moi et nous avons fait notre scolarité dans les mêmes établissements. En plus d'être ma sœur, elle est ma meilleure amie. En tant qu'amie, elle trouve que personne n'est assez bien pour moi, mais Adrian lui déplaisait particulièrement. Elle le considérait comme une plaie. D'après elle, il ne s'intéressait qu'au fric, il utilisait les gens, et c'était un tyran domestique.

Dare appréciait déjà cette jeune femme.

— On peut donc rayer Natalie de la liste des suspects ?

Molly eut un rire entendu.

— Elle attaquerait quiconque oserait prononcer un mot contre moi !

Une fois de plus, il fut surpris par ses capacités de récupération. Elle semblait de nouveau parfaitement sereine. On venait pourtant de tenter de l'enlever !

— Y compris votre père ?

— Papa se dispute régulièrement avec nous. Notre relation est faite de querelles, de mépris et de politesse forcée. Si nous le voyons encore, c'est grâce à Kathi.

— C'est elle qui maintient les liens familiaux ?

— On peut dire ça, oui. Elle nous invite fréquemment chez eux en espérant naïvement que mon père finira par nous accepter telles que nous sommes. Mais sa motivation n'est pas si noble que ça... Elle cherche aussi à donner l'image d'une famille unie.

Elle commenta cette dernière remarque d'un sourire las.

— Au moins, elle essaye, conclut-elle.

Dare se demanda si ce père trop exigeant pouvait avoir commandité l'enlèvement de sa fille.

— Vous disiez qu'il était très riche, reprit-il.

— C'est un homme d'affaires qui a très bien réussi. Il a hérité de la société de mon grand-père, qui était un peu bancale, mais il l'a remise d'aplomb et depuis qu'il s'en occupe, elle ne cesse de se développer.

— Il aurait donc eu les moyens d'organiser et de financer votre enlèvement ?

L'idée parut la choquer.

— Mon père a beaucoup d'argent et un cœur de pierre, mais…

Elle regarda Dare droit dans les yeux.

— Je ne l'imagine pas faire un truc pareil. Nous avons des hauts et des bas, mais ce n'est pas un salaud.

Dare ne s'arrêta pas à cette conclusion. La plupart des gens ignoraient de quoi leurs proches étaient capables.

— En fait, reprit Molly, je n'arrive pas à imaginer qui que ce soit organiser un truc pareil. Ni que quelqu'un puisse me haïr à ce point.

Ils étaient presque arrivés à l'aéroport, un peu en avance sur l'horaire.

— Une dernière question, dit-il.

— Laquelle ?

— Puisque vous êtes proche de votre sœur, elle doit avoir remarqué votre disparition… Elle est sûrement très inquiète !

Molly se figea, visiblement déconcertée. Il regretta aussitôt d'avoir posé cette question, mais il était trop tard pour reculer, et il résolut d'aller jusqu'au bout de sa pensée.

— Aussi, Molly, dites-moi : pourquoi n'avez-vous pas pensé à la rassurer quand je vous ai libérée ?

5

Molly contempla d'un œil inquiet le petit avion privé vers lequel Dare l'entraînait. Avec le vent qui soufflait sur la piste d'atterrissage, elle avait les cheveux dans les yeux. Elle faillit rater une marche en grimpant la passerelle. Dare la rattrapa par le coude pour l'empêcher de tomber.

A propos de Natalie, elle n'avait pas eu à lui répondre, parce que son téléphone avait sonné au moment où elle s'apprêtait à répondre. Elle avait cru comprendre qu'il parlait de nouveau avec Chris et la demi-conversation qu'elle avait entendue l'avait plongée dans un abîme de perplexité. Il s'adressait à Chris d'un ton familier et affectueux. Ils étaient donc proches. Peut-être intimes…

Si Chris était une femme, c'était sûrement sa petite amie. Mais s'il avait quelqu'un dans sa vie, pourquoi l'avait-il embrassée ? Ce type n'était pas un goujat, ça se voyait tout de suite. Il respectait les femmes, et n'aurait rien fait qui puisse blesser celle qu'il aimait.

Elle en conclut qu'elle accordait sûrement trop d'importance à ce baiser. Dare avait simplement voulu la secouer, parce qu'elle était dans un état second. Et sa stratégie avait fonctionné. Plus qu'il ne croyait.

Après avoir rendu la camionnette de location, Dare lui avait laissé le temps de se rendre dans les toilettes pour enfiler ses nouveaux vêtements. Elle en avait profité pour rincer ses genoux et ses coudes ensanglantés, et pour se recoiffer — en s'efforçant de ne pas réfléchir au fait qu'on avait encore tenté de l'enlever.

Elle ne voulait plus jamais se trouver à la merci de quelqu'un. Plus jamais. Plus comme ça. Elle n'aurait pas supporté une deuxième séquestration.

Mais Dare était venu à son secours, une fois de plus. Chris ou pas Chris, il prenait son rôle de garde du corps très au sérieux. Elle soupira. Mieux valait régler les problèmes à mesure qu'ils se présentaient. Dans sa situation, c'était le seul moyen de ne pas craquer. Pour Chris, elle saurait bien assez tôt.

Quand elle était sortie des toilettes — enfin correctement vêtue —, Dare lui avait annoncé qu'ils pouvaient monter dans l'avion.

Evoquer la mort de sa mère avait éveillé en elle de douloureux souvenirs. Songer à la désapprobation de son père avait ravivé son ressentiment à son égard. Quant à Natalie… elle préférait ne pas songer à l'angoisse dans laquelle l'avait sans doute plongée son absence. Quelqu'un lui avait fait vivre un enfer et elle devait se concentrer là-dessus. Et sur rien d'autre. Elle rassurerait Natalie plus tard.

Quand l'un des pilotes vint les accueillir en haut de la passerelle, elle prit conscience que Dare n'était pas le premier venu. Le fait qu'il s'offre un avion privé pour traverser le pays le prouvait largement.

A moins qu'il ne compte inclure le prix du vol dans la note de frais qu'il lui présenterait ? C'était possible, après tout.

Elle commençait à s'inquiéter sérieusement du prix de cette folie… et ce qu'elle découvrit en entrant dans la cabine ne fut pas pour la rassurer.

— Oh !

Dare lui lança un regard surpris.

— Que se passe-t-il ?

— C'est d'un luxe scandaleux, commenta-t-elle.

Il jeta un rapide coup d'œil autour de lui, puis haussa les épaules.

— C'est plutôt confortable, concéda-t-il. Choisissez un siège.

Il y avait sept sièges. Molly opta pour ceux du fond, afin de se trouver le plus loin possible des deux pilotes — deux beaux mâles qui auraient pu poser pour GQ. Elle alla donc s'installer à l'arrière de la cabine, près des toilettes, tandis que Dare s'attardait avec les pilotes qui lui exposaient leur plan de vol. Elle les entendit parler d'une courte escale destinée à faire le plein de carburant.

Elle s'intéressa à la console placée près de son siège, laquelle comportait un écran de contrôle pour suivre le déroulement du vol, ainsi qu'un lecteur de DVD, de CD et de quoi brancher un MP3. La cabine était tapissée de loupe d'orme ; les sièges étaient en cuir blanc, la moquette épaisse, le bar bien fourni.

Dare avait-il l'habitude de voyager dans ce type de jet ? Elle, non. D'ailleurs, elle n'avait aucune idée de ce que pouvait coûter la location d'un tel engin.

Dare ne tarda pas à la rejoindre.

— Vous voulez boire quelque chose ? demanda-t-il en lui désignant du menton le bar éclairé qu'elle avait déjà admiré.

— Non, merci.

— Vous êtes sûre ? Ça vous requinquerait.

— Je n'ai pas besoin d'être requinquée. Je vous remercie.

Combien de fois devrait-elle lui répéter qu'elle tenait le coup ? Elle ne pouvait pas se permettre de craquer. Si elle voulait survivre à cette épreuve, elle avait intérêt à garder la tête froide. Plus tard, quand tout serait réglé, elle laisserait exploser la panique silencieuse qui la rongeait.

Dare haussa les épaules, s'installa à côté d'elle et boucla sa ceinture.

— Attachez-vous, ordonna-t-il.

Le ton autoritaire lui arracha une grimace, mais elle s'exécuta sans un mot.

Dare releva son accoudoir et fit pivoter son siège pour se placer face à elle. Puis il se pencha, les coudes sur les genoux, pour la dévisager.

— Qu'y a-t-il ? demanda-t-elle.

Les pilotes venaient de mettre le moteur en route. Elle s'agrippa à ses accoudoirs.

— Nous décollons ?

— Il vaut mieux, oui, si nous voulons arriver chez moi, ironisa-t-il.

Elle fit de nouveau la grimace.

— Les sarcasmes sont superflus.

Il ne répondit pas. Elle se racla la gorge.

— Vous ne m'avez pas dit où ça se trouvait, chez vous. Ni quand nous arriverions.

— Dans le Kentucky. Nous en avons pour un moment.

L'avion se mit à rouler sur la piste. Elle avala sa salive. Dare la contempla fixement.

— Vous avez peur de l'avion ?

— Non.

Pur mensonge. Elle avait toujours eu peur de l'avion. Et voyager dans ce petit coucou n'était pas fait pour la rassurer. Elle se figea, puis marmonna sur le ton de quelqu'un qui récite une leçon apprise par cœur :

— Je me sens parfaitement bien.

— Vous ne cessez de le répéter, fit-il remarquer.

Il lui prit les mains et, une fois de plus, elle fut frappée par la taille des siennes. Elle se sentit soudain petite et fragile, comparée à lui.

Une sensation étrange qu'elle ne sut pas comment interpréter.

— Molly, regardez-moi.

Elle obéit et fut aussitôt happée par ses yeux, bleus et brillants. Des yeux étranges et fascinants.

— Je voudrais savoir pourquoi vous n'avez pas contacté votre sœur pour la rassurer sur votre sort.

Le pilote annonça quelque chose à travers les haut-parleurs et l'avion accéléra brusquement. Le cœur de Molly fit un bond. Elle pressa les mains de Dare et, quand elle se mit à parler, ce fut d'une voix éraillée et tirant sur les aigus.

— Natalie est un peu plus jeune que moi, mais elle est enseignante, ce qui lui donne un côté autoritaire — si vous voyez ce que je veux dire, ajouta-t-elle sur le ton de la plaisanterie.

Dare n'eut pas l'ombre d'un sourire.

— Oui. Et alors ?

— Alors ? Si je lui avais parlé de mon enlèvement, elle se serait retournée contre mon père, contre Adrian, contre tous ceux qu'elle aurait soupçonnés. Elle serait partie en guerre. Pas moyen de l'arrêter, croyez-moi. Autrement dit, elle aurait prévenu, sans le vouloir, la personne impliquée, celle que nous cherchons à coincer, lui laissant le temps de dissimuler des preuves, voire de disparaître.

Dare fut surpris de la sagacité de son raisonnement. Elle avait raison. Si Natalie était ingérable, elle avait bien fait de ne pas la prévenir.

— Je veux que le coupable ait la surprise de me voir débarquer saine et sauve. Je veux lui causer un choc qui me permettra peut-être de le démasquer.

— C'est un plan qui se défend, sauf qu'il ou elle sait déjà que vous êtes libre. La preuve, c'est qu'on vous attendait au Walmart.

— Oui, mais il ignore où et quand je vais refaire surface. Par ailleurs, il va sûrement chercher à me pister et à me faire enlever de nouveau, vous ne croyez pas ?

— Ce qui signifie que vous êtes encore en danger.

— Oui.

Elle frissonna. A cause de ceux qui la menaçaient dans l'ombre. Et parce que l'avion venait de quitter la piste.

Elle pressa un peu plus fort les mains de Dare.

— Seigneur…, murmura-t-elle.

Dare la dévisagea d'un air résigné et… fébrile. Oui. On aurait dit qu'il attendait quelque chose. Puis il se pencha vers elle et l'embrassa. Pour la deuxième fois de la journée.

Saisie, elle s'écarta, mais il lui prit le visage à deux mains et l'attira à lui.

Elle avait été surprise de la taille de ses mains. Maintenant qu'il les posait sur son visage, elle les trouva encore plus impressionnantes.

Il l'embrassait de nouveau, mais cette fois tendrement, délicatement. Comme elle ne tentait pas de le repousser, il inclina doucement la tête pour mieux se positionner.

Une bouffée de chaleur l'envahit, chassant la peur glacée qui l'habitait depuis dix jours. Ses muscles tétanisés se détendirent.

Elle le saisit par les poignets — pas pour ôter ses mains de son visage, mais pour s'y agripper, comme si sa vie en dépendait. A trente ans, elle n'en était pas à son premier baiser, loin de là, mais jamais elle n'avait ressenti... une chose pareille. Comme elle laissait échapper un drôle de bruit, entre le gémissement et le ronronnement, il caressa doucement sa joue de son pouce.

Une seconde plus tard, elle sentit une langue s'enrouler autour de la sienne.

Le cœur battant, la peau en feu, elle en oublia l'avion et les salauds sans scrupule qui la poursuivaient. En cet instant précis, il n'y avait plus que Dare, sa chaleur, son odeur envoûtante, la force qui se dégageait de lui, le sentiment de sécurité qu'il lui procurait, le goût de sa bouche, ses caresses incroyablement douces.

Il effleura son visage et ses cheveux, puis s'écarta d'elle.

Elle ouvrit les yeux et rencontra le regard ardent de ses pupilles bleues. Il suivit de son pouce la courbe de sa lèvre inférieure, puis s'adossa à son siège avec un froncement de sourcils.

Elle demeura penchée vers lui autant que le lui permettait sa ceinture, en attente. Puis, au bout de quelques secondes, se rendant compte du ridicule de sa position, elle se redressa en s'agrippant aux accoudoirs.

Son cœur continuait de battre la chamade et le regard de Dare, qui la fixait toujours intensément, la gênait autant qu'il l'excitait. Attendait-il une réaction de sa part ?

De toute façon, elle ne pouvait pas faire comme si de rien n'était. Le premier baiser, dans la camionnette, ne méritait pas de commentaire particulier, mais celui-ci, c'était autre chose...

— Dare?

— Hmm?

— C'est... la deuxième fois que vous m'embrassez.

— Je sais compter, répondit-il d'une voix profonde, tout en laissant de nouveau dériver ses yeux vers sa bouche.

Elle se mordilla les lèvres, mais comme il les fixait avec un drôle d'air, elle fit l'effort de contrôler ce tic embarrassant qui trahissait son trouble. Une question la tracassait — qui était Chris? — mais elle n'osa l'aborder.

— C'était pour me faire oublier que nous sommes dans un avion? murmura-t-elle.

— Non.

Non? Elle secoua la tête, perplexe. S'il avait quelqu'un dans sa vie... Mais elle n'osa pas se montrer intrusive et l'interroger.

— Alors, je ne comprends pas, avoua-t-elle.

— Bien sûr que si.

Il la balaya du regard, de la tête aux pieds, lentement, très lentement, avant de s'arrêter de nouveau sur son visage.

— Mais ça vous dérange peut-être, conclut-il.

La déranger? Non. Elle n'était pas dérangée par l'intérêt et l'attention qu'il lui portait. Du moins pas comme il l'entendait. Elle se sentait plutôt flattée, au contraire — à condition qu'il ne soit pas engagé auprès d'une autre.

— C'est juste que je ne me l'explique pas...

— Moi non plus, si ça peut vous rassurer.

Tout en grimaçant, il étira ses longues jambes pour se mettre à l'aise.

— Je n'ai jamais approché une femme que je venais de sauver. Une telle attitude aurait été contraire à mon éthique, puisqu'en général on me paye.

Il détourna la tête et elle comprit qu'il était honteux, mécontent de lui-même.

— Dans votre cas, personne ne m'a payé ni engagé. Donc, c'est différent.

— En effet.

Il ne trahissait la confiance de personne en s'intéressant à elle. De plus, il ne l'aurait pas embrassée si elle avait tenté de résister. Mais elle n'avait pas tenté.

— Mais ce qui s'est passé... Ce que ces salauds vous ont fait vivre...

Il chercha à croiser son regard.

— Et la tentative d'enlèvement sur le parking... Tout ça vous fragilise. Vous n'êtes pas vous-même, et rien que pour ça, je ne devrais pas vous solliciter.

— Pourquoi?

Elle n'appréciait pas du tout son raisonnement. Elle avait envie qu'il la sollicite, justement!

Une soudaine tristesse se peignit sur le visage de Dare.

— Vous avez récemment eu des contacts affreux avec des hommes peu recommandables, Molly.

Les salauds qui l'avaient séquestrée n'avaient rien en commun avec l'être remarquable qui était assis en face d'elle. Elle se demanda où il voulait en venir...

— Je sais faire la différence, murmura-t-elle en posant sa main sur son avant-bras. Je vois à quel point vous valez mieux qu'eux.

— En êtes-vous vraiment persuadée?

— Oui.

Elle ne le connaissait que depuis la veille, mais ce qu'il lui avait montré suffisait à se forger une opinion.

— Pas d'effets résiduels, pour vous?

Devinant sa perplexité, il prit le temps de s'expliquer.

— Quelqu'un qui a vécu une situation traumatique est parfois victime de ce qu'on appelle des effets résiduels. Par exemple, un simple détail qui lui rappelle la situation en question peut déclencher une véritable crise de panique. Dans votre cas, un homme tentant de vous approcher pourrait...

— Mais vous n'êtes pas n'importe quel homme, protesta-t-elle.

Elle espéra que son sourire suffirait à le rassurer.

— Vous êtes celui qui m'a tirée de ce cauchemar. Je ne fais pas d'amalgame entre vous et eux. Vous ne pouvez pas m'inspirer de la peur et du dégoût.

Il n'avait pas l'air convaincu, mais il lui offrit sa main, paume vers le haut, en attendant qu'elle vienne entrelacer ses doigts aux siens. Elle s'exécuta avec hésitation. Ça allait vite. Trop vite pour elle. Elle n'osait pas se fier à ce qu'elle ressentait et ne comprenait rien aux motivations de Dare.

Il effleura ses articulations avec son pouce, un geste doux et tendre, mais qui lui fit l'effet d'une caresse convenue, presque professionnelle.

— Nous avons beaucoup à affronter, Molly. Plus que vous ne l'imaginez. Vous protéger de vos poursuivants est la partie la plus facile. Trouver qui a organisé votre séquestration sera beaucoup plus compliqué. Et croyez-moi, la vérité risque de vous déplaire. Vous devez la découvrir, mais vous n'en tirerez aucune satisfaction et ça ne rendra pas moins douloureux les souvenirs de votre séjour dans cette caravane.

— Qu'en savez-vous ?

Plus que tout, elle désirait coincer le coupable. Pour elle, c'était la seule manière de mettre vraiment un terme à ce cauchemar.

— La plupart du temps, dans ce genre de cas, on découvre que le coupable est quelqu'un que l'on connaît et que l'on n'aurait jamais soupçonné.

Il lui pressa la main.

— Parce que c'est quelqu'un de proche.

Molly sentit son cœur se serrer.

— Mais j'ai besoin de savoir !

— Bien sûr. Et pour vous aider, je vais devoir vous poser des milliers de questions que vous risquez de trouver déplaisantes. Sachez que ça ne m'amuse pas et que c'est uniquement parce que j'ai besoin de certaines informations…

— Je comprends, coupa Molly en se mordillant les lèvres. Et je suis d'accord.

Il plissa les yeux.

— Vous devez me promettre de répondre honnêtement.

— C'est promis.

Elle comprenait parfaitement que le plus petit détail pouvait avoir de l'importance.

Il détacha sa ceinture.

— J'ai souhaité qu'il n'y ait pas de personnel de bord dans l'avion pour être certain d'être seul avec vous dans la cabine.

— Vous avez fait ça ?

Elle allait lui demander pourquoi, mais il ne lui en laissa pas le temps. Il la souleva pour la prendre sur ses genoux, puis il inclina son dossier pour l'installer confortablement.

— Je vous conseille de dormir, le voyage va être long.

Le visage calé contre son torse, enveloppée par son odeur, elle se laissa envahir par une agréable léthargie. Elle était épuisée et il semblait avoir compris qu'elle se détendrait mieux dans ses bras que dans un fauteuil. Pourquoi résister ?

Elle ne put retenir un bâillement, puis s'efforça de rassembler ses idées.

— Vous aviez des questions, dit-elle.

— Des tas de questions, oui.

Il avait posé sa main gauche sur l'une de ses hanches et la droite dans son dos, pour la serrer contre lui. Elle se sentait bien. En sécurité.

— Je vous écoute.

— Ça peut attendre que nous soyons chez moi. Nous parlerons quand nous aurons mangé et dormi.

Elle était d'accord, mais…

— Moi aussi j'ai des questions, murmura-t-elle.

— Allez-y, soupira-t-il en s'appuyant au dossier de son siège.

— Est-ce que… ? Est-ce que je vous plais ?

Il eut un petit rire qui résonna dans l'oreille qu'elle appuyait contre son torse.

— Vous me plaisez beaucoup, affirma-t-il en se penchant de nouveau pour la dévisager. Vous en doutiez ?

— Je ne sais pas.

Elle se tracassait un peu au sujet de Chris, mais elle préféra l'oublier pour le moment.

— Vous êtes différent des autres hommes que j'ai connus.

— Pas si différent que ça. J'ai dû maîtriser une érection pour ne pas vous effrayer en vous prenant sur mes genoux.

Elle fut surprise par cet aveu, mais décida de ne pas s'appesantir sur la question.

— Je n'ai pas peur de vous, Dare.

— En effet, murmura-t-il. Vous n'avez pas peur de moi. Mais aucun de nous deux ne sait vraiment où vous en êtes émotionnellement. Pour l'instant, vous tenez le coup, mais mieux vaut vous ménager, d'accord ?

Franchement, elle se sentait tellement vidée et courbatue que, oui, en effet, ça ne la dérangeait pas d'être ménagée. Pour le moment.

— Oui, reprit-elle d'un air songeur, mais tout de même, je ne saisis pas.

— Qu'est-ce que vous ne saisissez pas ?

— Je ne suis pas vraiment au mieux de ma forme... Je parle de mon apparence... Je ressemble à...

— Vous ressemblez à quelqu'un qui a été maltraité pendant neuf jours, oui.

Il la pressa gentiment contre lui.

— Les ecchymoses et la fatigue ne parviennent pas à entamer votre capital séduction, Molly. De plus, il n'y a pas que le physique qui compte.

— Et quoi d'autre ?

De quoi parlait-il ? Il ne la connaissait pas suffisamment pour avoir cerné et apprécié sa personnalité !

— J'ai une grande admiration pour le courage. J'apprécie également l'intelligence, le sens pratique, la maîtrise de soi, l'esprit logique. Vous possédez tout ça, ma chère. Et cela vous rend terriblement attirante à mes yeux.

Elle avait souvent manqué de confiance en elle dans sa vie, sans doute à cause de l'indifférence teintée de mépris qu'elle avait toujours inspirée à son père. Les compliments de Dare lui donnèrent envie de pleurer. Elle ne se sentait ni courageuse ni intelligente, mais plutôt usée, dupée, furieuse, remplie d'une peur glacée tapie tout au fond d'elle-même.

Elle pivota pour se redresser et le dévisager.

— Ces hommes ne m'ont pas embrassée, dit-elle.

— Non?

Elle secoua la tête.

— Donc, vos baisers ne peuvent pas m'inquiéter.

Un drôle de sourire un peu coquin passa sur les lèvres de Dare. Puis il redevint sérieux.

— C'est une façon de me réclamer un baiser?

— Oui.

Il contempla sa joue tuméfiée, le grand cerne noir sous l'un de ses yeux.

— Ils vous ont battue, dit-il d'une voix rauque d'émotion en accentuant d'un geste protecteur la pression de sa main sur son dos. Et même mordue.

Elle poussa un léger soupir. Bien sûr qu'ils l'avaient battue, mais pour l'instant, cela lui paraissait loin, presque abstrait.

— Je sais que vous ne me battrez pas, insista-t-elle.

Il la fixa longuement, sans doute pour juger de son humeur. Elle attendit le verdict avec une tension croissante.

— Ma foi, pour ce qui est de mordre, je me sens vaguement tenté, dit-il enfin d'une voix douce.

Elle battit des paupières et elle tressaillit quand il se pencha lentement, trop lentement, vers le creux de son cou. Elle sentit d'abord son souffle tiède, puis la pression délicate de ses lèvres, la caresse humide de sa langue et enfin, le doux picotement de ses dents qui se déplaçaient le long de son cou.

Elle poussa un soupir quand il cessa, mais, comme elle ne bougeait pas, il recommença le petit jeu de la morsure amoureuse, avec un peu plus d'assurance. Elle se mit à frissonner de la tête aux pieds.

— A présent, quand vous penserez à une morsure, ce sera à la mienne, d'accord? murmura-t-il au creux de son oreille.

Emportée par un désir grandissant, elle ne répondit pas et

le prit par la nuque pour chercher avidement sa bouche. Elle avait besoin de ce baiser, plus que tout.

— Doucement, protesta-t-il.

Ses lèvres se posèrent sur les siennes, prenant et donnant, lui ôtant toute conscience de ce qui n'était pas lui.

Et en savourant ce baiser qui lui faisait tout oublier, elle se demanda en quoi il était différent des autres. Jusque-là, elle avait toujours pensé qu'un baiser était un baiser. Certains hommes embrassaient mieux que d'autres, certes, mais avec Dare, c'était tout simplement incroyable.

Elle n'était pourtant pas une femme à la sensualité torride. Surtout en ce moment, dans l'état d'épuisement où elle se trouvait, elle n'aurait pas dû être réceptive. Et pourtant... Elle n'avait même plus sommeil.

Elle laissa errer ses mains sur ses larges épaules musclées. Puis elle explora le renflement de ses pectoraux, son ventre plat. Son corps était dur, solide, puissant, chaud.

Elle glissa une main sous son T-shirt et toucha sa peau douce, contourna sa taille pour tâter son dos musculeux, revint et... sentit brusquement l'incroyable érection qui poussait sous ses hanches.

Il mit fin à leur baiser et jura tout bas.

— Dare ?

Elle haletait.

— Vous...

— Je sais.

Elle remua lentement les hanches, tout en essayant d'imaginer les scénarios possibles. Elle jeta un œil vers le cockpit où se trouvaient les deux pilotes. Ces deux-là ne les dérangeraient pas. Ils étaient donc seuls dans la cabine.

Dare laissa échapper un rire rauque.

— Oubliez ça. Il n'en est pas question.

Elle rougit d'avoir été si aisément devinée.

— Vous êtes vraiment une femme spéciale, commenta-t-il en secouant la tête.

Il déposa un baiser rapide et sonore sur ses lèvres, puis l'obligea à poser sa tête contre son épaule.

— Je veux que vous dormiez. Et moi, pendant ce temps, je réfléchirai.

Le corps parcouru de frissons, Molly fit un effort pour se détendre, tout en se demandant si elle n'abusait pas de son côté protecteur. Elle n'aurait pas voulu qu'il finisse par la trouver pesante. Mais après tout, quelle importance ? A cet instant précis, à part le plaisir qu'elle prenait à leurs étreintes, elle se fichait de tout.

Elle en était à se demander si elle n'allait pas lui voler le baiser qu'il ne lui proposait pas, quand il l'embrassa sur le haut de la tête.

— Vous êtes plus secouée que vous ne le pensez, Molly.

Il la prit par le menton pour l'obliger à le regarder dans les yeux.

— Soyez patiente. Vous me plaisez. Ça ne changera pas. Je ne peux pas vous promettre de résister au désir de vous embrasser, mais pour le reste ça dépendra de vous, j'attendrai que vous soyez prête.

Bon sang… Avait-il l'intention d'attendre qu'elle lui fasse une requête en bonne et due forme ?

Une fois de plus, il eut un petit sourire en coin.

— Vous êtes une grande fille, Molly. Et vous avez du cran. Je suis certain que vous saurez me prévenir quand ce sera le bon moment.

— Mais…

— Vous avez besoin de temps pour savoir où vous en êtes, coupa-t-il.

Il avait probablement raison. Elle se sentait un peu perdue.

— D'accord, dit-elle.

Elle ferma les yeux et, tandis que Dare lui caressait doucement le dos, elle glissa lentement dans un sommeil profond et sans rêves.

La peur à fleur de peau

*
* *

La voix du pilote qui annonçait un atterrissage imminent et une température extérieure clémente ne fit même pas tressaillir Molly.

Quelques heures plus tôt, ils avaient effectué une courte escale pour le plein de carburant. Elle ne s'était pas réveillée non plus. Dare jeta un regard à sa montre. Il aurait volontiers mangé un peu durant le voyage s'il avait pu bouger sans réveiller Molly. A présent, l'heure du dîner était passée et ils avaient encore une heure de route depuis l'aéroport pour arriver chez lui. Ils devraient se contenter d'un hamburger et de quelques frites, qu'ils achèteraient sans même descendre de voiture, parce qu'il ne voulait pas prendre le risque de s'arrêter. Pas avec elle. Il ne se sentirait rassuré qu'après l'avoir mise à l'abri, dans sa propriété.

Pendant qu'elle dormait à poings fermés dans ses bras, parfaitement détendue, il avait eu tout le loisir de l'observer, Il avait encore peine à croire qu'elle sortait de neuf jours de séquestration. La manière dont elle se remettait de cette épreuve le laissait pantois. Comment ne pas admirer son cran et son courage ?

Et comment ne pas la désirer ?

Elle offrait un mélange d'innocence, de force, d'indépendance et de franchise qui la rendait incroyablement sexy. Cela faisait longtemps qu'une femme ne l'avait pas bouleversé à ce point. Jusque-là, il avait fait de son mieux pour tenir le beau sexe à distance... et il y était parvenu.

Mais cette Molly l'émouvait. Sans même chercher à l'atteindre.

Peut-être était-ce le secret de son charme, d'ailleurs ? Elle ne cherchait rien. Elle se contentait de rester elle-même — une femme attirante et blessée, déterminée à affronter la vérité qui l'attendait.

Elle l'attirait, c'est sûr. Mais il n'était pas question de l'entraîner dans une aventure qui la dépasserait.

Sans compter qu'il n'avait aucune envie de se retrouver piégé. Elle remua dans son sommeil. Cette fois, comme ils allaient bientôt atterrir, il décida de la réveiller.

— Vous vous sentez mieux ?

Il comprit qu'elle l'avait entendu, parce qu'elle se figea, mais n'ouvrit pas les yeux. Elle respirait lentement, visiblement résolue à demeurer encore quelques instants dans ce monde enchanteur entre rêve et réalité, recroquevillée contre lui.

Touché par la confiance qu'elle lui manifestait, il se pencha pour l'embrasser sur le nez — un geste impulsif qu'il regretta aussitôt.

Il devait absolument garder ses distances.

— Réveillez-vous, jeune femme, murmura-t-il en la secouant un peu. Je voudrais arriver chez moi avant minuit.

— Minuit ?

Elle se redressa en battant des paupières, et, prenant conscience de l'endroit où elle se trouvait, elle lissa coquettement ses cheveux.

— Nous arriverons si tard que ça ?

Ce qu'elle était craquante avec son petit minois chiffonné !

— Tout dépend du temps que nous mettrons à atterrir et à quitter cet avion. Ensuite, il nous restera une heure de route.

Le ventre de Molly gargouilla. Elle secoua la tête d'un air incrédule.

— J'ai vraiment dormi longtemps, commenta-t-elle.

Il se demanda si elle essayait de lui faire comprendre qu'elle avait faim.

— Nous ne devons pas traîner, mais j'ai tout de même prévu de m'arrêter pour acheter des hamburgers.

— Excellente idée, approuva-t-elle.

Puis elle rougit brusquement, soudain consciente d'être encore sur ses genoux, et se leva aussitôt pour aller s'installer sur son siège.

— Tout ce que vous faites est parfait, ajouta-t-elle.

— Vraiment ? plaisanta-t-il.

Elle acquiesça, tout en bouclant sa ceinture.

— Je suis vraiment désolée de m'être effondrée comme ça. Vous auriez dû me réveiller pour que je ne passe pas tout le voyage sur vos genoux. Ça n'a pas dû être très confortable pour vous.

— Ça ne m'a pas dérangé, assura-t-il.

Ça lui avait même plu. Mais il avait tout de même besoin de se dégourdir les jambes. Il ne leur restait plus que quelques minutes avant l'atterrissage.

— Je reviens tout de suite, dit-il en se levant.

Il profita de son passage aux toilettes pour se rafraîchir le visage, mais l'eau, bien que glacée, ne l'aida pas à mettre de l'ordre dans son esprit troublé. Dans quelques heures, Molly serait chez lui. Jamais il n'avait fait entrer une femme dans sa maison, pas même pour l'inviter à manger.

Il passa une main lasse sur son visage, tout en essayant d'imaginer ce que ce serait de l'avoir à demeure. Avec Chris et les deux *filles*.

— Merde, grommela-t-il.

Allons! Inutile de ruminer dans les toilettes de l'avion. Il avait toujours préféré l'action à la cogitation, non? Si quelque chose lui déplaisait, il s'arrangeait pour que ça change.

Pour Molly… il aviserait le moment venu.

Quand il revint, elle se leva pour se rendre elle aussi aux toilettes.

— Dépêchez-vous, dit-il.

Il lui servit un jus de fruits et dégota un mélange apéritif à grignoter.

Une minute plus tard, elle avait repris sa place sur son siège et bouclé sa ceinture. Elle but le jus de fruits avec reconnaissance et se jeta sur le mélange apéritif. Moins d'une demi-heure plus tard, une navette les déposait sur le parking où Dare avait garé sa SUV. Après un rapide examen des lieux pour vérifier que personne ne les suivait, il déverrouilla les portières.

Il ne cessait de se demander comment ses *filles* accueille-raient Molly. Quant à Chris, il savait déjà qu'il défendrait son territoire. Dare lui avait appris à se méfier des nouveaux venus... et son secrétaire appliquerait sans doute ce précepte à la lettre.

6

Il était près de 23 heures quand Dare engagea sa voiture sur le petit chemin menant à sa propriété. Molly n'avait pas ouvert la bouche durant le trajet, sauf pour le remercier quand il lui avait tendu un hamburger, des frites et un milk-shake. Elle avait tout dévoré et il avait pu constater une fois de plus qu'elle jouissait d'un solide appétit. C'était à se demander comment elle faisait pour rester aussi mince ! Elle avait quelques rondeurs aux bons endroits, certes, mais pour l'avoir portée, il la savait légère comme une plume. Elle avait certainement perdu du poids au cours de ses neuf jours de captivité, mais pas tant qu'il l'avait cru — sans quoi elle n'aurait pas récupéré aussi vite.

La silhouette qu'il admirait était donc sa silhouette habituelle, avec deux ou trois kilos en moins. Elle ne cherchait pas à la mettre spécialement en valeur. Elle n'était pas du genre à s'exhiber, ça se voyait tout de suite. Elle n'était pas non plus bourrée de complexes. Simplement, elle se servait de son intelligence plutôt que de son corps pour communiquer.

Pendant qu'ils roulaient, elle avait fouillé dans sa collection de disques, puis écouté de la musique, l'air sombre. Il supposa qu'elle réfléchissait à la manière de se préparer à leur arrivée. Effort inutile… mais il s'était bien gardé de le lui dire.

Elle était tellement plongée dans ses pensées qu'elle ne s'était pas aperçue qu'ils étaient presque arrivés à destination.

Il avait choisi de construire à l'abri des regards, derrière un bois d'arbres feuillus. Pour atteindre sa maison, il fallait emprunter une petite route étroite et sinueuse.

Ses phares éclairèrent l'impressionnante grille d'entrée. Le terrain était protégé par une barrière électrifiée, sauf côté lac, mais celui-ci était éclairé la nuit par des projecteurs et sécurisé par de multiples alarmes.

Molly observa les lieux avec curiosité.

— C'est là que vous habitez? Sérieusement?

— Oui.

Elle s'adossa à son fauteuil.

— Ça ressemble à une de ces grandes propriétés où les gens passent leurs vacances.

— En effet.

Comme ils arrivaient devant la grille, elle se tut et le regarda sans un mot composer le code en allongeant le bras par la vitre de sa portière.

— Préparez-vous à d'autres surprises, commenta Dare d'un ton amusé.

Elle battit des paupières.

— Lesquelles?

— Nous allons être accueillis par Chris et par mes filles.

Elle prit le temps d'humecter ses lèvres sèches du bout de la langue.

— Je vous ai déjà entendu mentionner vos filles et Chris. Au téléphone. Dans la chambre du motel.

Ce commentaire guindé parut augmenter l'amusement de Dare.

— J'adore mes filles, dit-il.

Elle se racla la gorge.

— Et Chris? Vous l'adorez aussi?

— Evidemment.

Sachant qu'elle ne pouvait pas comprendre de quoi et de qui il parlait, et incapable de résister au plaisir de la taquiner un peu, il ajouta :

— Chris va chercher à vous intimider. Ne vous laissez pas faire.

Une fois de plus, elle dut se racler la gorge avant de parler :
— Et qui est Chris ?
— Chris fait tout dans la maison, du ménage au secrétariat. On peut dire que Chris est tout pour moi, ajouta-t-il en ricanant.
— Tout ? demanda-t-elle d'une voix un peu trop aiguë.
Il ne put s'empêcher de sourire.
— Oui, tout. Demandez-lui quel est son rôle. Il ne manquera pas de vous expliquer à quel point il est indispensable.
Elle en resta bouche bée.
— *Il* ? Chris est un homme ? Vous... vous vivez avec un homme ?
— Oui.
— Est-ce que... ? Il est marié ? Il a une petite amie ?
— Non.
Devinant son désarroi, il ajouta :
— Chris est homosexuel.
— Homosexuel ?
Elle le fixa d'un air abasourdi.
— Mais vous, vous ne l'êtes pas ?
Dare lui jeta un regard un coin.
— C'est sérieux, cette question ? Je croyais pourtant vous avoir clairement renseignée sur mes orientations sexuelles.
— Oui, bien sûr... Mais vous ne cessiez de parler de Chris et de vos filles, aussi je me demandais...
— Je n'ai personne dans ma vie, assura-t-il.
— Parfait, murmura-t-elle.
Mais elle resta songeuse, observant les bosquets autour d'elle pour se donner une contenance. La route en terre avait cédé place à une allée goudronnée, puis le bois s'ouvrit sur sa maison.
Elle se tut, visiblement impressionnée par l'étendue de pelouse éclairée de lumières tremblotantes, puis n'y tint plus.
— Puisque vous n'avez pas de rapports amoureux avec Chris, pourquoi chercherait-il à m'intimider ?
— Par pure méfiance, répondit Dare.

Comme cette explication ne suffisait pas, il ajouta :

— C'est la première fois que je fais entrer une femme ici. D'ailleurs, je n'y ai jamais amené aucun de mes clients, ni homme ni femme. Vous êtes la première.

Elle posa sur lui un regard plein d'intérêt.

— Pourquoi tant de précautions ?

— Par principe.

Il lui jeta un regard en coin et la vit froncer les sourcils.

— Ne vous inquiétez pas de ça, d'accord ?

Il remonta l'allée circulaire pour s'arrêter devant le fronton de l'entrée principale. La chaude lumière qui filtrait à travers le verre taillé des doubles portes éclairait l'allée pavée. Un battant s'ouvrit et deux chiens bondirent à l'extérieur, visiblement fous de joie, un jouet en peluche dans la gueule.

Chris vint se poster sur la plus haute marche du perron, les bras croisés sur son torse nu.

— C'est lui ? murmura Molly, visiblement surprise.

Dare se tourna vers Chris qui se tenait immobile, vêtu d'un short large, pieds nus, ses cheveux noirs encore plus ébouriffés que de coutume à cause du vent.

Il y avait de quoi être surpris. Chris avait plutôt l'allure d'un adepte des sports nautiques que celle d'un employé de maison, secrétaire et majordome.

— Je crois que nous avons retardé son heure de coucher, ajouta-t-il. Il n'est pas content.

— Seigneur…, murmura Molly en jetant à Dare un regard en coin. Il est resté debout pour vous accueillir ?

— Oui.

— Ça fait partie de ses attributions, ou bien c'est parce qu'il était inquiet ?

— Je pense que c'est plutôt par curiosité, répondit Dare avec un grand sourire. Chris et moi, nous sommes amis. Presque frères.

Elle poussa un soupir.

— Vous savez ce que j'ai cru ?

— Je m'en suis douté, assura-t-il en s'interdisant de sourire.

Mais ces élucubrations vous ont obligée à penser à autre chose qu'à votre enlèvement.

Elle fronça les sourcils, mais se tut.

— Et voici mes filles : Sargeant et Tai'ree, plus connues sous le nom de Sargie et Tai.

Molly contempla avec des yeux ronds les deux labradors qui gambadaient autour d'eux.

— Des chiens ! s'exclama-t-elle d'un ton franchement agacé. Donc, Chris est un homme et vos filles sont des animaux ?

— Ce sont des membres de ma famille, protesta-t-il.

Les chiennes se jetaient déjà sur sa portière, avec une joie touchante. Dare en oublia Molly pendant quelques secondes.

Il ouvrit sa portière et elles se précipitèrent pour le lécher et le renifler, en remuant frénétiquement la queue.

Il prit le temps de gratter l'échine de Tai tout près de la queue, caresse qui la mettait en transe. Sargie manifesta sa jalousie en jouant les Chewbacca, ce qui consistait à pousser des grognements aigus et impatients, jusqu'à ce qu'il lui frotte les oreilles.

— Venez, les filles, j'ai quelqu'un à vous présenter.

Il contourna la voiture, dans l'intention d'ouvrir la portière de Molly, mais elle le prit de vitesse. Elle sortait déjà et contemplait les deux chiennes avec un sourire béat.

— J'ai vraiment cru que vous aviez des enfants, murmura-t-elle.

— J'ai des enfants à poils, affirma-t-il en riant.

Les chiennes jaugèrent Molly, décidèrent qu'on pouvait lui faire confiance, et se jetèrent sur elle.

Elle se baissa pour les accueillir — fatale erreur, car elles prirent ça pour une invitation à jouer et la bousculèrent pour poser leurs pattes sur elle, la gratifiant d'une démonstration d'affection canine plutôt... baveuse.

Curieux d'observer la réaction de Molly, Dare croisa les bras, prêt à intervenir si elle manifestait la moindre peur ou résistance. Mais elle éclata d'un rire joyeux.

— Seigneur... Elles sont énormes !

Elle les prit par leur collier, un dans chaque main, et les fit reculer de manière à pouvoir au moins s'asseoir. Puis elle ouvrit les bras et les serra contre elles.

— Je n'ai jamais reçu un accueil aussi affectueux, commenta-t-elle.

Dare écarta Sargie qui en faisait un peu trop.

— Sargie pèse trente-deux kilos. Et cette grosse bête... Il écarta Tai.

— N'est pas loin des quarante. Tai est la plus âgée et la plus calme des deux, mais ça ne l'empêche pas d'être insupportable. Elles se prennent toutes les deux pour des caniches. Si vous vous mettez à leur niveau, elles cherchent à grimper sur vous.

— Je tâcherai de m'en souvenir, mais je ne leur en veux pas, c'est très agréable de se sentir acceptée.

Il se demanda si c'était parce qu'elle avait plutôt l'habitude d'être rejetée. Entre autres par des lecteurs mécontents... Famille, lecteurs, ex-fiancé... Ils allaient devoir dresser sérieusement la liste des suspects.

Il lui tendit la main pour l'aider à se relever et attendit qu'elle époussette son dos du revers de la main.

Les deux chiennes s'étaient assises, frémissantes d'énergie et d'excitation, intriguées par Molly.

Elle leur présenta sa main, qu'elles reniflèrent, l'une après l'autre. Tai lui jeta un regard enamouré, lequel lui valut un câlin.

— J'adore les animaux, murmura Molly. Papa n'a jamais voulu entendre parler d'animaux de compagnie quand j'étais petite. Dans mon appartement, ce n'est pas possible. J'envisage de m'acheter une maison pour avoir un chien. Mais pas aussi imposant que les vôtres, tout de même.

— Vous parlez des chiens uniquement, ou aussi de la maison ?

— C'est valable pour les deux, répondit-elle en souriant. Mais je pensais aux chiens.

Elle se redressa et contempla la maison en secouant la tête d'un air incrédule.

— Et moi qui croyais vous épater avec mon succès d'écrivain. Quelle blague...

— Je suis très impressionné, protesta-t-il.

— Suffisamment en tout cas pour accepter de travailler pour moi. Nous devrions d'ailleurs discuter des modalités de cet engagement, vous ne croyez pas?

— Nous le ferons, promit-il.

Il abandonna les chiennes pour aller chercher son sac dans le coffre de la voiture, puis il posa sa grande main sur le frêle dos de Molly.

— Je vais vous présenter Chris. Inutile de le faire attendre davantage.

— Il est aussi grand que vous.

— Je suis plus grand que lui, corrigea Chris.

— Oh! Ça va, Chris, tais-toi! coupa Dare en essayant de ne pas rire.

— Il m'a entendue? murmura de nouveau Molly.

— J'entends tout, répondit Chris. Et je vous conseille de ne pas l'oublier.

— Les voix portent loin, ici, expliqua Dare. Surtout la nuit. A cause du lac.

— Il y a un lac?

Le lac, il le lui montrerait plus tard. Pour l'instant, il avait hâte de la mettre à l'abri de l'air frais de la nuit, d'entrer avec elle, de manger. Au mois de mars, le climat du Kentucky n'avait rien à voir avec celui de la Californie. Elle n'était pas assez couverte. La voyant frissonner, il regretta de ne pas avoir pensé à lui acheter une veste.

— Entrons, dit-il.

Les chiens grimpèrent les marches en courant devant eux. Dare s'arrêta devant Chris.

— Molly, je vous présente Chris Chapey, mon secrétaire particulier. Chris, je te présente...

— La petite complication, j'imagine? fit sèchement Chris.

Il dévisagea Molly et remarqua les traces de coups et les blessures.

— Dare vous a traînée par les pieds pour vous amener ici ? demanda-t-il d'une voix radoucie.

— On est fatigués, Chris, intervint Dare. Tes sarcasmes peuvent-ils attendre que nous ayons le ventre plein ?

Chris fixa de nouveau Molly, sourcils froncés. Il paraissait scandalisé par les violences qu'elle avait subies.

— Pas de problème, dit-il sans la quitter des yeux. Mais rassure-moi d'abord. Quelqu'un a été payé pour lui infliger ça ?

— Oui.

— Heureux de l'entendre, acquiesça Chris d'un air satisfait.

Molly se racla la gorge, pressée d'interrompre cet échange déplaisant.

— Enchantée de faire votre connaissance, monsieur Chapey, dit-elle en tendant la main. Molly Alexander. Vous pouvez m'appeler Molly.

Elle paraissait réellement désireuse de gagner l'amitié de Chris et celui-ci accepta d'un air surpris la main qu'elle lui tendait. Sans doute était-il étonné de son aplomb — aplomb qui contrastait avec son visage tuméfié.

Il était difficile de résister à Molly. Dare se retint de sourire.

— Je suis désolée que notre arrivée vous ait empêché de vous coucher à une heure décente, reprit Molly. Je vous promets de faire de mon mieux pour ne pas vous encombrer. Je n'aime pas gêner les gens.

Cette tirade acheva de plonger Chris dans la confusion. Il jeta à Dare un regard en coin.

— Elle est plutôt surprenante, murmura-t-il.

Dare s'adossa au mur.

— Je te l'avais dit. Une petite complication.

— Je me couche tôt parce que j'ai l'habitude de me lever tôt, pour sortir les chiens, expliqua Chris comme s'il cherchait à se justifier.

— Je comprends. Encore toutes mes excuses pour avoir perturbé vos habitudes.

— Des habitudes, Chris n'en a pas, coupa Dare. Il fait ce que je lui demande.

Chris plissa les yeux.

— Serais-tu en train de proposer de sortir les chiens à ma place demain matin ?

— Exactement.

— Tant mieux. A moi la grasse matinée.

— J'ai bien peur que non, soupira Dare. J'ai une longue liste de tâches à te confier.

— Monsieur Chapey, intervint Molly qui tenait toujours la main de Chris dans la sienne, c'est vous qui vous êtes occupé de réserver pour nous cet avion ?

— Oui. Je suis aussi chargé d'organiser les déplacements de Dare.

— Je tenais à vous remercier d'avoir choisi un avion privé. Après ce que je viens de traverser, je redoutais d'affronter la cohue d'un aéroport et de côtoyer d'autres passagers.

— C'est Dare qu'il faut remercier. Je me suis contenté d'obéir à ses ordres.

— Je m'en doute, mais vous avez été très efficace et l'avion était parfait. Je vous en suis réellement reconnaissante.

Elle était en train de le tuer à coup de gentillesse. Dare s'amusait comme un fou.

— Oui, d'accord, enfin…

Chris quémanda du regard l'aide de Dare.

— Mais que je suis bête, je ne fais que parler et je vous retiens dehors avec le froid qu'il fait, s'excusa Molly en lâchant enfin la main du jeune homme.

— Moi ça va… C'est plutôt vous qui avez la chair de poule, fit remarquer Chris.

— Il fait un peu froid, en effet, commenta-t-elle en se frictionnant les bras. Mais je suis plus habillée que vous. Vous êtes nu.

Chris haussa les sourcils.

— Je ne suis pas nu : je porte un short !

— Un short qui vous couvre à peine.

Il se dandina, désarçonné par cette remarque qui ressemblait à un reproche.

116

— Vous me trouvez indécent ?

Elle eut un petit sourire énigmatique.

— Cet endroit est magnifique, dit-elle en tournant sur elle-même. Et si incroyablement silencieux !

— C'est aussi un lieu très sûr, ajouta Dare. Chris, tu as changé les codes d'entrée ?

— Dès que vous avez franchi la porte. J'ai fait des courses pour vous, comme tu me l'avais demandé. Quand j'aurai rangé la voiture dans le garage, je vous préparerai quelque chose, si tu veux.

— Pas la peine. Je m'en charge, assura Dare.

Il se tourna vers Molly.

— Chris est un piètre cuisinier.

— Lui, c'est un cordon-bleu, renchérit Chris.

— Vraiment ? s'étonna Molly.

— Je plaisantais, dit Chris d'un ton pince-sans-rire.

Ils entraient dans la maison.

— Eh bien ! s'exclama-t-elle d'un ton impressionné.

Chris ne lui prêta pas la moindre attention.

— Je ne savais pas si c'était nécessaire, mais j'ai tout de même fait le ménage dans une des chambres d'amis. Celle du fond, en haut.

— Merci, répondit Dare. J'y installerai Molly.

— Tu veux que je vide ton sac ?

C'était leur routine. Quand Dare revenait après une absence de quelques jours, Chris se chargeait de défaire son sac. Mais ce soir, il n'y avait plus de routine.

— Je le ferai moi-même, répondit-il.

— Très bien. Dans ce cas, je m'occupe de la voiture.

Dare lui tendit les clés, et il sortit.

Dare observait Molly qui balayait la grande entrée du regard.

— C'est une immense demeure, murmura-t-elle.

— N'exagérons rien.

Il aimait le confort, certes, et sa maison était spacieuse, mais surtout fonctionnelle, sans luxe ostensible et inutile.

— Je vais me perdre, gémit Molly.

Dare secoua la tête.

— Je ne m'attendais pas à ce qu'une jeune femme de votre milieu reste pétrifiée d'admiration devant une maison.

Elle lui jeta un regard entendu.

— J'ai fréquenté pas mal de gens très riches, mais vous n'avez rien de commun avec eux. Ce qui me surprend, c'est que vous ne vous comportez pas comme un nanti. Vous êtes gentil et naturel.

— Merci du compliment.

Il désigna l'espace autour d'eux.

— Tout passe par le point où nous sommes, expliqua-t-il. La salle à manger se trouve sur la gauche, la bibliothèque sur la droite. Droit devant vous, en haut de l'escalier, vous avez un bureau et trois chambres, dont celle que vous occuperez.

Elle fit volte-face, visiblement inquiète.

— Et vous, vous dormez où?

— Ma chambre est au rez-de-chaussée, sur la droite, avec ma salle de bains. Au bout du couloir, vous trouverez le grand salon, puis la cuisine, une deuxième petite salle à manger, la buanderie, un petit salon.

Les chiennes approchèrent, leurs griffes cliquetant sur le sol de marbre. Molly les suivit des yeux quelques secondes, puis leva le nez pour admirer les moulures du plafond et l'immense lustre.

— C'est magnifique!

— Merci, répondit simplement Dare.

Il ramassa son sac et la poussa gentiment vers l'escalier.

— Je vais vous montrer votre chambre.

Les chiennes coururent devant eux.

Ils avaient grimpé quelques marches, quand Molly s'arrêta.

— Qui d'autre dort à l'étage? demanda-t-elle d'un air réticent.

— Personne. Moi je suis en bas et Chris occupe la maison au bord du lac.

Pensant qu'elle était désireuse d'avoir un peu d'intimité, il ajouta :

— Vous aurez tout le premier étage pour vous.

Elle se tourna pour lui faire face. Les chiens s'arrêtèrent et levèrent un regard attentif vers Dare, comme s'ils attendaient quelque chose.

— Vous avez une deuxième maison ? s'étonna-t-elle.

— Plutôt un pavillon, au bord du lac.

Il remarqua la légère rougeur qui envahissait ses joues, ses lèvres qui s'entrouvraient, la manière dont elle glissait une mèche de cheveux derrière son oreille.

— Chris a besoin d'avoir un chez-lui. D'autant qu'il est désordonné et pas moi. La cohabitation serait difficile.

— Seigneur, mais on pourrait héberger toute une équipe de football dans cette maison…

Dare ne pouvait plus se retenir. Il se pencha vers Molly et l'embrassa. Elle se trouvait une marche au-dessus de lui dans l'escalier, et donc presque à sa hauteur. C'était parfait.

— Vous serez en sécurité ici, reprit-il. Vous n'avez aucune raison de vous inquiéter. Cette propriété est équipée d'un système de sécurité haut de gamme. Vous ne risquez absolument rien.

Elle posa une main sur ses lèvres, tout en continuant à le fixer d'un air embarrassé.

— Je… Je ne m'inquiétais pas de ma sécurité, avoua-t-elle.

— Bien sûr que si, mais c'est tout naturel. De plus, ça vous pousse à la prudence, ce qui me rassure. Venez, à présent.

Il passa devant elle et se remit à grimper les marches. Les chiens s'empressèrent de le suivre.

— La chambre du fond donne sur le lac, je pense qu'elle vous plaira.

— Je n'en doute pas. Cette maison est magnifique. Très masculine, mais très accueillante.

— On s'y sent bien, approuva Dare. Elle convient bien à deux hommes et deux chiens.

Il l'attendait déjà en haut des marches et la regardait monter.

— Une femme aussi peut s'y sentir bien, corrigea-t-elle en lui emboîtant le pas dans le couloir. Qui s'est occupé de la décoration intérieure ?

— Moi, répondit Dare.

Elle eut un petit sourire ironique.

— Chris avait raison de dire que vous étiez doué pour tout.

— Chris est aussi payé pour dire du bien de moi, commenta-t-il sans la moindre ironie.

Les chiennes filèrent en avant, tout en vérifiant qu'ils les suivaient.

— Mais Chris est aussi votre ami, si j'ai bien compris ?

— Nous sommes bons amis, en effet. Depuis des années.

Depuis vingt ans, mais c'était une longue histoire. Il ne tenait pas à la raconter maintenant.

Ils entrèrent dans la chambre et il posa son sac sur un grand lit à baldaquin recouvert d'une couette chaude et moelleuse.

Pendant que les chiennes inspectaient le territoire en reniflant, Molly sortit du sac de Dare les quelques vêtements et affaires de toilette qu'elle possédait. Ce n'était pas grand-chose, mais là, avec lui, cela lui semblait suffisant.

Elle flatta les chiens du plat de la main, pour se donner une contenance et dissimuler son angoisse, puis passa dans la salle de bains.

Dare l'observa en silence, tout en se demandant pourquoi il se sentait coupable.

Les mains sur les hanches, il suivit ses mouvements. Avait-elle besoin d'être rassurée ou pas ? Il n'osait pas la prendre dans ses bras. Il était déjà allé trop loin avec elle et il s'en voulait.

— Installez-vous, mettez vos affaires dans les tiroirs, faites comme chez vous. La commande à distance de la télévision se trouve sur les étagères. Il y a pas mal de DVD dans la bibliothèque. Vous pouvez en prendre autant que vous voulez.

— Merci, fit-elle d'une voix lamentable.

Seigneur... Elle paraissait vraiment perdue !

— L'ordinateur est connecté à internet. Ne vous gênez pas pour surfer, ça vous changera les idées. Mais surtout, n'allez pas sur vos comptes personnels. Cela donnerait à vos ravisseurs le moyen de vous retrouver.

— Entendu, promit-elle.

Elle ne posa aucune question sur la télévision ou l'ordinateur. Visiblement, elle n'avait pas l'intention de les utiliser pour le moment.

Dare commençait à s'inquiéter.

— Si vous avez besoin de quoi que ce soit, n'hésitez pas, dit-il.

Elle marcha jusqu'à la porte-fenêtre qui ouvrait sur un petit balcon donnant sur le jardin et sur le lac. De là, elle apercevait le pavillon de Chris et un ponton, le hangar à bateaux, la lune qui se reflétait dans les eaux du lac.

Le silence emplit la pièce.

— Molly...

Elle s'adossa aux battants de la porte, évitant le regard de Dare.

— Je sais qu'il est tard, murmura-t-elle.

— Pas tant que ça.

Elle avait dormi durant tout le vol, et n'avait donc pas envie de se coucher tout de suite. Il se demanda si c'était la source de son angoisse, si elle se sentait abandonnée.

— Je ne sais pas si vous avez faim, reprit-il, mais moi, oui. Prenez quelques minutes pour vous détendre puis rejoignez-moi en bas, dans la cuisine. Je vais préparer à manger.

Elle soupira de soulagement. Elle craignait donc de rester seule, et n'osait pas le lui dire.

— D'accord, dit-elle.

Une fois de plus, il remarqua qu'elle ne refusait pas de manger.

— Vous avez le temps de prendre une douche, si vous voulez.

Elle inspira, puis laissa échapper un long soupir.

— Entendu, merci.

Il croisa les bras.

— Bon sang, Molly, si quelque chose vous tracasse…

Elle se tourna vers lui avec un sourire forcé.

— Non, rien du tout. Tout va bien. Allez cuisiner, je me rafraîchis un peu et je descends.

Il n'en crut pas un mot et se demanda s'il devait insister. Elle avait tout de même été séquestrée pendant neuf jours. Elle était sûrement encore sous le choc. Il avait du mal à la comprendre. Jusque-là, elle n'avait pas du tout réagi comme une victime… Avec elle, il perdait tous ses repères.

— Vraiment, Dare, ça va, je vous assure. En fait, j'ai hâte de me doucher.

Il ne la crut pas, mais à quoi bon insister ?

— Vous trouverez des serviettes dans la salle de bains, dit-il. Je vous attends en bas.

— J'espère que je trouverai la cuisine.

Elle tenta de sourire, tout en se dirigeant vers la salle de bains, comme pour l'encourager à partir.

— Je n'en ai que pour quelques minutes, assura-t-elle.

— Prenez votre temps.

Les chiennes se mirent à gémir en les regardant tour à tour, comme si elles hésitaient entre lui et Molly.

Il leva les yeux au ciel.

— Vous venez avec moi, ordonna-t-il.

Tout en quittant la pièce, il se tapota la cuisse pour les appeler et elles se décidèrent à le suivre.

Molly avait besoin d'un peu d'intimité pour faire sa toilette, bien sûr, mais Dare n'était pas ravi à l'idée de la laisser seule. Il avait hâte qu'elle le rejoigne.

Comme si elles avaient perçu son inquiétude, Tai et Sargi lui jetèrent des regards compatissants.

— C'est une drôle de bonne femme, pas vrai ? leur dit-il. Elle me met sens dessus dessous, et je n'aime pas beaucoup ça.

Les deux chiennes lui répondirent par un gémissement.

Le temps de passer par sa chambre et de retrouver Chris dans la cuisine, l'inquiétude de Dare avait atteint des sommets.

Les chiennes, qui dormaient d'habitude à cette heure, filèrent droit dans leur coin préféré, dans la petite salle à manger où elles avaient chacune leur panier devant la baie vitrée. Là, elles se couchèrent sans demander leur reste.

Chris tendit à Dare une tasse de café — préparer du bon café étant une de ses missions les plus importantes.

— Est-ce que Miss Chausson aux pommes est au lit ? ironisa-t-il.

— Elle prend une douche, puis elle descendra manger un morceau. Et ce n'est pas le moment de l'agresser, je te préviens !

Il goûta le café et adressa à Chris un signe de tête approbateur. Il lui avait fallu près d'un mois pour lui apprendre à préparer un café digne de ce nom — avec du café fraîchement moulu, naturellement.

— J'ai vu ses ecchymoses, commenta Chris en s'adossant au comptoir, les bras croisés. Quel est le salaud qui lui a fait ça ?

— Ils étaient plusieurs.

Chris prit le temps de réfléchir, puis il ajouta :

— J'espère qu'ils ne sont plus en vie.

Dare se frotta les yeux.

— Je me suis occupé d'eux, en effet.

Chris était curieux de connaître la suite, mais, comme d'habitude, il se contenta d'attendre. Il savait se montrer discret — une de ses grandes qualités.

— J'ai trouvé Molly dans la caravane où Alani était retenue, expliqua Dare. Ses ravisseurs n'avaient pas l'intention de la vendre. C'est pour ça qu'ils ne se sont pas privés de la malmener.

— Pourquoi l'avaient-ils enlevée, si ce n'était pas pour la vendre ?

— Je n'en sais rien. Ils ont été payés par quelqu'un, mais j'ignore qui.

Il fronça les sourcils.

— Pour le moment.

Chris sortit du réfrigérateur les denrées fraîches qu'il venait d'acheter, tout en réfléchissant à voix haute.

— Tu veux dire qu'elle ne correspond pas non plus au profil de la riche héritière que l'on enlève pour réclamer une rançon ?

— En effet.

Chris, qui ne buvait pas de café, s'empara du jus d'orange et se servit un grand verre.

— C'est forcément quelqu'un qu'elle connaît, commenta-t-il. Tu dis toujours que les enlèvements sont la plupart du temps commandités par des proches de la victime.

Dare haussa les épaules.

— Je n'exclus aucune possibilité. Je vais chercher dans toutes les directions.

— Quelques petites questions me viennent à l'esprit…

— Je m'en serais douté !

Dare reposa sa tasse à moitié pleine et entreprit de passer en revue les achats de Chris. Il repéra des escalopes de poulet et des légumes. Parfait. Rapide et facile à préparer.

— Pose tes questions, enjoignit-il.

— Elle t'a engagé ?

Dare haussa de nouveau les épaules. Molly avait proposé de le payer pour ses services, mais l'idée de lui réclamer de l'argent le dérangeait.

— Je pense que je ferai ça gratuitement, mais je ne le lui ai pas encore annoncé. Donc, tu le gardes pour toi.

Sa réponse laissa Chris sans voix pendant quelques secondes.

— Elle va rester combien de temps ici ? reprit-il.

— Je n'en sais rien.

Il ne voulait pas trop réfléchir à la question. Mieux valait gérer la situation au jour le jour. Il sortit une poêle pour faire revenir le poulet et une casserole pour cuire les légumes.

— Ça dépend comment ça évolue, reprit-il.

— C'est-à-dire ?

— J'ai l'intention de la ramener chez elle et de l'accompagner dans sa famille. Ensuite, je jugerai de ce qu'il convient de faire.

— Autrement dit, si ça se passe bien et que tu règles le problème rapidement, tu ne reviendras peut-être pas avec elle ?

— Je n'ai pas dit...

Un raclement de gorge les fit sursauter. Molly était là, sur le seuil de la porte. Elle avait peigné ses cheveux en arrière, sans les sécher. Elle portait un jean et l'un des grands T-shirts qu'il lui avait achetés, avec un soutien-gorge, cette fois. Elle était pieds nus.

Dare se figea. Chris réagit aussitôt en sortant de derrière le long bar en granite pour présenter une chaise à Molly.

— Café ou jus de fruits? demanda-t-il.

— Du jus de fruits, ce serait parfait, répondit Molly en évitant les yeux de Dare. Merci.

Elle explora du regard cette cuisine de gastronome avec son comptoir de pierre et ses ustensiles rutilants.

— Chaque fois que je rentre dans une pièce, je suis éblouie, dit-elle.

Dare ne répondit pas. Elle était inquiète, devina-t-il.

Les chiennes vinrent la renifler, puis se laissèrent tomber à ses pieds, comme si elles sentaient qu'elle avait besoin de protection.

Lui aussi avait envie de la protéger. Et bien plus encore.

— Ce sera prêt dans vingt minutes, annonça-t-il.

— Parfait. Que puis-je faire pour vous aider?

— Vous pouvez m'expliquer pourquoi vous considérez vos lecteurs comme des suspects. Ce sera un bon début.

7

— Ses lecteurs ? répéta Chris d'un ton abasourdi. Des lecteurs de quoi ? Cette femme écrivait ? Première nouvelle !

— Molly est romancière, expliqua Dare tout en continuant à préparer le repas. Elle a déjà publié plusieurs romans et elle vient de vendre les droits cinématographiques du dernier en date. Le rôle principal sera joué par Bryan Reynolds.

Chris en demeura bouche bée. Pourquoi Dare n'avait-il pas commencé par là ? Sa « complication » était décidément plus qu'intéressante. Le simple fait que Dare l'amène chez eux la rendait spéciale, bien sûr. Mais une romancière... Ça non, il n'aurait jamais imaginé une chose pareille.

— Tu te fous de ma gueule, marmonna-t-il.

— Surveille ton langage, imbécile.

Chris écarta le reproche d'un geste de la main. Dare ne valait pas mieux que lui. A leur décharge, ils n'avaient pas l'habitude de cohabiter avec une femme — en guise de compagnes, ils n'avaient que Tai et Sargie, lesquelles ne se formalisaient pas d'un écart de langage, du moment qu'on leur accordait un peu d'attention.

Chris adorait le cinéma : savoir que Molly avait un pied dans ce milieu l'impressionnait plus que tout. Il la contempla avec perplexité. Elle ne correspondait pas à l'idée qu'il se faisait d'une romancière : elle manquait de chic et semblait très pragmatique...

Mais Dare venait tout juste de la tirer des griffes de salauds qui l'avaient enlevée et maltraitée. Dans d'autres circonstances, elle avait peut-être davantage d'allure.

D'ailleurs, elle ne correspondait à aucun des stéréotypes qu'il avait en tête. Dans sa situation, la plupart des gens auraient réclamé de l'attention, ou seraient restés sur la défensive. Pas elle.

Elle ne se plaignait de rien, ne paraissait pas stressée et ne cessait de s'excuser. Il était clair qu'elle ne voulait déranger personne.

Chris secoua la tête. Dare s'était sûrement attendu à ce qu'il accueille avec réticence cette intrusion féminine. Il est vrai qu'il protégeait sa place et son territoire. Et qu'il surveillait son boss pour l'empêcher de faire des bêtises.

Mais avec Molly, il ne se sentait pas menacé. Elle ne lui inspirait aucune méfiance.

Il avait envie de la protéger, au contraire.

— Ryan est juste pressenti pour le rôle, corrigea Molly. Nous attendons sa confirmation.

Elle afficha un air chagriné, puis carrément abattu.

— Il a déjà dû donner sa réponse, mais je suis coupée de tout depuis dix jours. Il faudrait que je puisse téléphoner, ou accéder à ma messagerie électronique.

— Bientôt, promit Dare.

— C'est tout de même embêtant que je ne sache pas ce qui se passe. Il s'agit de ma carrière ! Mais j'étais tellement concentrée sur le fait de…

Sa voix se brisa.

— De survivre ? proposa Chris.

— Oui, on peut dire ça… Occupée à survivre, à ne pas craquer… Je…

Elle poussa un gémissement de rage et d'impuissance.

— Vous êtes un vaillant petit soldat, assura Chris d'un ton solennel.

— J'espère que mon agent et mon éditrice n'ont pas cherché à me joindre, sinon, elles vont se demander ce qui se passe. Nous étions en pleine négociation pour le film au moment où je...

Chris posa le verre de jus de fruits devant elle et tira une chaise pour lui. Puis il prit la main de Molly, admirant au passage sa délicatesse.

— Ce n'est pas rassurant d'être à la merci de voyous sans scrupule, n'est-ce pas ? murmura-t-il.

Elle eut un rire nerveux et acquiesça avec une véhémence exagérée.

— C'est pire que tout ce que j'aurais pu imaginer, dit-elle.

Dare jeta un regard courroucé à Chris, qui se retint de lever les yeux au ciel. De quoi avait-il peur ? Il n'allait pas lui piquer Molly !

Elle l'intéressait parce qu'elle était romancière. Et Dare ne l'empêcherait pas de s'exprimer.

— Ils vous ont gardée combien de temps, Molly ?

— Neuf jours.

Doux Jésus... Neuf jours à vivre dans la peur, la douleur, le désespoir. Neuf jours d'enfer.

Submergé par l'émotion, il lui pressa gentiment la main.

— Vous avez fière allure, pour quelqu'un qui a passé neuf jours en captivité. Et vous êtes une femme attirante.

Elle rougit, puis elle glissa une mèche de cheveux derrière son oreille, trahissant ainsi sa nervosité.

— Fière allure ? Il me semble plutôt que j'ai l'air d'un zombie. Si c'est ça que vous trouvez attirant...

Il l'aida à repousser une mèche rebelle.

— Vous êtes blessée. Ça excite l'instinct protecteur des mâles.

— Chris..., protesta Dare.

— Oh ! Ça va ! Ce que je voulais dire, c'est qu'il y a deux sortes d'écrivain. Ceux qui passent leur temps à fréquenter du beau monde et se pavanent avec des boas en plume et des diamants. Et les autres, les vrais, ceux qui vivent enfermés dans leur univers.

— Je ne suis pas du genre à me pavaner avec des boas en

plume. Mais il est vrai que lorsque je suis en phase d'écriture, j'ai tendance à m'enfermer dans un monde imaginaire. Et dans ces cas-là, j'oublie vraiment mon apparence.

Chris ouvrait la bouche pour réclamer des détails, mais Dare intervint.

— Nous irons bientôt chez vous. Vous pourrez vous occuper de vos affaires et contacter qui vous voudrez.

— Bientôt? Quand, exactement?

— Ça dépend. Probablement dans quelques jours.

Il avait coupé les escalopes de poulet en petits morceaux qu'il jeta dans une poêle avec des épices.

— Vous vivez au nord de Cincinnati, c'est bien ça?

Molly caressa rêveusement du bout des doigts son verre de jus d'orange.

— Oui, dans un petit quartier adorable. J'habite un vieil appartement très pittoresque, dans lequel je me sens bien.

— Bien protégé, l'appartement? demanda Dare.

— Pas vraiment. Surtout si on le compare à votre forteresse. Le parking et les couloirs sont éclairés, mais nous avons juste une concierge.

— Est-ce que la porte principale est fermée?

— Euh, non… N'importe qui peut entrer dans l'immeuble.

Chris et Dare échangèrent un regard. Sous prétexte qu'ils menaient une vie calme et rangée, les gens se croyaient à l'abri du danger. Mais personne ne l'était, et surtout pas une femme.

— Ce n'est pas si important, protesta Molly qui avait deviné leur inquiétude. Les serrures des portes d'appartements sont solides et j'ai rajouté un verrou à l'intérieur, comme la plupart des occupants.

Dare continuait à cuisiner, mais ça ne l'empêchait pas de se concentrer sur sa conversation avec Molly.

— Vous avez dit que c'était un vieil appartement… Est-ce que les fenêtres ferment bien? Peut-on les ouvrir de l'extérieur?

— Je suppose que non.

Comme Dare se tournait vers elle d'un air soucieux, elle s'empressa de s'expliquer :

— J'habite au premier et dernier étage. Je n'ai pas à m'inquiéter de savoir si quelqu'un peut passer par la fenêtre !

— Il n'y a qu'un étage au bâtiment ? Vous avez un escalier de secours extérieur ?

— Oui aux deux questions.

Chris se régalait. Il adorait voir Dare passer en mode analytique. On aurait dit que les rouages de son cerveau s'affolaient.

— Il vous faut des fenêtres sécurisées, avec des verrous.

— Croyez-moi, quand j'aurai repris ma vie normale, je serai la femme aux verrous.

Elle noua les bras autour de ses épaules en frissonnant.

— Je crois que je ne me sentirai jamais plus en sécurité, murmura-t-elle.

Dare ne fit pas de commentaire. Chris comprit qu'il se promettait intérieurement de la faire changer d'avis en retrouvant celui qui avait organisé sa séquestration.

— C'est un quartier animé ? Avec beaucoup de passage ?

— Non. C'est calme et tranquille, au contraire. C'est… pour ça qu'on a pu me faire monter de force dans une camionnette sans que personne ne remarque quoi que ce soit.

Sa respiration se fit légèrement haletante.

— Et pourtant, je fais attention… J'étais sortie cinq minutes pour poster du courrier. J'ai remarqué une vieille camionnette blanche quand je me suis approchée de la boîte aux lettres. Mais il ne m'est pas venu à l'esprit que j'étais en danger. Comment aurais-je pu imaginer qu'on chercherait à m'enlever en plein jour, à deux pas de chez moi ?

Dare et Chris attendirent, tandis qu'elle fouillait sa mémoire pour retrouver des détails.

— Je me suis demandé pourquoi elle s'arrêtait là. Puis j'ai lâché mes lettres dans la boîte. Et tout à coup…

Elle se tut, fixant un point dans le vide, l'air absent.

— Molly…

Elle était toute pâle. Elle leva les yeux vers Dare.

— C'est fini, à présent, lui rappela-t-il. Ces hommes-là ne reviendront plus.

Elle reprit lentement ses esprits.

— Vous les avez tués.

— Oui.

— Là où je vis, on ne voit pas beaucoup de vieilles camionnettes.

Elle secoua la tête.

— On n'y voit pas grand monde non plus, à part le soir, quand certains vieux s'installent sur leur perron pour prendre l'air.

Chris songea qu'il n'avait jamais rencontré une femme aussi sensible et fragile que Molly, ni aussi déterminée à cacher sa fragilité. Elle ne voulait pas inspirer la pitié et ne semblait pas du genre à s'apitoyer sur son propre sort. Son enlèvement l'avait secouée, mais il ne l'avait pas brisée.

Tout en craignant de l'importuner, Chris ne put s'empêcher de lui demander des précisions.

— Comment s'est passé le transfert jusqu'au Mexique ?

— Je ne sais pas exactement. Ils m'ont obligée à rester couchée dans la camionnette et l'un d'eux m'a fait une piqûre. J'ai lutté pour ne pas perdre conscience, mais c'était impossible. Je suis revenue à moi de temps en temps, mais chaque fois, j'avais droit à une nouvelle piqûre. Quand ils m'ont laissée ouvrir les yeux, nous roulions toujours, mais plus dans la camionnette, et nous avions déjà passé la frontière. Il faisait si chaud que j'étais au bord du malaise. Ensuite, ils m'ont fait monter dans cette affreuse caravane dont je ne suis sortie qu'au bout de neuf jours.

Elle avala sa salive.

— J'ai vite compris que j'étais au Mexique. Mais pourquoi m'y avaient-ils amenée ? Je n'ai pas réussi à le savoir.

Dare décida de changer de conversation. Elle avait assez ressassé les mauvais souvenirs pour ce soir.

— Note son adresse, ordonna-t-il à Chris, et trouve-moi l'itinéraire le plus rapide pour aller chez elle.

— D'accord.

— L'idéal serait que je puisse faire l'aller-retour en voiture, en vingt-quatre heures au maximum. Si ce n'est pas possible, on se rabattra sur un avion.

Ravi de se rendre utile, Chris se dirigea vers l'ordinateur de la cuisine.

— Tu ne veux pas d'un vol commercial, je suppose?

— Tu supposes bien. Pas de vol commercial tant que je ne sais pas ce qui se passe exactement.

— Encore un avion privé? protesta Molly. Est-ce vraiment nécessaire?

— Oui, répondit sèchement Dare. C'est nécessaire.

Elle poussa un gémissement.

— Nous n'avons pas encore parlé des conditions de notre...

Elle jeta un coup d'œil du côté de Chris.

— ... arrangement, acheva-t-elle. Or je ne suis pas certaine de pouvoir payer deux avions privés.

Chris laissa échapper un rire amusé, mais l'expression de Molly le fit taire.

— Donnez-moi votre adresse, dit-il. Je vais m'occuper de tout ça pendant que vous mangez.

Elle lui donna son adresse, puis se tourna de nouveau vers Dare.

— Il faut que nous parlions, insista-t-elle.

— Vous m'avez déjà engagé et vous avez aussi accepté de m'obéir sans discuter, lui rappela-t-il en faisant rissoler le poulet dans la poêle. Il est trop tard pour changer d'avis.

Elle releva fièrement le menton.

— Mais, Dare, c'est une question d'argent! Je n'ai pas un compte en banque inépuisable. Les revenus d'un auteur sont en dents de scie, vous savez. Je perçois une très grosse somme de temps en temps, puis plus rien pendant des mois. Je ne suis pas pauvre, mais il faut que je regarde où j'en suis sur mon compte courant et...

— Inutile de vous inquiéter de ça maintenant, interrompit Dare.

Puis il s'adressa à Chris.

— Tu cherches, ou quoi? Qu'est-ce que tu fous?

Chris n'avait encore jamais vu son boss déstabilisé par une femme. D'habitude, il ne leur laissait même pas placer un mot. Elles obéissaient. Point. La manière dont Molly le manœuvrait l'amusait au plus haut point. Mais il se gardait bien de le faire remarquer.

Il tapa en silence l'adresse de Molly.

— Hmm... Ce n'est pas loin. Vous vous sentez capable de supporter quatre heures de route ? demanda-t-il en s'adressant à Molly, comme si Dare n'existait pas.

— Je crois avoir compris que c'était à Dare de décider, répondit-elle d'un air buté. Je suis prête à lui obéir en tout, précisa-t-elle avec un petit sourire.

Chris se demanda s'il fallait y voir une allusion sexuelle. Il fut tenté de faire une plaisanterie, mais se retint pour ne pas mettre Molly mal à l'aise.

— Ça se présente très bien, commenta-t-il, les yeux rivés à l'écran de son ordinateur. Ça te va, Dare, si je boucle ça d'ici demain matin ?

— Qu'avez-vous à boucler ? s'enquit Molly. L'itinéraire est sous vos yeux. C'est tout droit !

— Dare a besoin de précisions. Il faut que je décide où vous vous arrêterez pour manger, et si manger n'est pas nécessaire, où vous trouverez des toilettes. Je dois aussi lui signaler s'il y a des travaux, ou si vous traverserez des zones où l'on pourrait vous tendre un piège et...

Dare lui coupa la parole.

— Demain matin, ça sera parfait.

— Tu prendras ta voiture, ou une voiture de location ?

— Ma voiture.

— D'accord.

Chris ne put s'empêcher de sourire. Dare s'efforçait de conserver un ton froid et professionnel, mais il bouillait intérieurement.

Il le connaissait bien — mieux que personne, en fait. Et il n'avait aucun mal à deviner le désir qu'il éprouvait pour Molly. Mais comme la petite femme venait d'être enlevée, qu'elle était perturbée par l'épreuve subie et par un futur incertain, il ne voulait pas profiter de sa faiblesse. Il s'interdisait d'approcher Molly, voire de répondre à ses avances. Il attendait d'être sûr que c'était bien lui, Dare Macintosh, qui l'intéressait, et pas le preux chevalier venu terrasser le dragon pour la délivrer.

Les circonstances particulières de leur rencontre le rendaient prudent. Ils pouvaient tous deux s'illusionner sur leurs sentiments.

Chris avait vaguement pitié du pauvre Dare, qui se débattait dans cette intrigue sentimentale compliquée. Mais il était surtout curieux de voir comment les choses évolueraient.

Il pivota sur son tabouret.

— Tu veux que je range la cuisine quand vous aurez fini de manger ? demanda-t-il.

— Je peux m'en charger, proposa Molly.

— Ça aussi, ça peut attendre demain matin, intervint Dare.

Il piqua les légumes avec une fourchette et décida qu'ils étaient assez cuits.

Content que Dare n'exige pas une cuisine impeccable, Chris, qui n'était pas un fou de ménage, n'insista pas. Il termina son jus de fruits et rangea son verre dans le lave-vaisselle.

— Je t'ai laissé des messages sur ton bureau, mais tu préfères peut-être que je les porte dans ta chambre ?

— Volontiers.

— Il y en avait plusieurs de Trace. Je crois qu'il te proposait son aide pour...

Il faillit dire « la complication », mais se rappela qu'il avait promis d'éviter les sarcasmes, et se contenta de la désigner du menton.

— Pour elle, acheva-t-il.

— Je le contacterai demain, mais il devrait plutôt s'occuper d'Alani.

— Tu as raison, approuva Chris. J'ai mis aussi ton emploi du temps à jour. Tu n'as pas grand-chose de prévu pour les semaines à venir et...

— Dare ?

Ils se tournèrent tous les deux vers Molly.

Chris remarqua qu'elle paraissait nerveuse.

Dare le remarqua aussi, car il lui accorda aussitôt toute son attention.

— Que puis-je pour vous ?

— Vous m'avez dit que vous ne vouliez pas que je me connecte sur le site de ma banque, c'est bien ça ?

— C'est bien ça.

Il servit deux assiettes.

— Nous ne savons pas encore qui a organisé votre enlèvement. Il s'agit peut-être de quelqu'un qui n'est pas très calé en informatique, mais dans le doute, il vaut mieux vous abstenir. Il suffit d'un peu d'expérience pour détecter votre présence *online*.

— Je ne crois pas connaître quelqu'un capable de faire ça.

— Vous ne pensiez pas non plus connaître quelqu'un susceptible de payer des hommes pour vous séquestrer au Mexique.

— C'est pourquoi je suis heureuse de m'en remettre à votre expérience, répondit-elle d'un ton guindé.

Chris la dévisagea avec admiration. La plupart des gens se dégonflaient devant Dare. Molly, elle, parvenait à lui tenir tête tout en lui obéissant. C'était remarquable.

— Pour tout vous dire, j'aurais besoin de vêtements plus adaptés, surtout si nous devons faire quatre heures de route. Il fait froid ici. Et il fera froid dans l'Ohio.

Dare acquiesça.

— Vous avez raison.

— Il me semble au contraire que ce qu'elle porte est parfait, commenta Chris. Ce côté débraillé lui va à ravir. Elle est adorable.

— Tu n'as aucun sens de l'élégance, ironisa Dare.

Ravi d'avoir entraîné Dare en terrain miné, Chris poursuivit :

— Tu ne la trouves pas adorable ?

— Arrêtez, s'il vous plaît, coupa Molly en fronçant les sourcils. Je voulais vous demander, Dare, si on ne pourrait pas m'acheter des vêtements en ligne à votre nom, en faisant livrer ici. Je connais par cœur les numéros de ma carte, ce qui me permettra de régler. Je n'ai pas besoin de grand-chose, parce qu'une fois chez moi, je pourrai récupérer des affaires.

— Pas de problème, répondit Chris à la place de Dare. Je m'occupe de ça tout de suite.

— Non, protesta Molly en secouant la tête. Vous étiez sur le point d'aller vous coucher...

Mais Chris s'était déjà installé devant l'ordinateur.

— Avez-vous une préférence pour le site et une idée précise de ce qu'il vous faut?

Dare ne chercha pas à dissimuler son exaspération.

— Je voulais parler avec elle de ses lecteurs mécontents!

— Elle me dit ce qu'elle veut et je me charge de tout. Ça ne t'empêchera pas de parler avec elle, rétorqua Chris en se tournant vers lui.

Il se replaça face à l'ordinateur.

— Sur quel site faites-vous vos achats, d'habitude?

Il semblait si sûr de lui que Molly ne put que s'exécuter. Elle lui indiqua un site, tandis que Dare posait devant elle une assiette pleine et un verre d'eau.

— Mangez, dit-il. Et surtout n'oubliez pas de boire.

Il lui effleura la joue d'une caresse rapide et discrète.

— Je sais que vous vous sentez mieux, mais vous n'êtes pas encore rétablie, ni réhydratée.

Elle sourit.

— Ça sent merveilleusement bon, murmura-t-elle.

— Je vous avais dit que Dare était un cordon-bleu, intervint Chris, que leur duo amusait décidément beaucoup. Ça y est, je suis sur votre site. Qu'est-ce que je sélectionne en premier? Pantalons, hauts, robes ou jeans? Je pourrais vous composer une tenue, mais comme Dare l'a très justement fait remarquer, je ne suis pas doué dans ce domaine. Je préfère donc suivre vos consignes.

Molly l'aida à choisir, entre deux bouchées. Dare lui tendit le verre et attendit qu'elle en ait bu au moins la moitié.

En sélectionnant les articles qu'elle lui avait indiqués, Chris se rendit compte qu'elle était facile à contenter : un jean noir, des bottines noires, un chemisier blanc sans fioritures, un pull gris ardoise avec un cordon de serrage à la taille.

— Je vois une veste en velours qui compléterait très bien le tout, proposa-t-il. Qu'est-ce que vous en dites ?

— Parfait. Mais prenez-la une taille au-dessus, pour que je puisse la mettre avec le pull. Et n'oubliez pas de rajouter une écharpe.

— Une écharpe, oui.

Au moment de payer, elle se déplaça pour aller taper les numéros de sa carte.

— Par sécurité, je fais livrer en ville, poste restante, expliqua Chris. Mais ne vous inquiétez pas : j'irai chercher le colis dès qu'il sera arrivé.

— Vous êtes vraiment un secrétaire particulier hors pair !

Le compliment arracha un grognement à Dare.

— C'est surtout un enquiquineur hors pair, grommela-t-il.

Chris pivota sur son siège, sourire aux lèvres.

— Je n'irais pas jusqu'à dire que tu ne peux pas te passer de moi, mais tu ne peux pas nier que je te facilite la vie.

Dare leva son verre dans sa direction, en guise de salut.

— Je te l'accorde, admit-il.

Chris accepta cet hommage mérité d'un signe de tête.

— Dare possède une large gamme de compétences, expliqua-t-il à Molly. Notamment un grand sens de l'organisation et du détail. Moi, mon domaine, c'est le confort. Le mien et celui des autres.

Molly ne put s'empêcher de sourire.

— Le confort, c'est important, approuva-t-elle. C'est une des raisons pour lesquelles j'ai choisi d'écrire. Je travaille chez moi, dans ma tanière. Je peux boire du chocolat chaud quand je veux, et écouter de la musique tout en travaillant.

— Quel métier de rêve ! s'extasia Chris. Si seulement je possédais suffisamment de talent pour écrire…

— Ce n'est pas le cas, donc tu es coincé ici avec moi, coupa

Dare. Molly, expliquez-moi pourquoi vous pensez qu'un de vos lecteurs aurait pu commanditer votre enlèvement ?

— Je n'ai pas vraiment dit que je le pensais… Ce n'était qu'une vague supposition.

Les deux hommes se turent, attendant la suite.

Elle repoussa son assiette.

— En fait, mon dernier livre a suscité pas mal de controverses. Les membres d'un important club de lecture ont été mécontents de la tournure que j'avais donnée à l'intrigue.

— Comment le savez-vous ? demanda Chris.

— Quand vous avez des fans et que vous les décevez, ils se manifestent, croyez-moi ! Ils écrivent des articles vengeurs sur internet ou s'adressent directement à moi, par mail ou par lettre. C'est une excellente chose, d'ailleurs. Un peu pénible, parfois… mais c'est le jeu.

Dare haussa les sourcils.

— Un roman peut réellement déclencher des réactions passionnelles chez un lecteur ? s'étonna-t-il.

— Plus que vous ne pouvez l'imaginer.

Elle s'accouda au comptoir, comme si elle cherchait à se concentrer.

— Chaque parution suscite de bons et de mauvais articles. Il y a ceux qui adorent, ceux qui détestent, ceux qui ont aimé, mais émettent des critiques et des réserves. Vous connaissez le vieux proverbe qui dit qu'on ne peut pas plaire à tout le monde…

Dare semblait dubitatif.

— Donc, rien d'anormal ?

— Dans le cas de mon dernier livre, certaines réactions m'ont tout de même secouée. Je pense avoir perdu pour toujours de fidèles lecteurs. Et ça m'a touchée… Je n'aime pas décevoir, vous comprenez… Surtout les gens qui me suivent et me soutiennent depuis toujours.

— Je comprends que le coup ait été rude, commenta Chris.

Elle haussa les épaules.

— J'en ai séduit d'autres, en revanche. Et de toute façon,

la question n'est pas là. Je ne dois pas écrire en fonction de mes lecteurs, mais de ce que je ressens. Si je fonctionnais autrement, je perdrais mon inspiration en route. Je ne pourrais même pas aller au bout d'un livre.

Chris n'était pas sûr d'avoir tout saisi.

— C'est une bonne démarche, approuva-t-il tout de même.

— Donnez-moi un exemple de lecteur mécontent, intervint Dare, soucieux d'en venir aux suspects potentiels.

Elle détourna le regard, visiblement embarrassée.

— J'ai reçu des menaces — on m'a avertie que je serais passée à tabac, par exemple — mais je ne les ai pas prises au sérieux. Parce que ces personnes s'exprimaient sur internet, ce qui les rendait facilement identifiables. A mon avis, elles tenaient simplement à manifester que je les avais choquées. En un sens, c'est plutôt flatteur pour moi.

Chris la dévisagea avec stupeur.

— Flatteur? Comment pouvez-vous être flattée par des critiques aussi virulentes?

— Cela prouve que mon livre ne les a pas laissés indifférents et qu'ils se sont identifiés à mes personnages. Non?

— Si vous le dites, commenta sobrement Dare en quittant sa chaise pour se diriger vers l'ordinateur. On peut les trouver où, ces critiques?

Elle tressaillit.

— Vous voulez lire ça maintenant?

— Pourquoi pas?

— Eh bien…

Elle leur jeta un regard à la dérobée.

— Vous allez peut-être juger mon orgueil déplacé, mais l'idée que vous lisiez tout ce qu'on dit de mauvais sur mes livres ne me plaît pas du tout.

Chris ne put s'empêcher de sourire.

— Vous avez peur que l'on se fasse une mauvaise idée de vous et de votre travail?

— Evidemment!

Elle s'élança vers l'ordinateur.

— Non, vraiment, je vous assure…

Dare la prit par le menton pour l'obliger à lever la tête vers lui, geste qui la fit taire par la même occasion.

— Vous avez promis de me faire confiance et de m'obéir, rappela-t-il.

— Oui, mais vous ne savez pas du tout comment ça marche, dans ce milieu, et…

— Je ne sais pas comment ça marche, mais je comprends que vous avez peur que je sois blessé pour vous.

Elle recula, surprise d'avoir été démasquée.

Chris, lui, ne fut pas étonné. Dare était très perspicace. De plus, Molly était facile à décrypter : son plus gros souci était de ne pas inspirer la pitié.

— Ecoutez…, intervint-il. Vous dites qu'il est normal d'être fustigé par certains lecteurs, et je vous crois. Mais on va faire un film avec l'un de vos livres. C'est une manière de reconnaître la valeur de votre travail, non ? Ce ne sont pas quelques articles sur internet qui…

— Il ne s'agit pas de quelques articles. Il y en a environ trois cents.

Chris haussa les sourcils.

— Sérieusement ?

— Peu importe, coupa Dare. Vous êtes désormais quelqu'un de célèbre. Quelqu'un qui compte. Même si vous ne plaisez pas à tout le monde.

Il fit pivoter son siège pour se placer face à l'écran. Le suspense avait assez duré. Il tapa le nom de Molly sur Google.

— Bingo ! J'ai trouvé pas mal de sites.

Molly se raidit.

— Si vous tenez à lire tous les détails sordides, ne vous gênez pas. Moi, je vais me coucher. Je ne veux pas assister à ça.

Elle franchissait déjà le seuil de la cuisine quand Dare la rappela :

— Molly ?

Elle se figea, le dos raide.

— Oui ?

— Si vous avez besoin de quoi que ce soit cette nuit, ma chambre se trouve de l'autre côté du hall d'entrée, juste après le grand salon.

— Merci, lâcha-t-elle sèchement.

Puis elle disparut.

8

Molly s'obligea à rester sagement allongée, les yeux ouverts, jusqu'à plus de 2 heures du matin. Puis, comme elle n'arrivait toujours pas à dormir, elle se leva et alla ouvrir la porte-fenêtre pour profiter de la proximité du lac. Elle avait toujours apprécié le bruit de l'eau.

Elle écouta quelques instants le léger clapotis, le chant des insectes, le délicat bruissement des feuilles agitées par le vent — un monde paisible.

Qui aurait dû l'apaiser.

Mais une étrange turbulence intérieure l'agitait. Un senti-ment diffus d'appréhension, d'insécurité... et de désir. Celui que lui inspirait Dare Macintosh.

Elle se glissa sous la couette, tout en se promettant de visiter les lieux le lendemain. A cette période de l'année, l'air était frais et le paysage déjà vert. Dare possédait peut-être un bateau. Elle n'aurait pas dit non à une promenade sur le lac.

Elle avait désespérément besoin de se donner un but pour la journée, besoin de sentir que la vie avait repris son cours.

Elle songea qu'elle allait bientôt rentrer chez elle. Que se passerait-il ensuite ? Si Dare ne trouvait rien d'anormal là-bas, il déciderait peut-être de la laisser, tandis qu'il se mettrait en quête du coupable...

Elle frissonna. A cause de la brise fraîche qui entrait par la fenêtre. A cause de la brise glacée de la peur qui soufflait en elle.

Comme elle ne cessait de ruminer et qu'elle se sentait de

plus en plus angoissée, elle repoussa sa couette et quitta le lit. Elle alluma la lumière et se mit à arpenter la chambre en se demandant quoi faire. Puis, n'y tenant plus, elle se risqua dans le couloir. Elle ne supporterait pas de rester seule dans cette chambre une minute de plus.

Elle courut jusqu'à l'escalier et s'agrippa à la rambarde pour descendre les marches à la faible lueur des petites lampes vertes des appareils du système d'alarme.

Elle fut tentée d'aller frapper à la porte de Dare. Mais pour lui dire quoi ? Qu'elle avait peur ? Pas question.

Elle décida donc de se réfugier dans la cuisine. Un verre de jus de fruits lui ferait le plus grand bien. Elle trouverait peut-être quelques biscuits à grignoter. Un petit en-cas pour mieux dormir. Voilà de quoi elle avait réellement besoin.

Elle ouvrit un placard, celui dont Chris avait sorti les verres tout à l'heure. Le carrelage du sol était gelé. Elle tremblait de la tête aux pieds. Elle tenta de se calmer en se forçant à prendre de profondes inspirations, mais cela ne servit à rien.

Elle ne trouva pas les verres, mais des mugs, et décida de s'en contenter. Elle n'avait pas l'intention de traîner ici, et encore moins de déranger Dare. Elle retournerait dans sa chambre dès qu'elle aurait bu et mangé un peu.

Elle venait d'ouvrir le réfrigérateur quand elle entendit du bruit derrière elle.

Saisie d'une terreur incontrôlable, elle fit volte-face, et lâcha le mug. Qui se brisa en tombant.

Le regard rivé droit devant elle, elle distingua Tai, la plus âgée des chiennes, qui l'observait. Derrière elle, Sargie attendait en remuant la queue.

Seigneur.

Elle reprit lentement ses esprits. Ici, elle ne risquait rien. De quoi avait-elle peur ?

Encore sous le choc, elle se laissa lentement tomber à genoux, les larmes aux yeux.

— Vous m'avez fichu une trouille bleue, murmura-t-elle aux deux chiennes.

Lesquels prirent son murmure pour une invitation et se précipitèrent.

— Non ! protesta-t-elle en luttant contre les larmes.

Le mug ne s'était cassé qu'en deux ou trois gros morceaux, mais elle ne voulait pas que les chiennes marchent dessus.

— Restez tranquilles, insista-t-elle.

Elle serait morte de honte si l'une des « filles » de Dare se blessait à cause d'elle.

Quelqu'un alluma le plafonnier. Elle battit des paupières, aveuglée, et plaça sa main en visière au-dessus de ses yeux.

Dare se tenait sur le seuil de la porte, le visage bouffi de sommeil, les cheveux en bataille. Il la dévisagea posément, contempla les morceaux de mug, chercha son regard.

Il était en slip, planté sur des jambes musclées et légèrement écartées.

Molly sentit son cœur reprendre sa course folle.

— Je suis désolée, murmura-t-elle.

Il la libéra du poids bleu de ses pupilles et appela ses *filles*, qu'il flatta gentiment.

— Vous avez besoin de sortir, les filles ? demanda-t-il.

Comme elles s'agitaient, il s'adressa à Molly :

— Ne bougez pas. Je reviens tout de suite.

Il s'exprimait d'un ton détaché. Ni étonné ni désapprobateur. Que devait-elle en conclure ?

Il traversa la cuisine et passa dans la salle à manger pour ouvrir une porte donnant sur l'extérieur. Transie de froid, mortifiée, elle demeura pétrifiée, à genoux. Elle n'osait plus bouger.

Quand il revint, elle lui proposa aussitôt de la laisser ramasser le mug et de retourner se coucher — alors qu'elle n'avait aucune envie de rester seule.

— Molly, murmura-t-il. Tout va bien.

Jamais il ne s'était adressé à elle sur un ton aussi doux. Bouleversée, elle pressa son poing contre ses yeux humides, pour tenter d'endiguer le flot de larmes qui coulait sur ses joues. En vain.

Elle n'était pourtant pas une faible femme ! Qu'est-ce qui lui prenait, de s'agenouiller au milieu d'une cuisine pour supplier qu'on lui accorde... Qu'on lui accorde quoi ? De la compagnie ? Du réconfort ?

Rouge de honte, elle entendit son hôte ramasser les morceaux de mug, puis refermer le placard.

Quelques secondes plus tard, il vint se placer près d'elle.

— Vous vous êtes blessée ? demanda-t-il.

Elle lui fut reconnaissante de ce ton impassible. S'il avait manifesté la moindre sollicitude, elle se serait mise à sangloter comme un bébé.

Elle secoua la tête sans oser le regarder.

— Je... Je l'ai lâché parce que les chiennes m'ont surprise.

Elle oubliait de dire qu'elle avait failli mourir de peur.

— J'étais descendue pour grignoter quelque chose.

— Vous êtes descendue parce que vous ne supportiez pas de rester seule là-haut, corrigea-t-il.

Il la prit par les poignets, posa ses mains sur ses épaules, puis, avant qu'elle ait eu le temps de réagir, il la souleva dans ses bras.

Elle aurait voulu résister, mais elle s'agrippa à lui, calant son visage mouillé de larmes au creux de son cou. Il sortit de la pièce à grands pas.

Et l'emmena dans sa chambre.

Comme il la déposait sur son matelas, elle n'eut d'autre choix que de le regarder. Il prit un plaid au pied du lit et le lui mit sur les épaules.

— Ça va vous réchauffer, assura-t-il tout en lui frictionnant les bras à travers le plaid.

Elle était secouée de frissons qui l'ébranlaient de la tête aux pieds. Furieuse contre elle-même, elle s'essuya les joues du revers de la main.

— Je me sens vraiment ridicule, murmura-t-elle.

— Vous n'avez aucune raison de vous sentir ridicule.

Il passa dans une pièce attenante, et revint avec une poignée de mouchoirs en papier qu'il pressa contre sa paume.

— Je vais faire rentrer les filles. Attendez-moi ici.

Comme elle ne répondait pas, il la prit par le menton pour l'obliger à le regarder droit dans les yeux.

— Je veux vous retrouver assise sur ce matelas quand je reviendrai, c'est compris ?

La douceur du ton empêcha Molly d'interpréter sa requête comme un ordre. Elle acquiesça, un peu rassérénée par son calme.

Elle profita de son absence pour se ressaisir. Elle se moucha, essuya ses larmes, puis inspira profondément à plusieurs reprises. En l'attendant, elle observa la chambre. Le plafond, avec ses plaques décoratives sur plusieurs niveaux, était particulièrement réussi. La pièce n'était pas carrée : l'un des côtés, une baie vitrée, s'avançait en demi-cercle. Les rideaux n'étaient pas tirés, laissant voir le ciel constellé d'étoiles.

Le mobilier était cossu et masculin, avec un grand lit, un coin meublé d'un canapé et d'un fauteuil. Une porte donnait sur la salle de bains attenante et la curiosité poussa Molly à se lever pour y jeter un œil. Elle eut la surprise de découvrir une pièce carrelée jusqu'au plafond, avec encore une baie vitrée entourant une grande baignoire équipée d'un Jacuzzi.

Le père de Molly était riche et elle était habituée au luxe. Mais chez Dare, le luxueux se mêlait au fonctionnel pour donner une ambiance chaleureuse et accueillante. Tout en essuyant quelques traces de larmes sur ses joues et en jetant ses mouchoirs sales à la poubelle, elle songea qu'elle aurait pu passer des journées entières à admirer les différents recoins de cette superbe demeure.

Quand elle retourna s'asseoir sur le grand lit, elle était épuisée, une fois de plus. Machinalement, elle caressa du bout des doigts l'empreinte que Dare avait laissée sur son oreiller, preuve qu'il dormait, ou du moins qu'il était couché avant qu'elle ne le dérange.

Elle entendit des bruits de griffes sur le parquet. Les *filles* entrèrent en se précipitant sur le lit, tandis que Dare demeura sur le seuil pour l'observer. Il ne parut pas s'offusquer de voir les chiennes grimper sur le matelas. Apparemment, ces demoiselles avaient l'autorisation.

Ainsi, il appréciait l'ordre et la propreté, mais il n'était pas maniaque au point de se formaliser pour quelques poils de chien sur son lit. Il avait décidément beaucoup de qualités.

Tai tourna sur elle-même avant de choisir une place au bout du lit où elle s'affala en poussant un soupir de contentement. Sargie s'installa sur Molly, en travers de ses cuisses. Molly eut un rire ému et étouffé devant cette preuve d'affection. Puis elle serra la chienne contre elle et enfouit son visage dans son cou.

Le silence se fit. Elle sentit le matelas s'enfoncer à côté d'elle quand Dare vint la rejoindre, mais il ne dit pas un mot. Il ne la prit pas non plus dans ses bras, mais demeura près d'elle. Leurs épaules se touchaient. Cette proximité la rassura — tout en lui procurant d'étranges sensations.

Gênée par le silence qui s'instaurait entre eux, Molly lâcha Sargie, laquelle remua la queue avant d'aller rejoindre Tai.

Molly risqua un regard vers Dare. Il était à moitié nu. Sa cuisse musclée frôlait la sienne. Elle s'humecta les lèvres et respira son odeur masculine — déjà familière et tellement rassurante.

Elle ne put s'empêcher d'observer son cou et ses épaules. Son torse était large, sculpté de muscles. Bien qu'assis et détendu, ses abdominaux pointaient sous sa peau mate. Une ligne de poils particulièrement excitante partait de son nombril et disparaissait sous l'élastique de son caleçon.

Et sous le tissu en coton du caleçon, elle devinait le renflement de son sexe.

— Vous voulez que j'enlève mon slip ? demanda-t-il.

Elle tressaillit. Un petit sourire satisfait se peignit sur le visage de son hôte.

— Je devrais me sentir mal à l'aise, mais ce n'est pas le cas, confia-t-elle.

— Je comprends.

— Je parle de tout ce cinéma, dans la cuisine… Ma crise

de larmes et tout le reste. C'est passé, maintenant. Je me sens bien.

Le sourire de Dare s'évanouit, cédant place à une expression soucieuse.

— Vous vous sentez vraiment mieux ?

— Oui.

Elle ne mentait pas. Elle était détendue. Calme. Apaisée. Il ne restait rien de la panique qui l'avait ébranlée quelques minutes plus tôt.

— Je ne sais pas ce qui m'a pris… J'avais pourtant l'impression d'avoir surmonté mes angoisses !

Il posa une main sur sa cuisse, à travers la couverture.

— Vous subissez le contrecoup de ce que vous avez traversé. C'est normal. Il vous faudra du temps pour récupérer complètement. Mais avec moi vous y arriverez, je vous le promets.

Avec lui ? Qu'insinuait-il ?

Il la connaissait à peine et, de surcroît, il avait d'elle une image déformée par les circonstances. Il ne savait rien d'elle, de ses habitudes, de son quotidien.

Elle menait une vie solitaire et routinière. Consacrée à l'écriture et au travail de documentation qu'elle effectuait pour ses romans. Enfermée dans son appartement, dans une ville tranquille de l'Ohio. Une vie plutôt ennuyeuse, en somme.

A part les séances de dédicaces et quelques conférences à propos de ses livres, rien ne venait troubler son quotidien. Et encore… Il s'agissait de manifestations sobres et discrètes qui n'intéressaient que quelques fans inconditionnels.

Rien qui puisse justifier le fait qu'elle ait des ennemis, qu'elle ait été enlevée et maltraitée. Elle n'avait aucune raison de vivre dans l'angoisse d'une agression.

Continuerait-elle de l'intéresser quand il comprendrait qui elle était vraiment ? Peut-être l'attirait-elle uniquement parce qu'elle était en danger et qu'elle venait de vivre une aventure exceptionnelle ?

Quand elle aurait repris sa routine, il reprendrait la sienne. Or la sienne consistait à se faire payer pour sauver des gens en danger. Il jouait sa vie à chaque instant ; elle baignait dans un quotidien ordinaire. Qu'avaient-ils en commun, au juste ?

Dare lui pressa la cuisse.

— Molly ?

— Désolée, murmura-t-elle.

Elle fit un effort pour revenir au présent. Ce n'était pas le moment de se perdre dans ses pensées !

— Je… Ça va mieux. Merci.

— Ravi de vous l'entendre dire. La prochaine fois que vous aurez un accès de panique, n'attendez pas de craquer, d'accord ? Venez me trouver. Je suis là pour vous aider.

Elle préféra ne pas songer aux futures crises de panique qui risquaient de l'assaillir — le lendemain, la semaine suivante, le mois d'après. Elle avait d'abord sa nuit à gérer.

— Je sais, mais j'ai besoin d'un peu de temps pour admettre que je n'y arriverai pas seule, murmura-t-elle.

Mais elle s'en sortirait. D'une façon ou d'une autre.

— Vous le reconnaissez, c'est un bon début, approuva-t-il, la main toujours posée sur sa cuisse. Maintenant, dites-moi où vous en êtes en ce moment.

— Je me sens beaucoup plus calme, affirma-t-elle.

Elle avait adopté un ton résigné qui lui déplut. Mieux valait se montrer directe.

— Mais je ne suis pas tout à fait apaisée, poursuivit-elle. C'est pour ça que… j'aimerais bien dormir avec vous.

— Excellente idée, approuva-t-il. Moi aussi, j'aimerais bien.

Elle soupira, soudain libérée d'une tension dont elle n'avait pas eu conscience jusque-là.

— Ça ne vous dérange pas de partager votre lit avec deux labradors ? s'enquit-il en riant. Parce que j'ai l'impression qu'elles se sont installées là pour la nuit.

Il allongea le bras pour flatter les deux chiennes.

— D'habitude, elles préfèrent la cuisine, mais elles sentent que vous avez besoin de réconfort… Regardez-les : elles veulent vous aider !

Il s'adaptait décidément à toutes les situations avec une aisance surprenante. Il n'était donc jamais déconcerté?

— Aucun problème, assura-t-elle.

La solitude lui avait semblé si pesante qu'elle se réjouissait de la présence des labradors. Plus ils seraient nombreux à l'entourer, mieux elle se porterait.

— Parfait, conclut-il en se levant.

Il lui tendit la main pour l'aider à se lever et elle attendit qu'il ouvre les draps.

— Vous n'avez pas besoin de ça, dit-il en lui ôtant le plaid, qu'il lança en boule au bout du lit.

Elle ne portait qu'un T-shirt et une culotte, mais Dare n'y prêta pas la moindre attention.

— Vous pouvez vous allonger, dit-il.

Elle se glissa entre les draps, puis se poussa quand Dare la rejoignit. Mais après avoir éteint la lampe de chevet, il allongea le bras et l'attira à lui. Elle se cala contre lui, tout en s'émerveillant de ce que sa tête trouve aussitôt sa place au creux de son épaule. Déjà, la chaleur de son corps l'envahissait. Les poils de ses jambes la grattaient un peu, mais ceux de son torse lui chatouillaient agréablement la joue.

Elle se sentait apaisée.

Et le doux baiser qu'il posa sur sa tempe acheva de la réconforter.

— Ça va? demanda-t-il.

Elle acquiesça.

— Si j'étais venue vous trouver pour d'autres raisons, je serais sans doute nerveuse, mais je sais qu'il n'y a pas d'ambiguïté sur ce point et...

— Essayons de dormir avant le lever du jour, coupa-t-il. Et surtout... Molly...

— Oui...?

Son cœur battait si fort qu'elle s'étonna qu'il ne lui en fasse pas la remarque.

— Si vous en ressentez le besoin, n'hésitez pas à me réveiller.

— D'accord, répondit-elle tout en songeant qu'elle ne le réveillerait qu'en dernière extrémité.

Dans la pénombre et le silence de la chambre, elle entendit distinctement la respiration des deux chiennes, et le vent qui tournoyait autour de la maison. Une maison inconnue dans un lieu inconnu.

Pourtant, elle se sentait à l'abri — plus qu'elle ne l'avait jamais été.

Les cheveux encore humides après la douche, ses chaussures dans une main et sa ceinture dans l'autre, Dare traversa le couloir. Il s'arrêta devant la porte de sa chambre. Toujours aucun bruit. Molly dormait encore.

Il s'était levé sans la réveiller. Elle n'avait même pas remué quand il avait rassemblé ses vêtements et fait sortir les chiens. La vue de cette femme recroquevillée d'un côté du matelas, avec ses longs cheveux épars sur l'oreiller, l'avait étrangement ému.

Il songea à son commentaire de la veille, sur le fait qu'il n'y avait aucune ambiguïté entre eux.

Il était loin de partager son opinion sur ce point.

Car il avait enduré une véritable torture : toute la nuit, il avait senti son souffle chaud, la douceur de ses cuisses, ses cheveux, son odeur. Ce corps de femme, presque nu, tout contre le sien… Il lui avait fallu beaucoup de sang-froid pour résister.

Il la désirait follement. Sans la moindre ambiguïté.

Mais pas question de céder.

Il fit volte-face et se dirigea vers la cuisine.

Chris y entra en même temps que lui, la mine défaite, vêtu d'un short ample et d'un T-shirt trop grand. Il se laissa tomber sur une chaise. Les deux chiennes vinrent aussitôt s'asseoir à ses pieds.

Dare se servit du café.

— Je ne m'attendais pas à ce que tu te lèves si tôt, fit-il remarquer.

— Je n'étais pas certain de pouvoir compter sur toi pour sortir les filles, répondit Chris en haussant une épaule.

— C'est fait.

Son secrétaire lui jeta un regard en coin.

— Tu aurais pu leur donner à manger, dans ce cas.

— Elles ont mangé, mais que veux-tu ? Elles aiment tes céréales. Je t'avais dit de ne pas les habituer à leur donner la becquée quand tu prends ton petit déjeuner. Maintenant, c'est un dû.

Chris répéta tout bas ses propos avec un rictus moqueur, puis il donna des céréales à chacune des chiennes.

— Je déteste ton côté je-sais-tout, je-sais-tout-faire, je-ne-me trompe-jamais.

Nullement vexé, Dare leva sa tasse en souriant, tout en songeant qu'il aurait bien aimé tout savoir au sujet de Molly.

— Notre invitée a-t-elle réussi à dormir ? reprit Chris comme s'il avait lu dans ses pensées.

— Un peu, répondit Dare en se resservant du café. Mais dans mon lit… Je te conseille donc de ne pas entrer dans ma chambre.

Chris ouvrit de grands yeux.

— Tâche de ne pas faire trop de bruit pour ne pas la réveiller, poursuivit Dare en le regardant bien en face. Et ne pose pas de questions.

— Je n'avais pas l'intention d'en poser, protesta Chris en arborant son air le plus innocent.

— Je ne te crois pas, ricana Dare en glissant sa ceinture dans les passants de son jean.

Il faisait beau aujourd'hui. Une veste légère lui suffirait.

— D'accord, j'allais en poser, admit Chris en grattant son menton mal rasé. Tu as dormi avec elle ?

— Oui. Dormi.

— Ah !

Chris eut l'air complètement abasourdi.

— Donc, ce n'est pas... ?

— Non, ce n'est pas — et tu n'auras pas d'autre précision, fit sèchement Dare en s'asseyant à table. Je vais m'absenter une grande partie de la journée. Sans elle.

— Ah.

— J'ai fait quelques recherches hier soir. Son père joue aujourd'hui au golf dans un club qui se trouve à quelques heures d'ici.

Chris haussa les sourcils.

— Ah, fit-il de nouveau.

Il ne s'étonna pas qu'il ait réussi à se procurer cette information. Quant à savoir comment... il ne se risqua pas à le lui demander.

— Ne mentionne pas mes projets à Molly, reprit-il.

— Ce ne sera pas difficile, commenta Chris en croisant les bras. Parce que je n'en sais rien.

Dare, qui n'en savait rien lui-même, ne releva pas sa remarque.

— Dis-lui que je suis sorti pour mon travail, ce qui sera en partie vrai. Je reviendrai aussi vite que possible.

Chris se balança sur sa chaise, signe qu'il réfléchissait.

— Tu n'as pas confiance en ce bon vieux papa, mais tu n'emmènes pas Molly parce que tu crains un traquenard.

— Ou simplement un chantage affectif... En tout cas, je me méfie de cet homme, précisa Dare en se penchant pour enfiler ses chaussures. J'ai aussi appelé Trace, cette nuit.

— Il va t'accompagner ?

— Non. Je n'ai pas besoin de lui et il doit s'occuper d'Alani. Mais il a fait quelques recherches supplémentaires pour moi.

— Et ?

— Personne n'a signalé la disparition de Molly. Ni son père, ni sa belle-mère, ni même la sœur en qui elle a tellement confiance.

— Au bout de neuf jours ?

Les pieds de la chaise de Chris firent un bruit sourd en touchant le sol.

— Elle ne doit pourtant pas être du genre à s'évaporer sans donner de nouvelles!

— En effet, commenta sobrement Dare.

Le visage de Chris se rembrunit. Il paraissait indigné.

— C'est infect, dit-il.

— Peut-être, répondit Dare en se redressant. Je ne sais pas ce que ça signifie. Mais je veux me faire une idée avant de la ramener chez elle.

— Tu n'as pas besoin de moi pour te préparer le trajet?

— Je m'en suis occupé.

Avant que Molly le rejoigne, il avait eu lui aussi des difficultés à s'endormir. Il avait tué le temps en préparant le terrain. Ensuite, il était resté près d'elle pour la rassurer et la protéger, et n'avait plus pensé à rien d'autre.

Hormis le désir qu'il avait d'elle, bien sûr. Un désir contre lequel il avait dû lutter. Et qui l'avait empêché de réfléchir.

— Tu vas parler à son père?

— Je ne sais pas.

Il n'était pas du genre à prendre des décisions hâtives. Il préférait s'adapter aux circonstances, quitte à improviser.

— A partir de maintenant, j'agirai à l'instinct, dit-il.

— Dare...

Chris croisa les bras sur la table.

— Il faudra bien qu'elle retourne chez elle... Tu en es conscient, je suppose?

— Oui. Et je resterai avec elle le temps qu'il faudra.

Il n'allait pas l'abandonner tant qu'il n'aurait pas évalué et éliminé le danger.

— Je vais tâter le terrain, c'est tout. Surveiller un peu les uns et les autres. Rien de plus.

Chris jeta un coup d'œil du côté de la porte de la cuisine.

— J'espère qu'elle dormira toute la journée. Je suis nul pour jouer les nounous.

— Contente-toi d'assurer sa protection. Ne la laisse pas quitter la propriété. Je suppose qu'elle voudra faire le tour du lac et explorer les bois.

Il se leva et sortit ses clés de voiture de sa poche.

— Assure-toi qu'elle boit suffisamment. N'importe quoi, pourvu qu'elle boive. Commande ce qui lui fait envie si nous ne l'avons pas en stock. Il faut aussi qu'elle mange. Elle a besoin de reprendre des forces.

Chris se leva d'un bond, visiblement agacé par cette liste de recommandations.

— Je plaisantais, Dare, quand je parlais de nounou. Je sais exactement ce qu'il faut faire. File. Plus tôt tu partiras, plus vite tu seras revenu pour me libérer de cette charge.

Dare lui tapota l'épaule. Une fois de plus, il se félicita de pouvoir compter sur Chris. Il avait trop souvent été déçu par de faux amis qui n'étaient jamais là quand on avait besoin d'eux.

— Je te tiendrai au courant, lui promit-il.

Il alla flatter ses *filles* en leur annonçant qu'il serait bientôt de retour. Elles étaient suffisamment intelligentes pour saisir la différence entre une longue absence — quand il emportait un sac avec lui —, et quelques heures sans leur maître. Elles le suivirent paisiblement jusqu'à la porte.

— Je compte sur vous pour tenir compagnie à Molly, d'accord ? murmura-t-il.

Puis il ajouta, à l'intention de Sargie :

— Et toi, sois bien sage. Elle est patiente, mais il ne faut pas en abuser.

En franchissant la porte, il se rendit compte que Molly lui manquait déjà, et il en fut contrarié.

Lorsqu'elle serait hors de danger, il pourrait peut-être l'inviter dans son lit — et pas pour dormir, cette fois. Quand il aurait fait l'amour avec elle, il parviendrait à l'oublier. Il le faudrait bien.

Avec son travail, il ne pouvait pas se permettre d'avoir une liaison amoureuse. Et il était encore loin de la retraite.

9

Dare était enfermé dans sa voiture depuis des heures. Il commençait à s'impatienter. Ce n'était pourtant pas la première fois qu'il faisait le guet, et l'enjeu n'était pas aussi important que lors de ses filatures précédentes. Aujourd'hui, tout ce qu'il voulait, c'était des informations.

Ce qu'il savait déjà sur Bishop Alexander lui donnait envie d'en savoir davantage.

Trace avait fait du bon boulot en lui dressant un résumé sommaire, mais pertinent, des activités de ce monsieur. Restait à présent à détailler certains éléments. Trace y travaillait en ce moment même. Il allait passer au peigne fin le passé de Bishop, fouiller son présent, et une fois qu'il se serait fait une idée précise du personnage, il tenterait de prévoir ce qu'il mijotait. Dans quelques heures, Dare en saurait plus sur Bishop Alexander que Bishop Alexander lui-même.

Cette enquête présentait un autre avantage : elle lui donnait l'occasion de demander un service à Trace. Il ne voulait pas que son ami se sente redevable vis-à-vis de lui. D'ailleurs, il avait l'intention de lui rendre la somme perçue pour le sauvetage d'Alani. De l'argent, Dare en avait suffisamment. Il en avait gagné beaucoup et l'avait placé intelligemment, ce qui lui avait permis d'amasser une petite fortune. Non seulement il n'avait pas besoin des dollars de Trace, mais il n'avait pas besoin d'argent du tout. S'il continuait à accepter une mission de temps à autre, c'était pour ne pas perdre la main. Et parce qu'il avait besoin de sa dose d'adrénaline.

Trace s'acquitterait de sa « dette » en l'aidant à protéger Molly. C'était parfait.

Il repensa aux informations que Trace lui avait communiquées. Apparemment, le père de Molly se croyait tout-puissant : il considérait ses proches, femme et enfants compris, comme moins importants et moins capables que lui. Il régnait en maître sur son entreprise et sur sa famille. Persuadé d'être invincible, il ne se donnait pas beaucoup de mal pour cacher ses petites entorses à la loi. Il n'avait pas non plus jugé utile de recruter un assistant fiable, ou un ami de longue date, si bien que Trace avait aisément glané des informations à son sujet.

Certaines personnes ne savaient vraiment pas se protéger !

Sans doute ignoraient-ils qu'une information vous guidait vers une autre, et que des documents publics donnaient accès à des informations privées.

A présent, Dare en savait assez sur Bishop pour avoir une idée précise des questions qu'il souhaitait lui poser.

Dissimulé dans l'ombre d'un arbre, il l'avait vu arriver quelques heures plus tôt dans une rutilante Mercedes noire, dont il était sorti en tenue de golf, son téléphone portable à l'oreille. La main qui tenait le téléphone portait un anneau de platine.

Bishop avait à peine regardé le voiturier qui prenait les clés de son véhicule. Dare l'avait entendu rire, puis il l'avait vu agiter le bras pour saluer un petit groupe d'hommes à l'allure distinguée, des amis ou des collègues, qu'il était allé rejoindre.

Il n'avait pas du tout l'air d'un père qui s'inquiète de la disparition de sa fille.

Il n'allait pas tarder à ressortir du club… Dare consulta sa montre en se demandant comment procéder. Allait-il aborder Bishop ici, devant tout le monde ?

Mais comment ce type pouvait-il jouer au golf alors qu'il était sans nouvelles de sa fille ? Etait-il égoïste au point de l'avoir oubliée ? Ou faisait-il comme si de rien n'était parce qu'il devait assumer ses responsabilités d'homme d'affaires en se montrant à ce club ? Dans certains milieux, il était primordial d'entretenir certains contacts. Bishop était-il là pour des raisons professionnelles ?

Peut-être aussi préférait-il éviter d'exposer ses problèmes familiaux.

Dare ne se sentait pas aussi à l'aise qu'il l'aurait dû. D'habitude, il traquait la vérité avec une sorte de détermination impassible.

Aujourd'hui, il était là pour Molly. Et ça changeait tout.

Il songea à la nuit qu'il venait de passer à son côté. Seigneur, quel supplice ! Il n'avait cessé de la désirer.

Un désir qu'elle ne partageait pas, apparemment. Elle n'avait pas remarqué son érection, ni l'extrême chaleur que dégageait son corps. Elle s'était agrippée à lui comme on s'agrippe à une bouée de sauvetage.

Il dut s'avouer que ça ne lui avait pas déplu, même s'il aurait préféré un contact plus sensuel.

Il s'était promis de ne pas toucher Molly tant qu'elle ne serait pas prête, et il tiendrait bon. Même si cette promesse l'obligeait à la tenir dans ses bras toute une nuit sans pouvoir la caresser.

Il se demandait combien de temps durerait ce calvaire, quand Bishop se montra enfin. Il venait de passer plusieurs heures à jouer, en plein soleil, mais ses cheveux gris étaient impeccables, bien peignés, comme s'il sortait de chez le coiffeur. Il portait de grosses lunettes noires qui dissimulaient ses yeux et parlait avec un homme — l'un de ceux avec qui il avait joué, probablement. Ils éclatèrent de rire, puis Bishop lui donna une vigoureuse claque sur l'épaule en guise d'adieu, et ils se séparèrent. Bishop était maintenant seul. Il fit signe au voiturier.

Merde.

Dare s'empressa de sortir pour le héler par-dessus le toit de sa voiture.

— Bishop Alexander ?

Le père de Molly se tourna vers lui.

— Vous avez une minute ? lança Dare.

158

Bishop ôta ses lunettes de soleil pour le fixer.

— Nous nous connaissons?

Dare demeura négligemment accoudé au toit de sa voiture.

— Nous n'avons pas été officiellement présentés, mais moi, je vous connais. Votre fille m'a beaucoup parlé de vous.

Bishop tressaillit, mais se reprit aussitôt, affichant un calme étudié tandis qu'il s'approchait lentement.

— De quelle fille parlez-vous?

Bien sûr, devant ce club huppé auquel n'avaient accès que des membres triés sur le volet, ce salaud se sentait protégé. Il avait tort. Sa force, il la tirait de sa position sociale et de son fric. Deux éléments qui n'impressionnaient nullement Dare.

— Celle qui a disparu, dit-il sèchement.

La mâchoire de Bishop se crispa. Il fit brusquement plusieurs pas en avant, avec l'assurance d'un homme habitué au pouvoir et au prestige.

— Que savez-vous de cette disparition?

Il avait donc remarqué la disparition de Molly. Intéressant.

— J'ai retrouvé Molly, et je me suis dit que ça vous intéresserait de savoir où et comment.

Bishop fit signe au voiturier de s'éloigner.

— Je ne sais pas de quoi vous parlez, murmura-t-il d'une voix basse et méfiante. Mais si vous avez l'intention de me faire chanter ou de me réclamer une rançon, sachez que vous perdez votre temps. Vous n'aurez pas un centime.

Dare dut faire appel à tout son sang-froid pour ne pas lui planter son poing dans la figure. Il arbora un air las. L'air de quelqu'un qui n'aime pas perdre son temps.

— Ça ne vous intéresse pas de savoir ce qui lui est arrivé?

Bishop hésita, cherchant visiblement à le jauger. Puis il se passa la main dans les cheveux et tira sur le col de son polo de golf.

— Je la croyais en voyage. Elle voyage souvent pour faire des recherches, quand elle écrit un roman.

— Ah oui?

Dare sourit d'un air parfaitement détendu.

— Et vous pensiez qu'il y aurait là de quoi vous faire chanter ?

— Et pour quelle autre raison seriez-vous venu me trouver ? Il fit la moue.

— Je m'attends à tout, avec Molly, vous savez. Elle ne cesse de se fourrer dans des situations impossibles.

— Se faire enlever, pour vous, c'est se fourrer dans une situation impossible ?

— Elle a été enlevée ?

Sous le coup de la surprise, Bishop eut un mouvement de recul, puis il se rendit compte qu'il venait de crier et jeta un regard inquiet autour de lui pour vérifier que personne ne l'avait entendu.

— Oui, enlevée, répéta Dare en détachant bien ses mots. Emmenée dans un endroit contre sa volonté. Maltraitée.

— Mais...

Bishop prit un air condescendant.

— C'est absurde ! acheva-t-il.

Dare secoua la tête.

— Absurde ou pas, c'est ce qui lui est arrivé.

— Et à présent, elle est en sécurité ?

Dare se demanda s'il s'en inquiétait vraiment ou s'il jouait les innocents.

— Oui, assura-t-il.

Bishop poussa un bref soupir de soulagement, puis adressa à Dare un regard qui réclamait une trêve.

— Que voulez-vous, au juste ? Tout ça ne me concerne pas !

— Vous êtes son père, il me semble.

— Je ne peux pas le nier, répondit-il d'un ton qui signifiait qu'il aurait préféré pouvoir le faire. Mais ma fille est particulière, vous savez. Elle n'est pas comme tout le monde. Elle est têtue et imprudente, deux défauts qui me désolent depuis des années.

Dare ne répondit pas. Ce qui poussa Bishop à se justifier encore.

— Vous ne voulez pas tout de même pas que je prenne en charge les petits ennuis de Molly ?

Parce que être séquestrée, c'était un petit ennui ?

— Vous êtes un véritable salaud, pas vrai ?

Dare ne prenait pas de gants. Bishop, qui n'avait pas envie de se faire remarquer, jeta de nouveau des regards effrayés autour de lui.

— Vous avez une idée de l'endroit où se trouvait votre fille ?

— J'ignorais qu'on l'avait enlevée. Comment pouvais-je savoir où elle se trouvait ? protesta Bishop.

— Et ça vous intéresse ? insista Dare.

Bishop pinça les lèvres, mais ne répondit rien. Dare sentit monter en lui une rage sourde.

— Je ne peux pas m'empêcher de me demander comment un père peut se montrer aussi indifférent au sort de sa fille quand on lui annonce qu'elle a été séquestrée, énonça-t-il froidement. A moins que ce ne soit lui qui ait organisé cette séquestration.

Bishop devint tout rouge. L'accusation était visiblement dure à encaisser pour lui.

— Vous plaisantez, n'est-ce pas ? dit-il enfin.

Puis il se reprit et poursuivit, d'un ton plus véhément :

— Vous vous rendez compte de ce que vous osez insinuer ? Vous savez qui je suis ?

Dare demeura perplexe. Bishop paraissait sincèrement surpris. Et outré.

Il décida de le pousser un peu plus loin dans ses retranchements et contourna sa voiture pour s'approcher de lui. De près, il put constater qu'il le dominait de quinze bons centimètres — ce qui lui donnait un avantage certain pour prendre le dessus dans leur échange.

Bien que mince et tonique, physiquement, Bishop ne valait pas la moitié d'un Dare. Et moralement, c'était un vermisseau.

— Si vous n'êtes pour rien dans sa disparition, vous serez sans doute surpris d'apprendre que votre fille a été enlevée devant chez elle.

161

— C'est ridicule. Pourquoi l'aurait-on enlevée ?

Dare se retint de lui envoyer un crochet en plein nez, histoire de lui faire perdre un peu de sa superbe.

— Vous serez également surpris d'apprendre qu'on l'a emmenée jusqu'à Tijuana, où elle a été séquestrée, menacée, et battue.

— Je ne vous crois pas ! explosa Bishop en pâlissant. Je ne vous crois pas.

— Je ne dis pourtant que la vérité.

— Pourquoi lui aurait-on fait une chose pareille ?

— C'est ce que j'essaie de découvrir.

Bishop baissa les yeux, visiblement perplexe, puis il releva la tête pour regarder Dare bien en face.

— J'ai vraiment du mal à le croire. Et vous, qu'avez-vous à voir là-dedans ?

— Rien à voir avec l'enlèvement, mais c'est moi qui l'ai sortie de là.

— De Tijuana ? demanda Bishop d'un ton encore plus méfiant.

— Oui.

Dare décida de s'en tenir à l'essentiel. Inutile de lui donner tous les détails.

— J'y étais pour des raisons qui n'ont aucun rapport avec elle. Je l'ai trouvée par hasard. Et pas en bon état.

— Comment ça « pas en bon état » ? Vous disiez tout à l'heure qu'elle allait bien.

Le ton était accusateur, cette fois.

— Elle est en vie et elle récupère.

Physiquement du moins. Parce que, psychologiquement, Dare ne savait pas où elle en était.

— Elle a vraiment été maltraitée, insista-t-il.

Quelques secondes s'écoulèrent dans le silence. Bishop avala sa salive.

— On l'a violée ? murmura-t-il.

— Elle assure que non.

— Mais qui l'a enlevée ? Vous le savez ?

— Un réseau de traite des Blanches.

La réponse fit pâlir Bishop.

— Seigneur! Mais enfin... Où est-elle en ce moment?

Il balaya les alentours du regard, comme s'il s'attendait à la voir apparaître.

— Elle n'est pas ici avec vous? insista-t-il.

— Je vous ai dit qu'elle était en sécurité. Loin d'ici. *Loin de vous.*

— Bien.

Il paraissait presque soulagé de ne pas devoir aller s'assurer par lui-même que sa fille allait bien. Quel salaud, vraiment!

— Eh bien, reprit-il en tirant sur son polo. Je suis content de savoir que tout va bien pour elle.

— Je n'ai pas dit que tout allait bien pour elle.

Bishop ne releva pas.

— Elle ne peut pas rentrer à la maison, de toute façon.

— A la maison?

— Dans l'Ohio, je veux dire.

Dare plissa les yeux.

— Pourquoi?

— Parce que ça ferait un beau scandale, expliqua Bishop. Les médias s'empareraient de l'affaire, et connaissant Molly, elle ne ferait rien pour les calmer.

— Vous préféreriez que ça ne se sache pas?

Bishop se redressa de toute sa petite hauteur.

— Pour le bien de la famille. Pour protéger notre nom.

— Elle n'est coupable de rien. Elle n'a pas demandé à être séquestrée, il me semble.

— Elle ne l'a pas demandé, en effet...

Bishop eut une moue de dédain.

— Mais tout de même...

Dare regretta de ne pouvoir démolir ce crétin sur-le-champ.

— Où voulez-vous en venir? coupa-t-il sèchement.

— Elle est ma fille et son bien-être m'importe. Mais la vérité, c'est qu'elle a cherché les ennuis.

— Vous vous foutez de moi?

Dare avait déjà rencontré pas mal d'ordures dans sa vie, mais le père de Molly battait tous les records.

— Si elle n'avait pas écrit toutes ces saletés et si elle...

Bishop s'arrêta net en le voyant serrer les poings.

— Ce n'est pas sa faute si on l'a enlevée, maugréa Dare entre ses dents.

— Tout ça est absurde, rétorqua son interlocuteur en secouant la tête. Je ne souhaite pas poursuivre cette conversation avec vous. Je ne connais même pas votre nom.

Dare se redressa de toute sa hauteur.

— Mais moi, je connais le vôtre. Et si je découvre que vous avez joué un rôle dans l'enlèvement de votre fille, je vous assure que je vous découperai en petits morceaux.

Bishop en resta bouche bée.

— Vous me menacez ? murmura-t-il d'un ton incrédule.

Cela ne lui était sans doute jamais arrivé. Il paraissait réellement abasourdi.

— Je ne fais que vous exposer la situation, assura Dare.

Le vieil homme prit un air indigné.

— J'en ai assez entendu, grommela-t-il en se détournant.

— Et je vous informe que votre fille va bientôt rentrer chez elle.

Bishop s'arrêta net.

— Elle a besoin de savoir qui lui veut du mal. Et moi aussi. Le meilleur moyen pour y parvenir, c'est d'aller au-devant des supposés responsables de son enlèvement.

— Permettez-moi d'en douter. La personne qui est responsable de son enlèvement ne s'en vantera pas — au contraire : elle fera tout pour passer inaperçue et donner le change.

— De plus, reprit Dare sans tenir compte de ses arguments, Molly n'a pas l'intention de dissimuler ce qui lui est arrivé. Vous, en revanche, je vous conseille de vous taire.

L'ordre fit frémir le vieil homme de rage.

— Je ne vois pas à quoi vous faites allusion. Me taire à propos de quoi ?

— A propos de notre rencontre, du fait que votre fille est

en sécurité avec moi et que j'ai l'intention de retrouver le ou les coupables. Vous n'allez pas dire un mot. Personne ne doit rien savoir tant que Molly ne sera pas rentrée chez elle.

Bishop plissa les yeux et pointa un doigt vers le torse de Dare.

— Je ne vous permets pas de me dicter ma conduite !

— Vous allez pourtant m'obéir, riposta Dare en avançant de manière à coller son torse au doigt pointé.

Bishop retira vivement sa main et voulut battre en retraite, mais Dare ne lui en laissa pas le temps : il le saisit par le devant de son polo pour le faire tenir en place.

— Parce que je suis sûr que vous ne voudriez pas de moi comme ennemi. Je peux vous détruire et je n'hésiterai pas à le faire si vous transgressez mes ordres.

Bishop se débattit en tentant d'afficher un courage qui lui faisait visiblement défaut.

— Je ne suis pas un homme que l'on peut menacer, cracha-t-il.

— Et moi, je ne suis pas un homme auquel on peut résister, ricana Dare.

Il savait que son petit sourire sardonique impressionnait plus que tout.

— J'ai des amis fidèles et haut placés dans le monde des affaires, et des amis encore plus fidèles parmi les voyous. Quoi que vous fassiez, quoi que vous tentiez, je peux vous atteindre. Si vous osez me désobéir, je vous anéantis, Bishop. Socialement, financièrement, et aussi dans votre vie privée.

Bishop serra les dents et tenta de se débarrasser de la main de Dare. En vain.

— Mais qui êtes-vous, à la fin ?

— Quelqu'un qui sait absolument tout de vous.

Il le souleva légèrement, jusqu'à le hisser sur la pointe des pieds, jusqu'à ce que leurs nez se touchent.

— Je sais où se trouve votre maison de campagne, où se trouve votre appartement. J'ai accès à vos comptes en ligne, je possède la liste de vos clients et de vos partenaires commerciaux.

Bishop devint tout pâle. Il haletait.

— Vous bluffez, murmura-t-il.

— Je ne perds pas de temps à bluffer, croyez-moi.

Bishop était sacrément naïf. Trace avait rassemblé sur lui un dossier complet avec une facilité déconcertante.

— Je sais aussi que vous trompez votre femme et votre maîtresse. On vous a fait une offre pour vendre des parts de votre société, et vous y réfléchissez de votre côté, sans en avoir parlé à vos actionnaires. Vous avez un rendez-vous chez le dentiste dans deux jours et vous venez de parier deux mille dollars au golf.

Bishop pâlit un peu plus. A présent, il ouvrait et fermait la bouche comme un poisson hors de l'eau.

— Mais comment…?

— Et vous, vous ne savez absolument rien de moi, n'est-ce pas? Vous ignorez où je vis, comment j'obtiens mes renseignements, quand je me montrerai de nouveau… Peut-être même que je reviendrai sans me montrer. Et là encore, vous n'en saurez rien.

Après cette dernière affirmation qui sonnait comme une menace, Dare reposa le père de Molly au sol.

— Vous ne me plaisez pas, Bishop. Vous êtes un père lamentable, un mari infidèle, un associé déloyal.

— Je… Je…

Dare secoua la tête.

— Epargnez votre salive. Je me fous de vos excuses ou de vos justifications. Sachez seulement que je veux des réponses quand je pose des questions et que vous avez intérêt à me dire la vérité.

— Mais…

Bishop jeta de nouveau un regard inquiet autour d'eux et prit un ton suppliant.

— Nous ne pouvons pas rester ici. Nous commençons à attirer l'attention.

Dare s'en moquait.

— Croyez-moi, je n'ai pas envie de prolonger inutilement notre entretien, assura-t-il.

Il avait déjà perdu un temps fou à attendre que ce crétin finisse son parcours de golf. Il allait rentrer tard. Plus tard que prévu. Molly devait déjà s'impatienter.

Il consulta sa montre, tout en se demandant si Molly se sentait seule, si elle avait peur. Sans lui auprès d'elle, elle risquait d'avoir une crise de panique. Il eut envie de téléphoner à Chris sur-le-champ et...

Non.

Inutile de s'inquiéter pour rien. Molly était solide et Chris se trouvait auprès d'elle. S'il s'était passé quoi que ce soit, il l'aurait prévenu.

Il posa sur Bishop un regard si sévère que celui-ci éprouva le besoin de déglutir.

— Nous n'en avons plus que pour quelques minutes, annonça-t-il. A condition que vous jouiez franc-jeu avec moi. Sinon, évidemment, ça pourrait nous prendre la journée...

— Très bien, répondit Bishop.

Il appuya une hanche contre la carrosserie de la voiture, histoire de se donner une contenance.

— Finissons-en, dans ce cas, voulez-vous.

Il tentait de prendre le dessus, attitude qui aurait dû faire exploser Dare. Mais il se contint. Ce type n'était décidément qu'un dégonflé, minable et prétentieux.

Comment Molly faisait-elle pour le supporter? Pas étonnant qu'avec un père aussi froid et indifférent, elle soit devenue une femme indépendante et volontaire. Il songea au suicide de sa mère et à la vie qu'elle avait dû mener, seule avec ce père indigne.

Elle avait eu à choisir entre se montrer forte ou suivre l'exemple d'un de ces deux parents. Elle avait choisi la force.

Il l'en admirait davantage.

— Vous aviez des questions? s'impatienta Bishop.

— A propos du petit ami de Molly, reprit-il. Que savez-vous de lui?

— Son petit ami? répéta Bishop d'un ton sincèrement surpris. Vous voulez parler d'Adrian?

Dare ne répondit pas, pour ne pas l'influencer, et son silence poussa Bishop à poursuivre.

— Ils ne sont plus ensemble. Je trouve ça dommage, d'ailleurs. A ma connaissance elle n'a fréquenté personne depuis leur rupture. Il avait l'air charmant. Il avait réussi dans la vie.

Bishop haussa les épaules.

— Il a des biens, une affaire qui marche.

— Il possède un bar, mais il est au bord de la faillite. Ils étaient fiancés et vous êtes du genre à enquêter sur le futur mari de votre fille, je n'en doute pas. Vous protégez trop bien vos intérêts pour laisser entrer un pauvre dans la famille.

— Si vous savez déjà tout, pourquoi me poser des questions ? s'énerva Bishop.

— Il s'agissait d'un test pour juger de votre franchise. Et vous avez échoué.

Croyant à une menace, Bishop se hâta de se justifier.

— Je savais que ce minable n'en voulait qu'à mon argent, mais je ne m'inquiétais pas.

— Parce que Molly n'aura pas un sou de vous ?

— Elle gagne très bien sa vie, se défendit Bishop. Elle n'a pas besoin de moi.

Mais elle avait eu besoin de lui, autrefois, quand elle n'était qu'une petite fille pleine d'espoirs et de rêves. Et il n'avait sûrement pas répondu à ses attentes. Dare sentit sa gorge se nouer.

— Vous parlez de sa carrière d'écrivain ? Vous méprisez ce qu'elle écrit, n'est-ce pas ?

— Je ne l'ai pas élevée pour qu'elle se compromette dans des distractions vulgaires.

Dare aurait parié qu'il ne l'avait pas élevée du tout.

— Des distractions vulgaires ? Et les vôtres — s'envoyer en l'air et dépenser son argent au jeu —, elles ne sont pas vulgaires ?

Bishop encaissa l'affront sans un mot, mais se rembrunit.

— Vous avez d'autres questions ?

— Parlez-moi de Natalie.
— Que voulez-vous savoir ?
— Où est-elle en ce moment ?
— En ce moment ? Elle doit être chez elle. Occupée à corriger des copies, sans doute.

Devinant que Dare s'impatientait, il se hâta d'ajouter :

— Elle habite un appartement proche de celui de Molly. Elles se sont toujours entendues comme larrons en foire. Autrefois, quand l'une des deux racontait un mensonge, la deuxième jurait que sa sœur avait dit la vérité.

Elles avaient peut-être menti quelquefois à leur père, mais Dare était prêt à parier que c'était pour se protéger.

— Et votre femme ?

Bishop haussa les épaules.

— A l'instant où je vous parle, Mme Alexander doit être en train de présider une soirée de la Société Historique de Cincinnati.

Il eut un geste méprisant de la main.

— Elle s'investit beaucoup dans les petits clubs et les œuvres de charité.

— Quand avez-vous constaté la disparition de Molly ? demanda Dare.

— Je n'ai rien constaté du tout. Je vois très peu ma fille. Elle ne me tient pas au courant de ses faits et gestes. Et réciproquement.

— Vous mentez. Vous étiez au courant.

— Je savais que ma femme avait tenté en vain de la joindre. Mais il lui arrive souvent de partir en voyage sans nous en avertir. Elle a toujours été très indépendante.

Parce qu'elle n'avait pas eu le choix.

— Natalie ne s'est doutée de rien, elle non plus ?

Bishop contempla ses ongles.

— Natalie m'a appelé une fois pour me faire part de son inquiétude et me demander si j'avais des nouvelles de sa sœur. Je lui ai répondu que non. Comme elle ne m'a plus contacté ensuite, j'ai supposé qu'elle était parvenue à la même conclusion que moi, à savoir que Molly avait décidé de s'isoler pour écrire son nouveau livre.

— Ou pour s'occuper du contrat du film.

Bishop pâlit.

— Quel film? demanda-t-il.

Tiens... Il n'était pas au courant pour le film. Dare avait déjà constaté que le pauvre homme mentait mal. S'il avait su qu'un des romans de Molly allait être adapté au cinéma, il n'aurait pas pu le cacher. Dare décida de le laisser dans l'ignorance. Ce n'était pas à lui de lui annoncer la nouvelle.

— Je ne vous perds pas de vue, Bishop. Et quand Molly vous appellera, je vous conseille de lui répondre. Quoi que vous fassiez, compris?

— Est-ce que ça signifie que nous en avons terminé?

— Pour le moment, précisa Dare en souriant. Et n'oubliez surtout pas ce que je vous ai dit, Bishop. Vous ne m'avez jamais vu. Si vous parlez de notre rencontre, vous le regretterez.

Il contourna de nouveau sa voiture et ouvrit la portière.

— Pourquoi vous mêlez-vous de tout ça? lança Bishop d'un ton mauvais.

Dare ne put pas résister à la provocation. Tout en sachant qu'il commettait une erreur, qu'il se laissait guider par la colère, qu'il aurait dû monter dans sa voiture et partir comme prévu, il referma la portière et revint vers Bishop.

Comprenant qu'il avait dépassé les bornes, Bishop voulut battre en retraite, mais Dare le prit de vitesse et le plaqua contre la voiture.

— Vous avez pris un gros risque en me poussant à bout, Bishop. Un conseil : ne recommencez pas.

Puis il le repoussa, si violemment que Bishop faillit tomber. Il rejoignit en titubant le voiturier sur lequel il défoula sa colère.

Dare fut tenté d'intervenir, mais, après tout, ça n'était pas son problème. Il remonta dans sa voiture, mit le contact et quitta le parking du club, encore frémissant de rage. Il était peiné pour Molly. Il aurait voulu la serrer dans ses bras, la consoler de son enfance malheureuse.

Il franchissait les portes du parking, quand son téléphone portable sonna.

Il décrocha aussitôt. C'était peut-être Chris, qui lui donnait des nouvelles de Molly.

— Oui?

— J'ai quelque chose d'important à te montrer, annonça Trace sans préambule. Mais pas par téléphone.

Merde.

Dare consulta l'heure affichée sur le tableau de bord.

— Je m'apprêtais à rentrer chez moi, dit-il.

Et pour une fois, il ne songeait pas à retrouver ses *filles*. Il avait besoin de s'assurer que Molly allait bien. Mais Trace avait sûrement des photos à lui montrer, il l'avait déjà compris à demi-mot.

— Tu as des photos, c'est ça?

— Oui, et je t'assure que tu ne le regretteras pas. Je peux te les envoyer par internet si tu veux, ou bien te retrouver quelque part sur la I-75.

Trace ne le dérangeait sûrement pas pour rien. Et la sécurité de Molly étant une priorité, Dare n'hésita pas.

— Rencontrons-nous. Comme ça tu me donneras ton avis de vive voix, ça m'intéresse. Dans quarante minutes, ça te va?

— Ça marche.

Ils s'entendirent pour se retrouver dans un relais autoroutier, où ils pourraient manger.

— Comment va Alani? demanda Dare.

— Elle s'est jetée à corps perdu dans le travail. Je voulais qu'elle se repose un peu, mais elle prétend que ce serait la pire des choses.

Dare sourit. Grâce à l'argent et aux connaissances de Dare, Alani avait pu monter une société de décoration d'intérieur qui lui permettait de gérer son temps comme elle le voulait — de se noyer dans le travail, ou de déléguer à ses collaborateurs.

— Je vois. Tu aurais voulu la couver, mais elle est tout le temps dehors avec des étrangers, commenta Dare.

— Elle refait l'appartement d'un crétin d'homme d'affaires, grommela Trace en baissant la voix.

Après ce que venait de traverser Alani, Dare comprenait que son frère ressente le besoin de la protéger. Mais Alani, en dépit de son physique délicat et de sa blondeur de fée, avait un caractère bien trempé, tout comme son frère.

— Je suppose que tu t'es déjà renseigné sur le type?

— Tu penses bien... Il est dans la finance. Il vient d'une famille de friqués. C'est un gosse de riches. Il ne me plaît pas du tout.

— Parce qu'il est riche? répondit Dare en riant. Désolé de te le faire remarquer, mais on nous considère comme des nantis, nous aussi.

— Peut-être. Mais nous, on se démène pour gagner notre fric!

— Alani a tiré profit de l'argent que tu as gagné, mais ça ne l'empêche pas d'être quelqu'un de bien, insista Dare.

Trace, qui avait huit ans de plus que sa sœur, l'avait toujours chouchoutée.

— Ce type ne me plaît pas, répéta-t-il. Il ne m'inspire pas confiance.

— Tu ne supportes pas qu'on approche Alani en ce moment, et je le comprends, commenta Dare. Mais il faut prendre sur toi. Elle a le droit de vivre. Elle décore un appartement, c'est tout.

— C'est tout... pour l'instant! Alani est très belle et le type est célibataire. Ça m'étonnerait qu'il ne tente pas un rapprochement.

Trace marquait un point. Avec ses cheveux blonds comme les blés et ses yeux chocolat, Alani était exceptionnellement belle et sa sensualité délicate en faisait craquer plus d'un.

— Tu veux que je lui parle, à cet homme d'affaires? proposa Dare.

— Sûrement pas. Alani ne nous le pardonnerait pas. Pour l'instant, je me contente de surveiller ça de près.

Dare sourit.

— Si tu as besoin de renfort, n'hésite pas à me faire signe. Dare raccrocha. Ses pensées revinrent aussitôt vers Molly. Il se demanda pourquoi elle l'obsédait ainsi. Il n'était tout de même pas amoureux ! Jusque-là, il avait apprécié la compagnie des femmes et le sexe, mais rien de plus.

Avec le drôle de métier qui était le sien, il ne pouvait pas s'investir dans une relation amoureuse. Il passait trop de temps loin de chez lui ; il était obligé de s'entourer de mystères, il côtoyait quotidiennement le danger... Impliquer une femme dans une telle existence aurait été de la folie.

Il en avait toujours été convaincu.

Mais à présent... A présent, il se surprenait à rêver. Avoir Molly près de lui. Pas toute une vie. Mais un mois. Ou deux. Profiter de sa présence un mois ou deux, ce n'était tout de même pas un gros risque...

Il était peut-être sur le point de coincer le coupable de l'enlèvement de Molly — s'il s'agissait bien de Bishop, comme il le soupçonnait. Dans ce cas, elle n'aurait plus besoin de lui pour la protéger. Elle rentrerait chez elle et ils mettraient naturellement fin à leur relation.

Tout en conduisant, il passa en revue les scénarios possibles. Il connaissait son boulot et il était plein de ressources. Trace, son précieux allié, avait des contacts partout — au gouvernement, dans l'armée, parmi les hommes d'affaires.

Bishop Alexander croyait détenir du pouvoir. Il se trompait. A côté d'eux, il n'était qu'un minable. S'il était coupable, ils le coinceraient.

Enfin, peu importait. Quel que soit l'angle choisi, la même conclusion s'imposait : son temps avec Molly était compté, et ça ne lui plaisait pas du tout. Il aimait bien la manière dont elle compliquait sa vie.

Il soupira.

Il allait démasquer le responsable de l'enlèvement de Molly pour qu'elle puisse reprendre une vie normale.

Et il trouverait le moyen d'assouvir le désir qu'elle lui inspirait, sans la bousculer, quand elle serait prête.

10

Chris tentait de se concentrer sur ses tâches quotidiennes, mais la présence de Molly ne lui facilitait pas les choses. Elle s'était réveillée complètement désorientée, surprise (et peut-être même blessée) que Dare soit parti sans l'avertir, mais déterminée à dissimuler ses sentiments dernière une façade de calme acceptation.

Il l'avait encouragée, comme Dare la veille, à user des lieux à sa guise, mais elle semblait incapable de se détendre. On aurait dit qu'elle marchait sur des œufs !

Elle n'aimait manifestement ni déranger ses hôtes ni attirer l'attention sur elle.

Chris sourit. Le problème, c'était qu'il suffisait qu'elle respire pour attirer l'attention. Elle n'avait pourtant rien d'une femme fatale… et ne cherchait pas à séduire — au contraire : elle se dissimulait sous des vêtements trop larges.

Mais Chris n'était pas dupe : elle dégageait une sensualité troublante, dont elle n'avait peut-être pas conscience. Et cette sensualité avait éveillé celle de Dare. De son côté, elle avait succombé à sa beauté si masculine, et ne cessait de l'observer avec intensité.

Chris ne put s'empêcher de sourire.

Elle était décidément charmante, avec cette manie de refuser qu'on s'occupe d'elle… Mais elle était là. Et bien là.

Et Dare avait complètement craqué pour elle.

Chris dut reconnaître qu'il avait du goût. Molly avait un charme fou. Lui aussi aimait bien sa façon de se mordiller les lèvres quand elle était gênée, ou de baisser les yeux, ce qui attirait l'attention sur ses longs cils. Les mouvements de ses mains quand elle parlait. La gratitude qu'elle manifestait à leur égard, sa capacité d'adaptation, aussi. En dépit de ce qu'elle venait de traverser, elle ne cherchait pas à exciter la pitié. Elle n'avait pas l'air perdue, ni même secouée.

Du moins, si elle l'était, ce n'était pas avec lui qu'elle l'exprimait.

Elle avait tout de même dormi dans le lit de Dare, probablement parce qu'elle lui avait avoué qu'elle ne voulait pas rester seule dans sa chambre.

Et ces deux-là n'avaient même pas fait l'amour ! Incroyable. Chris connaissait bien Dare. Il ne s'expliquait pas cette bizarrerie.

Pour en revenir à Molly, elle l'évitait depuis ce matin. De peur de le gêner, sans doute. Quelle idée ! Elle ne le gênait pas du tout : il l'avait à peine vue au petit déjeuner, puis elle était sortie se promener. Elle avait déclaré qu'elle voulait profiter du beau temps pour visiter les alentours de la maison.

Elle était restée dehors un long moment. Il lui avait fait promettre de ne pas quitter le périmètre clôturé et elle avait obéi — il le savait pour l'avoir surveillée sur les écrans de contrôle. La propriété était vaste, mais elle n'avait pas hésité à s'aventurer jusque dans le bois. Il en avait conclu qu'elle aimait le contact avec la nature et qu'elle appréciait la solitude.

Il comprenait qu'elle ait éprouvé le besoin de respirer au grand air, surtout après neuf jours de séquestration, mais la plupart des femmes n'auraient pas tenu plus de dix minutes.

Ensuite, elle avait joué avec les chiennes : après une partie de Frisbee, elle avait grimpé, puis dévalé la colline avec elles au pas de course. Quand Sargie l'avait bousculée, elle était restée assise, dans la boue et les feuilles, en riant aux éclats.

Apparemment, elle aimait les *filles* de Dare. Et ce dernier ne l'en aimerait que davantage… Pauvre gars ! Il n'en avait pas encore conscience, mais il était pris au piège.

Un peu plus tard dans la journée, elle était venue lui

réclamer une brosse. Elle avait sorti les *filles* sur la terrasse, pour brosser d'abord Sargie, puis Tai. Elles adoraient ça et avaient accepté cette attention avec reconnaissance.

Depuis elle était toujours sur la terrasse. Chris jetait de temps en temps un coup d'œil à l'écran de contrôle pour s'assurer que tout allait bien. Elle ne bougeait pas. Elle se remplissait de la sérénité de la nature.

Lui aussi s'était souvent installé là, subjugué par la beauté du lac quand le soleil s'y reflétait en longs rubans, avant de plonger lentement vers l'ouest, derrière les collines, dans un halo écarlate qui virait lentement au doré, puis au gris, jusqu'à ce que tout devienne sombre et glacé.

Comme il surveillait ses mouvements, elle ne le surprit pas quand elle entra dans la bibliothèque.

— Chris?

— Oui?

Il accomplissait l'une de ses dernières tâches de la journée qui consistait à recharger en papier les diverses imprimantes de la maison. Il leva les yeux vers elle. Avec ses cheveux dérangés par le vent et ses joues roses, elle était tout simplement craquante.

— Vous avez bien profité de l'air pur? demanda-t-il.

Elle eut un sourire qui acheva de le faire fondre.

— Je n'imaginais pas que la proximité d'un lac pouvait procurer une telle sensation de...

— De détente?

Elle acquiesça.

— Les bruits, les odeurs... Ce silence incroyable... Ça vous vide de toutes vos tensions.

Chris rangea le papier dans un tiroir et se dirigea vers elle.

— Content que vous ayez apprécié, dit-il.

Elle croisa les bras autour d'elle.

— Oui, mais j'ai un peu froid, maintenant. Je voudrais prendre un bain pour me réchauffer.

Elle se mordit la lèvre.

— Est-ce que... je pourrais utiliser la baignoire? Je veux

dire le Jacuzzi de la chambre de Dare ? Est-ce que vous croyez que ça le dérang…

— Bien sûr que non, ça ne le dérangerait pas, coupa Chris. Dare serait au contraire ravi de savoir qu'elle prenait enfin ses aises.

— Vous savez où se trouvent le bain moussant et les serviettes ?

— Dare m'a montré tout ça, oui…

Elle hésita.

— Vous avez peut-être besoin d'aide ? Je peux vous donner un coup de main avant de prendre mon bain. Je ne voudrais pas passer pour une paresseuse et…

Il l'interrompit en la poussant vers la chambre de Dare.

— Détendez-vous. Quand vous aurez fini, venez manger.

Dare lui passerait un savon s'il jugeait qu'elle ne s'était pas suffisamment alimentée.

— Entendu, merci.

Elle disparut, les chiens sur ses talons.

Quelques minutes plus tard, Chris entendit le ronron du Jacuzzi. Dare serait devenu fou rien qu'à l'imaginer là-dedans, en train de se prélasser au milieu des bulles !

Chris secoua la tête et entreprit de faire le tour de la maison, comme chaque jour à cette heure-ci. Il vérifia une dernière fois les écrans de contrôle, puis les messages sur le répondeur et sur la boîte email de Dare — son rôle étant de les trier, de répondre quand il le pouvait, et de laisser à Dare ceux qui nécessitaient une réponse personnelle.

Près d'une heure plus tard, alors qu'il commençait à se demander si Molly ne s'était pas endormie dans l'eau, le moteur du Jacuzzi se tut. Il s'arrêta pour tendre l'oreille. Un coup d'œil à la pendule lui apprit qu'il était plus de 20 heures.

Elle ne tarda pas à se montrer dans la cuisine, où il était occupé à dresser la liste des courses pour le lendemain — produits d'entretien compris. Une équipe de nettoyage passait une fois par mois dans la maison, mais entre les deux, il se chargeait du ménage.

Tai et Sargie continuaient à suivre Molly pas à pas et il en resta perplexe. D'habitude, en l'absence de Dare, c'était lui qu'elles ne lâchaient pas d'une semelle. Elles étaient plutôt sociables, certes, mais Molly avait vraiment fait leur conquête. Elle avait négligemment relevé ses cheveux humides et les quelques mèches souples qui retombaient autour de ses oreilles ne dissimulaient pas ses pommettes hautes, son menton fin, l'élégance naturelle de ses traits. Mais ce dénuement mettait aussi en évidence les traces de mauvais traitements qui marquaient encore sa peau.

Il soupira à l'idée de ce qu'elle avait subi.

— Ce bain vous a fait du bien ? demanda-t-il.

— Beaucoup de bien, merci. Je crois que je vais investir dans un Jacuzzi. C'était merveilleux.

Elle alla se poster près d'une chaise, mais resta debout. Les chiennes l'ayant suivie, elle s'agenouilla pour les caresser... et se retrouva vite sur les fesses.

Elle éclata de rire. Sargie en profita pour s'installer sur ses genoux.

— Vous croyez que Dare sera mécontent que j'aie emprunté l'un de ses sweat à capuche ?

Elle remonta la fermeture Eclair du sweat en question.

— Non, il ne dira rien.

Chris s'en voulut ne pas avoir pensé à lui proposer des vêtements chauds. Pour deux hommes, la maison était suffisamment chauffée, mais les femmes étaient souvent plus frileuses.

— Je n'ai pas fouillé dans son armoire, se défendit-elle. Il était accroché à une patère.

— Aucun problème, je vous assure.

Cette femme avait vraiment besoin de vêtements. Avec un peu de chance, sa commande arriverait le lendemain. Ensuite Dare l'emmènerait chez elle, où l'attendait sa garde-robe habituelle.

— Vous avez faim ?

Elle prit le temps de réfléchir avant d'acquiescer.

— Un peu. Est-ce que je pourrais me préparer un truc vite fait ? Je nettoierai tout, promis.

— Je ne me fais aucun souci, protesta Chris.

Pour qui le prenait-elle ? C'était Dare, le maniaque de la propreté. Pas lui.

— Qu'est-ce qui vous ferait plaisir ?

— Si vous aviez de la gelée et du beurre de cacahuètes, ce serait parfait.

Ce choix le surprit.

— J'en ai, bien sûr. Mais vous ne voudriez pas quelque chose de plus consistant ? Oubliez les sarcasmes de Dare. Je suis capable de cuisiner. Je vous assure.

Elle secoua la tête et se tortilla pour échapper à Sargie. Elle prit le temps de caresser Tai, puis se leva pour se servir.

— Pas la peine. Vous n'imaginez pas à quel point j'ai été frustrée de ne pas pouvoir manger sur le pouce un bol de céréales, du beurre de cacahuètes, de la gelée, de la glace... J'en ai toujours chez moi, parce que le hamburger-frites ou la pizza, c'est pas trop mon truc !

— Dare non plus n'est pas trop hamburgers et pizzas. Je dois me mettre à genoux pour qu'il accepte que je commande une pizza de temps en temps.

Il jeta un coup d'œil à la pendule.

— Il ne devrait pas tarder à rentrer, dit-il.

Du moins l'espérait-il. Et elle dut le lire sur son visage.

— Vous n'êtes pas obligé de vous occuper de moi, assura-t-elle avec un petit sourire en coin. Je sais que vous avez votre pavillon près du lac, et que si je n'étais pas là, vous vous seriez déjà retiré chez vous. Je me trompe ?

Elle ne se trompait pas, mais il n'avait pas l'intention de le lui dire.

— J'ai encore à faire ici, mentit-il.

Il vit à son expression dubitative qu'elle ne le croyait pas.

— Vous m'avez surveillée toute la journée, fit-elle remarquer.

Avait-elle remarqué les caméras dissimulées dans la propriété ?

— Qu'est-ce qui vous fait dire ça ? s'enquit-il.

— Je ne sais pas. Une impression.

Elle possédait donc un sixième sens. Encore un point commun avec Dare.

— Je surveille tout ici, admit-il. Y compris l'extérieur. Et il se trouve que vous étiez dans le paysage.

— Vous craignez quelque chose ? Des ennuis ? Des intrus ?

— Non. Pas plus que d'habitude. Je suis prudent parce que Dare me le demande.

Elle ne fit aucun commentaire, mais il comprit qu'elle enregistrait l'information. Elle mangea en silence, puis rangea tout.

— Est-ce que je peux utiliser l'un de vos ordinateurs ? demanda-t-elle.

— Euh…

Dare avait interdit qu'elle consulte ses comptes ou sa messagerie en ligne.

Elle croisa solennellement ses mains sur son cœur.

— Je vous promets de ne pas transgresser les ordres, dit-elle. Au cours de ma promenade, il m'est venu une idée intéressante pour mon roman en cours et j'aimerais bien la rédiger pendant que c'est encore tout frais.

Elle soupira.

— Ça fait dix jours que je n'ai pas écrit une ligne… et ça m'angoisse un peu.

— Pas de problème. Je viens de remettre du papier dans l'imprimante. Vous pourrez imprimer votre texte, si vous voulez.

— Je préférerais le sauvegarder sur un disque dur ou une clé USB. Je vous les paierai, bien sûr. Ce sera plus facile pour moi si je veux ensuite modifier quelque chose.

Chris acquiesça.

— Je dois avoir ça dans la bibliothèque.

Il sortit de la cuisine, et elle lui emboîta le pas.

— Vous pouvez prendre l'ordinateur de la chambre de Dare, proposa-t-il.

Puis il songea qu'elle n'avait peut-être pas envie de rester seule dans une chambre et se hâta d'ajouter :

— Ou celui de la bibliothèque. Peu importe, vraiment.

— J'aimerais mieux être à l'étage, dit-elle en fronçant le nez. J'ai besoin de m'isoler pour écrire.

Dommage... Il aurait bien aimé lire par-dessus son épaule, l'air de rien, en passant. Observer un écrivain en pleine création, ce devait être intéressant.

Chris trouva une clé USB dans la bibliothèque et la lui tendit.

— Voilà.

— Merci.

Elle glissa la clé dans la poche de son sweat-shirt, en jonglant avec le plateau sur lequel elle avait posé son verre de lait et son sandwich. Puis elle regarda Chris droit dans les yeux.

— Je serai occupée ce soir. Vous n'avez vraiment pas besoin de rester ici, sauf si vous en avez envie, bien entendu. Mais ne changez pas vos habitudes pour moi, d'accord ? Je déteste être un poids.

Lui rétorquer qu'elle n'était pas un poids n'aurait pas modifié sa vision de la situation. Aussi Chris préféra-t-il changer de sujet.

— Vous comptez sortir dans le jardin cette nuit ? demanda-t-il.

— Je ne sais pas. Pourquoi ? C'est interdit ?

— Non...

Bon sang ! Elle ne tenait pas en place. Il espéra qu'elle ne prévoyait pas de faire de nouveau le tour de la propriété.

— Vous êtes en sécurité tant que vous ne vous éloignez pas de la maison et que vous restez dans les endroits bien éclairés. Mais je préfère tout de même savoir où vous êtes et ce que vous faites.

Elle haussa une épaule.

— J'aimerais bien me promener sur le ponton, au bord du lac. Le changement d'ambiance m'inspire et l'air frais me réveille le cerveau. Est-ce que ça vous ennuie ?

Le ponton se trouvait tout près de son pavillon et sous surveillance vidéo. Chris se sentit soulagé.

— C'est parfait. Soyez prudente.

Puis, pour la taquiner, il ajouta :

— Il ne faudrait pas que vous tombiez dans l'eau.

Comme il sortait de la pièce, les chiennes le suivirent. Il s'arrêta net et éclata de rire.

— Ces dames ont envie de sortir, apparemment !

Il jeta un regard à Molly.

— Ça ne vous dérange pas de rester seule ?

Elle secoua la tête.

— J'ai l'habitude.

Pour une raison inexplicable, cette réponse toute simple émut Chris aux larmes.

Dans le silence de cette grande demeure vide, Molly parvint à écrire la scène qu'elle avait en tête avant que l'inspiration ne s'envole et que la réalité ne reprenne ses droits. Absorbée par son travail, elle ne vit pas filer le temps. Quand elle consulta le réveil de la table de nuit, elle constata avec surprise qu'il était déjà 22 heures.

Elle sauvegarda son fichier et rangea la clé avec ses maigres effets. Au cours de la soirée, elle s'était interrompue quelques minutes pour faire honneur au plateau que Chris lui avait apporté, puis pour le remettre dans la cuisine, mais elle n'avait pas remarqué à quel point le silence s'était emparé de la maison.

A présent elle entendait le moindre craquement. Amplifié par l'angoisse.

Les bras noués autour de ses épaules, elle avança jusqu'à la porte-fenêtre pour regarder au-dehors. Une légère migraine battait à ses tempes. Elle défit le chignon qu'elle avait fait tenir avec des pinces à papier trouvées dans le tiroir du bureau. Evidemment, dans un lieu habité par deux hommes aux cheveux courts, il ne traînait ni élastiques ni épingles à cheveux.

Elle secoua la tête pour libérer sa crinière et se massa doucement les tempes. Mais la pression continua à monter.

Tout à l'heure, la marche lui avait fait du bien. Ensuite, il y avait eu ce délicieux bain chaud. Puis elle avait écrit. Mais là... Que faire pour surmonter son angoisse ?

Elle espéra que Dare rentrerait bientôt et qu'elle n'aurait pas à passer la nuit seule.

Elle contempla son lit d'un air désolé et fut secouée d'un frisson à l'idée de s'y allonger, avec ses affreux souvenirs pour uniques compagnons.

Puis elle tenta de se raisonner. Elle n'allait tout de même pas s'imposer tous les soirs dans le lit de Dare ! Il lui avait demandé de se manifester chaque fois qu'elle en ressentirait le besoin, mais elle n'avait pas l'intention d'abuser de sa gentillesse.

D'un autre côté, elle ne se sentait pas capable de dormir seule, et elle n'avait personne d'autre que lui vers qui se tourner.

Tout en arpentant la chambre, elle remarqua les ombres projetées par la lueur de l'écran de l'ordinateur et par la pleine lune au-dehors. Le silence était écrasant. Il faisait froid. Elle avait l'impression que les murs se refermaient sur elle.

Elle tenta de lutter. En vain. L'angoisse gagnait peu à peu du terrain. Insidieuse et dévorante.

Elle inspira longuement... une fois. Deux fois. Rien à faire. Elle devait sortir de cette chambre avant de perdre tout contrôle d'elle-même.

Elle attrapa la couette du lit, descendit l'escalier, sortit de la maison.

Elle fut frappée par la beauté du ciel : des milliers d'étoiles scintillaient autour d'une lune ronde aux reflets d'opale. Ce spectacle et l'air frais de la nuit la calmèrent presque aussitôt.

Dare rentrerait cette nuit. S'il ne rentrait pas, elle passerait la nuit dehors. L'immensité du ciel au-dessus d'elle la libérait des souvenirs de cette caravane exiguë qui puait la crasse, la peur et le désespoir.

Cette caravane où on l'avait enchaînée comme un chien.

Terrorisée.

Maltraitée.

Tout en veillant à ne pas trop l'abîmer. En attendant des ordres.

Mais lesquels? Et de qui?

Quand elle descendit le perron, les lampes du chemin menant au quai s'allumèrent. Elle entendit le doux ressac des eaux du lac contre les rochers de la rive, le bruissement des feuilles, le chant des chouettes et des insectes nocturnes. Elle n'avait pas peur. Ici, c'était la vie. Celle de la nuit, mystérieuse et inquiétante. Mais la vie tout de même. Une vie normale.

A la gauche du chemin, se trouvait le petit pavillon blanc habité par Chris. Les grandes fenêtres de la façade étaient ornées de rideaux, mais la lumière brillait à l'intérieur. Le jeune homme ne dormait pas. Elle n'en fut pas surprise. Il ne se coucherait pas tant que son patron ne serait pas rentré. Il se sentait responsable de sa sécurité.

Tout comme Dare.

Cette situation avait assez duré. Elle voulait se prendre en charge. Comme elle l'avait toujours fait.

Les feuilles qui jonchaient le chemin craquèrent sous ses pieds. Le vent la fit frissonner, mais elle l'accueillit avec reconnaissance. Elle était en vie. Elle avait cru mourir dans cette caravane sordide où il régnait une chaleur d'enfer. Le froid lui rappelait que ses bourreaux n'avaient pas gagné.

Elle avait tenu bon. Jusqu'à ce que Dare la sorte de là.

Le ponton grinça quand elle y posa le pied. Elle avança dans l'ombre projetée par les murs du hangar à bateaux, lequel l'abritait aussi du vent.

La surface frémissante du lac était si belle sous la lune, si captivante, qu'elle en oublia son angoisse. Elle s'installa sur le ponton, assise, les genoux contre la poitrine, et s'enveloppa dans la couette.

Elle resta ainsi un long moment, laissant vagabonder ses pensées entre le présent et le futur. Elle songea à Dare, à tout ce qu'elle lui devait, et surtout, à l'homme qu'il était. Un homme inhabituel, qui la troublait profondément.

Elle ne put s'empêcher de le comparer à Adrian et se sentit ridicule, tant ils étaient différents l'un de l'autre. Maintenant qu'elle connaissait Dare, son ancien fiancé lui faisait l'effet d'un être inconsistant, mou, sans honneur ni courage.

Et dépourvu de toute sensualité.

La sensualité… Auprès de Dare, elle comprenait le sens de ce mot pour la première fois. Elle se sentait devenir femme.

Elle l'avait rencontré dans des circonstances particulières, certes. Mais cela n'avait rien à voir avec ce qu'elle ressentait pour lui. Elle n'était pas attirée par lui parce qu'elle avait souffert ou parce qu'il l'avait sauvée.

Si elle l'avait croisé ailleurs, dans l'Ohio, par exemple, un jour de signature, elle l'aurait remarqué. Elle voulait le croire, du moins.

Elle entendit un bruit de moteur et se retourna. Des phares brillaient dans l'allée qui menait à la maison.

C'était Dare, bien sûr. Un immense soulagement la submergea. Elle fut tentée de se lever pour aller à sa rencontre, puis se ravisa. Elle n'était pas prête.

Elle voulait encore profiter de cet instant magique au bord du lac, sous le ciel, enveloppée dans sa couette. Elle se sentait si calme, si sereine ! Pour la première fois depuis des jours, elle parvenait à mettre un peu d'ordre dans ses idées.

Elle songea de nouveau à ses ravisseurs, puis à Dare qui l'aidait à se détacher de ce qu'elle avait vécu.

Ces hommes l'avaient malmenée ; Dare l'avait soignée, hydratée, alimentée.

Ils l'avaient torturée psychologiquement ; Dare la rassurait.

Ils l'avaient méprisée ; Dare la traitait avec respect.

Il agissait sur elle comme un antidote. Sa présence neutralisait ses peurs et ses angoisses.

Il apaisait son âme tout en éveillant ses sens. Elle avait déjà compris qu'elle avait besoin de lui — et pas uniquement pour être rassurée. Dormir dans son lit lui procurait un merveilleux sentiment de sécurité, certes… mais aussi un désir si intense qu'il en devenait presque douloureux.

Ce soir, elle allait le lui montrer.

A condition qu'il se rende jusqu'au lac.

Elle ne doutait pas qu'il saurait où la trouver s'il souhaitait la voir. Mais peut-être irait-il directement dans sa chambre? Non.

Il commencerait par venir lui parler. Elle en était sûre. Et décida de l'attendre.

Les étoiles se reflétaient dans le lac comme des milliers de petits diamants. Le ressac apaisant des vagues contre la rive l'avait calmée tout à l'heure, mais à présent, il exacerbait ses sens. Elle se concentra sur la brise qui rafraîchissait son visage.

Et tendit l'oreille pour guetter Dare.

Son cœur se mit à battre la chamade. Quelque part, au milieu des eaux, un poisson sauta. A sa gauche, dans la petite crique entre son ponton et celui qui partait de la maison de Chris, une grenouille coassa.

Quand elle entendit enfin approcher son hôte, elle ferma les yeux. Le ponton tremblait à chacun de ses pas.

— Molly?

Elle inclina la tête de côté, tout en se tournant légèrement.

— Bonsoir, murmura-t-elle d'un ton rauque.

Il vint s'accroupir près d'elle.

— J'espère que je ne vous ai pas fait peur.

— Non, j'avais entendu la voiture.

Il tendit le bras pour lui caresser les cheveux.

— Chris est déjà couché, fit-il remarquer.

Elle constata que le pavillon n'était plus éclairé, en effet.

— Je crois qu'il vous attendait.

Elle se recroquevilla sous sa couette.

— Il se sentait responsable de moi… Ça me gêne, vous savez.

Dare s'installa près d'elle, face au lac, avant de se décider à répondre.

— Vous traversez des moments pénibles et n'importe quel homme se sentirait responsable de vous. De plus, Chris est payé pour faire ce que je lui demande, et je lui avais demandé de veiller sur vous.

Décidément, ces deux-là ne cessaient de mettre en avant leurs instincts protecteurs ! Elle en fut vaguement amusée.

— Peut-être. Mais il ne le fait pas seulement parce que c'est son travail.

Elle appuya son menton sur l'un de ses genoux.

— C'est un homme bon. Ce sont des choses que je sens, à présent, ajouta-t-elle en lui jetant un regard en coin.

Il lui caressa la joue du bout des doigts.

— Vous êtes glacée.

Elle secoua la tête.

— C'est si beau ! murmura-t-elle, comme pour justifier sa présence dehors à cette heure tardive.

Il glissa la main sous ses cheveux pour lui saisir la nuque.

— C'est aussi mon avis, dit-il.

Il l'attira à lui, pour qu'elle profite de sa chaleur.

— Nous sommes tous les deux inquiets à votre sujet, Molly, reprit-il. Aucune femme ne devrait avoir à subir ce que vous avez subi, et il est normal que vous ayez du mal à reprendre le dessus. Chris et moi, nous voulons simplement être certains que vous allez aussi bien que vous le prétendez.

Elle ferma les yeux, se mordilla les lèvres, tenta de trouver les mots pour exprimer ce qu'elle ressentait. Le pouce de Dare qui lui caressait doucement la nuque l'encourageait à poursuivre et l'aidait à se concentrer.

— J'aime vos mains, Dare.

Il se figea, méfiant.

— Mes mains ?

— Avant… Avant tout ça, je n'avais jamais réfléchi au bien-être que pouvaient procurer des mains d'homme.

Elle tendit le bras pour saisir son autre main, qu'elle prit dans les siennes.

— Elles sont si grandes, si pleines de force. Surtout à côté des miennes.

— C'est vrai, concéda-t-il.

Elle avait la gorge nouée.

— Elles peuvent faire aisément beaucoup de mal.

Elle posa sa paume à plat contre celle de Dare, pour comparer leur taille. Sa main à elle paraissait minuscule. Fragile. Dare entrelaça ses doigts aux siens.

— Elles peuvent aussi protéger, corrigea-t-il.

— Je sais, murmura-t-elle en levant les yeux vers lui.

La lune argentée soulignait ses traits et la dureté de son visage anguleux. Dans la pénombre, son regard bleu demeurait insondable, mais sensuel. Follement attirant.

— Je le sais et j'aime quand elles m'effleurent avec douceur et compassion.

— Molly…

Visiblement ému, il appuya son front contre le sien.

— Vous m'offrez une vision différente des hommes et du monde au moment où j'en ai le plus besoin, poursuivit-elle. Si vous n'étiez pas venu me sortir de cette caravane…

— Chut, ordonna-t-il en la serrant un peu plus contre lui. Je suis venu, c'est tout ce qui compte.

Elle secoua la tête. Elle voulait aller jusqu'au bout de sa pensée. Pour qu'il comprenne.

— C'était un peu plus difficile chaque jour, parce que je m'affaiblissais physiquement et psychologiquement. Je ne sais pas si j'aurais supporté leur traitement encore longtemps. Sans vous, je ne serais peut-être plus en vie.

Il lissa une longue mèche de ses beaux cheveux et la cala derrière son oreille, d'une main tremblante.

— Je suis content de vous avoir secourue, dit-il.

Il ne pouvait pas lui promettre qu'il ne lui arriverait plus jamais rien de grave, parce qu'il ne serait pas toujours près d'elle. Il ne pourrait pas la protéger indéfiniment. Il fallait qu'elle reprenne le contrôle de sa vie. Qu'elle apprenne à maîtriser sa peur.

— Ces hommes… Ils voulaient me terroriser.

— Je sais, dit-il en lui embrassant le front.

— Parfois, quand je suis seule, je ne peux pas m'empêcher de revivre ce que...

— Molly, coupa-t-il sur un ton de reproche.

Elle poussa un long soupir.

— Ils me faisaient mal. Mais la peur était bien pire que la douleur. Il y en avait un qui commençait, ça faisait rire les autres, qui venaient s'en mêler.

Elle avala sa salive.

— Je me demandais jusqu'où ils iraient.

— Si je pouvais, je les tuerais de nouveau.

Elle s'agrippa à sa chemise.

— Et puis, je pensais aux autres femmes, qui assistaient au spectacle sans pouvoir rien faire. Pour elles aussi, ce devait être affreux.

— Vous étiez à leur merci. C'est une sensation qui ne s'oublie pas facilement, avança-t-il.

— Je me disais que j'aurais peur des hommes pour toujours. Mais quand j'ai ouvert les yeux et que je vous ai vu...

— Vous m'avez balancé votre pied dans la figure, lui rappela-t-il.

Elle esquissa un sourire.

— C'est vrai, mais vous m'avez rassurée, et je me suis très vite sentie en sécurité. Je ne cessais de vous remercier intérieurement.

Des larmes lui brûlèrent les yeux, mais elle battit des paupières pour les chasser. L'heure n'était pas aux lamentations. Elle voulait avancer. Surmonter ce traumatisme.

Dare la prit par le menton.

— Vous avez fait preuve de courage et d'intelligence. Je vous admire, Molly. J'espère que vous en avez conscience.

Il l'admirait pour son courage et son intelligence ? Elle était ravie de l'apprendre. Mais ça ne lui suffisait pas. Elle voulait plus — beaucoup plus.

— Est-ce que vous feriez quelque chose pour moi, Dare ? demanda-t-elle tout en prenant sa main pour la poser sur sa poitrine.

Il se figea. Quelques secondes s'écoulèrent dans le silence.

— Je vous écoute, murmura-t-il d'une voix rauque.

Le poids de sa large main sur son sein la faisait trembler.

— J'ai besoin de me sentir vivante, confia-t-elle d'une voix frémissante. Je veux être moi-même. Redevenir celle que j'étais avant d'aller à Tijuana.

Elle sentit qu'il hésitait, et ne lui en voulut pas. Il avait des scrupules à profiter de la situation et c'était tout à son honneur.

— Je sais ce que je veux, Dare, je vous assure, insista-t-elle.

Elle posa sa main sur la sienne, la pressant contre son sein.

— Je veux de bons souvenirs pour chasser les mauvais.

Comme il ne répondait toujours pas, elle leva son visage vers lui.

— Je veux le faire maintenant, murmura-t-elle. Avec vous.

11

Peu à peu, Dare se détendit. La main qu'il pressait sur sa poitrine se referma lentement pour accepter ce qu'elle lui offrait. Elle entendit son souffle s'accélérer, et se sentit gagnée par la chaleur qui émanait de son corps puissant.

— Ces hommes ont posé leurs mains sur toi ? demanda-t-il d'un ton bas et rauque.

Elle se souvint des humiliations, de la nausée, de la peur. Elle acquiesça.

— Oui...

— A cet endroit ? insista Dare en effleurant du pouce le bout de son téton.

Déjà, ils haletaient tous les deux.

— Oui.

Seigneur... Il l'empêchait de réfléchir, avec ses caresses ! Mais elle ne lui demanda pas de cesser.

— Oui, mais... pas comme toi, reprit-elle.

— Ils cherchaient à te faire mal ?

Articuler étant désormais au-dessus de ses forces, elle fit simplement signe que oui.

Il déposa une série de petits baisers sur sa tempe, sa joue, l'arête de son nez, puis sur ses lèvres, qu'elle avait entrouvertes, mais sans vraiment l'embrasser, la laissant affamée. Comme elle poussait un gémissement, il lui mordilla les lèvres avant de consentir — enfin ! — à unir sa bouche à la sienne pour lui offrir un vrai baiser, profond et ardent.

Pendant tout ce temps, sa main n'avait cessé de jouer avec le bout de son sein. Même à travers le tissu de l'épais sweat-shirt qu'elle lui avait emprunté, ce contact était à peine supportable, incroyablement envoûtant.

Elle le prit par la nuque pour l'attirer vers elle. Déjà, elle n'avait plus qu'un désir : se fondre en lui.

Il s'écarta légèrement.

— Je crois que ce ne serait pas raisonnable, murmura-t-il. Je ne veux pas.

— Mais si !

Elle le désirait tant qu'elle était prête à le supplier s'il le fallait.

Il sourit.

— C'est juste que... je voudrais faire les choses correctement.

Qu'entendait-il par là ?

Elle vit briller ses yeux dans la pénombre, et y lut une résolution nouvelle.

— Si tu te sens gagnée par la panique, dis-le-moi.

— Avec toi, je ne paniquerai pas, assura-t-elle.

Il la libéra de la couette qui l'enveloppait et l'étala derrière elle.

L'air était glacial, mais elle n'avait pas froid. Pas du tout.

Il la fit s'allonger sur le dos et se pencha. Avec une simple couette en guise de matelas, les planches du ponton auraient dû lui paraître dures et inconfortables, mais tout son être était concentré sur Dare, sur son souffle chaud au-dessus d'elle, sur ses caresses précautionneuses. Elle leva les yeux vers le velours noir et constellé d'étoiles du ciel, vers la lune ronde. Et elle comprit.

Elle était en train de tomber amoureuse de lui. Et lui ? Il la désirait, manifestement. Et la prenait en pitié, sans doute.

Elle décida de ne pas s'attarder sur ces suppositions. Elle avait besoin de lui. Rien d'autre ne comptait.

Dare contemplait Molly, si confiante, si vulnérable qu'il en était bouleversé. Il s'était juré de ne pas la toucher, mais jamais il n'aurait pensé qu'elle s'offrirait ainsi à lui. Il n'avait pas le cœur de la repousser.

Durant le trajet qui le ramenait chez lui, il n'avait cessé de songer à l'enfance de Molly. Elle avait perdu sa mère prématurément, et son père était un salaud de la pire espèce. Grandir auprès de Bishop Alexander avait dû être un exercice d'endurance. Ce type était du genre à détruire ceux qui l'entouraient par son indifférence et ses exigences.

Dare en savait davantage sur son compte, maintenant que Trace lui avait montré les photos qu'il avait pêchées sur internet. Des photos qui prouvaient que Bishop Alexander fréquentait des gens peu recommandables. Et parfaitement à même d'organiser l'enlèvement de sa fille. Si c'était bien lui qui l'avait planifié.

L'une des photos que Dare avait trouvées montrait Bishop et sa femme à une réception huppée, au milieu de couples en tenue de soirée. Mais Trace avait identifié quelques visages, notamment ceux d'Ed Warwick et de Mark Sagan. Il avait donc poussé plus avant ses recherches, pour tenter de comprendre la nature du lien qui unissait Bishop à ces deux hommes.

Quelques années plus tôt, lors d'une collecte de fonds pour une campagne politique, Bishop s'était aligné sur les positions d'Ed Warwick, un militaire à la retraite qui occupait un poste à l'immigration. Officiellement, ces deux-là avaient uniquement combiné leurs efforts pour soutenir un sénateur. Plus tard, Warwick avait été accusé d'avoir touché des pots-de-vin pour avoir inscrit frauduleusement sur les listes électorales des étrangers qui n'avaient pas le droit de vote. Pour sa défense, Warwick avait engagé Mark Sagan, un avocat de renom qui coûtait fort cher. Et dont les opinions racistes ne faisaient aucun doute : il avait plusieurs fois fait état de ses positions séparatistes proches de celles du Ku Klux Klan. Il était soupçonné de certaines exactions, mais on n'avait jamais rien pu prouver contre lui. Sagan était le genre de type que Dare haïssait : lisse et suave à l'extérieur, haineux à l'intérieur.

Peu après que Warwick eut engagé Sagan, l'un des témoins

à charge contre lui était mort dans un accident de voiture et deux autres étaient revenus sur leurs déclarations. Warwick n'avait pas été totalement innocenté, mais l'absence de preuves avait empêché le procès. Bishop et Warwick avaient fêté ça en privé. Depuis, Sagan était leur avocat attitré.

Dare en avait conclu que Warwick connaissait des gens susceptibles de faire passer la frontière à Molly et que Sagan avait pu payer quelques gros bras prêts à se charger de la mission.

Bishop avait donc les contacts pour assurer l'enlèvement de sa fille et il était suffisamment dénué de scrupules pour le mettre en œuvre.

Mais son mobile?

Tout en caressant les cheveux de Molly, Dare réfléchissait. Il ne voyait pas pourquoi un père aurait voulu faire souffrir sa fille à ce point. Il ne pouvait pas l'accuser sans preuves.

Le pire restait donc à venir pour elle : affronter l'inconnu. Ne pas savoir.

De son côté, il ne pouvait pas la ramener chez elle et la laisser seule tant qu'elle ne serait pas hors de danger. Et il ne souhaitait pas qu'elle se donne à lui tant qu'elle avait besoin de sa protection.

Il prit enfin une décision. Il allait offrir à Molly ce qu'elle réclamait, parce qu'elle avait besoin de reprendre goût à la vie, de sentir que son cauchemar faisait désormais partie du passé. Il l'avait compris en la trouvant sur ce ponton, à moitié gelée et folle de désir pour lui.

— Tu as froid?

Elle s'agrippait toujours désespérément à lui, se pressant contre son torse.

— Non, je n'ai pas froid, assura-t-elle en enfonçant ses ongles dans son avant-bras. Dare, je veux…

— Chut… J'ai compris.

Il défit la fermeture Eclair du sweat-shirt.

— Détends-toi.

Quand il frôla ses seins à travers le fin tissu du T-shirt, un gémissement plaintif s'échappa de ses lèvres entrouvertes, comme si elle attendait cet instant depuis toujours.

— Tu en crèves d'envie, n'est-ce pas ?

Elle acquiesça en s'humectant les lèvres.

— C'est le moins qu'on puisse dire.

Mais ce besoin immodéré d'être caressée venait aussi du désir d'effacer de son corps le souvenir des coups qu'elle avait reçus. Il se promit de ne pas l'oublier. Il n'abuserait pas de sa faiblesse. Il donnerait, sans prendre. Une véritable torture.

Il effleura du bout des lèvres l'ecchymose de sa joue.

— Ici, aussi, ils t'ont frappée ?

Elle ne répondit pas, mais sa respiration devint sifflante.

— Et ici ?

Il descendit le long de sa gorge, en s'arrêtant pour lécher un bleu, mordiller une marque de doigt. Il faisait sombre, mais de mémoire, il savait où trouver les traces laissées par les salauds de la caravane sur sa peau si délicate.

— Mes… Mes côtes, murmura-t-elle pour l'encourager à poursuivre.

Il ne put s'empêcher de sourire.

Débordant de tendresse, il lui ôta son T-shirt.

— Tu veux dire, là ? murmura-t-il.

Il pressa sa bouche entrouverte sur ses côtes, mais son menton touchait ses seins, comme par mégarde.

— Dare, gémit-elle en enfouissant ses doigts dans ses cheveux et en se cambrant légèrement.

Il sentit à la manière dont elle l'empoignait que son désir avait grimpé d'un cran. Elle était prête. Un coup d'œil à sa poitrine, dure et dressée, le lui confirma.

Seigneur…

Il la saisit par les épaules et entreprit de taquiner un sein, puis l'autre, du bout de la langue. Elle laissa échapper un gémissement, tout en relevant les genoux et en se tournant vers lui. Il tenta de l'immobiliser, pour ralentir un peu le processus.

Aujourd'hui, tout le plaisir serait pour elle, mais il entendait faire durer le spectacle pour en profiter.

Elle attrapa l'un de ses poignets pour guider sa main vers son ventre.

Il résista. Molly n'avait cessé de lui répéter qu'elle n'avait pas été violée, mais, de nouveau, le doute l'assaillait.

— Ici, ils ne m'ont pas touchée, assura-t-elle comme si elle avait lu dans ses pensées. Ils m'ont menacée de le faire et ils ont tenté des gestes déplacés, mais ils ne sont pas allés plus loin.

Il posa lentement sa main sur le doux renflement si féminin de son ventre.

— Ici, tu es une femme et tu me désires, c'est ça ?

— Oui.

Il embrassa de nouveau ses seins.

— Et tu veux déjà, tout de suite ?

Puis d'un ton angoissé, il ajouta.

— Tu en es sûre, Molly ? Nous avons toute la nuit. Inutile de se presser.

— Ne me fais pas attendre, supplia-t-elle. Je t'en prie !

Il glissa une main hésitante entre ses cuisses et la promena le long de la couture de son jean.

Sa réponse fut immédiate. Elle en avait vraiment envie, impossible de s'y tromper. Il se redressa et dut écarter ses mains pour défaire son jean. Puis il marqua un temps de pause. Bon sang… On était au mois de mars, dans le Kentucky, et il soufflait une brise glaciale.

Il lança un regard à la maison. Elle était tout près et ce serait beaucoup plus confortable.

— Dare ?

Elle s'agrippa à lui, déjà inquiète.

— Tant pis, murmura-t-il.

Il acheva de la dévêtir. Doucement, avec toute la tendresse requise. Il ne s'unirait pas à elle ce soir, mais rien ne lui interdisait de l'admirer. Dans les moindres détails.

Puis il se souvint que ses jambes étaient couvertes d'égratignures et de bleus plus larges que ceux de son visage — et sentit son cœur se serrer. Il se pencha pour effleurer sa poitrine du bout des lèvres, puis son ventre plat.

— Je ne voudrais pas te bousculer, Molly.

Elle le fixa avec des yeux sombres.

— Dans ce cas, continue.

— Je vais continuer, promit-il en souriant.

Mais il prendrait son temps. Et d'infinies précautions.

Il se hissa sur un coude et se cala contre elle pour la réchauffer, et entreprit de soupeser ses seins, posément, en taquinant au passage ses tétons durs. Puis sa main glissa de nouveau vers son ventre, de plus en plus bas, jusqu'à se refermer sur son sexe nu, comme s'il l'agrippait.

— Tu es toujours d'accord, Molly ? demanda-t-il.

Il tenait à s'en assurer. A savoir qu'elle était avec lui, pas avec ses mauvais souvenirs.

Elle se lova plus étroitement contre lui.

— Plus que jamais, affirma-t-elle.

— Regarde-moi.

Elle obéit et il se pencha pour l'embrasser de nouveau, délicatement, pour l'aider à se détendre, tout en explorant son entrejambe qu'il trouva doux et déjà moite.

Il fut tenté de se coucher sur elle. De la faire totalement sienne. Mais il s'était juré de s'abstenir… aussi se contenta-t-il de lui offrir la plus intime des caresses.

C'était tellement doux et excitant qu'il pressa son sexe en érection contre sa hanche, tandis qu'elle allait et venait avec lui, mêlant sa bouche à la sienne.

Conscient d'être lui-même au bord du gouffre, il se redressa pour déposer un chapelet de baisers le long de sa gorge, de ses clavicules, puis de nouveau vers ses seins — si ronds, si fermes. Dessinés pour l'amour.

L'air était frais, mais leurs corps enlacés, embrasés de désir, se réchauffaient mutuellement.

Dare poursuivit ses caresses, s'enhardissant à chaque gémissement de sa partenaire. Elle s'agrippait à lui en soulevant ses hanches pour aller à sa rencontre. Devinant son impatience, il accéléra le mouvement de ses doigts tout en lui mordillant délicatement les seins. Elle se cambra alors contre lui, haletante, les yeux fermés. Et laissa échapper un long cri d'extase. Emu, il se hissa pour un coude pour la regarder. Et fut effrayé par la puissance des sentiments qu'elle faisait naître en lui. Il continua de l'observer en silence, tandis qu'elle s'apaisait peu à peu. Paupières closes, elle ne disait rien.

S'attendait-elle à ce qu'il grimpe sur elle, dehors, par une nuit glaciale ?

Il aurait voulu lui dire que non, que ce n'était pas le moment, mais il se contenta de la serrer contre lui. Elle soupira contre son torse, son pantalon toujours baissé, son T-shirt remonté.

Mais à quoi pensait-il ? Elle allait attraper froid !

Il écarta quelques mèches de cheveux de son visage, l'embrassa sur le front, la serra de nouveau contre lui.

Quelque part, derrière eux, une lumière s'alluma. Molly tressaillit. Dare, aussitôt sur le qui-vive, la couvrit de son corps pour la protéger.

Puis il attendit, prêt à réagir.

Chris s'encadra sur le seuil de la porte d'entrée de son pavillon.

— Les chiennes ont aboyé, cria-t-il d'un ton agacé.

Il se racla la gorge.

— Je pense qu'elles ont dû être alertées par certains bruits, poursuivit-il en hurlant si fort que même les poissons durent l'entendre.

Dare jura tout bas. Il avait compris le message.

— Je vais le tuer, dit-il.

Chris éclata de rire.

— Les voix portent, tu le sais.

— La ferme, Chris.

— Les filles refusent de rester à l'intérieur. Je suis obligé de les lâcher… Il fallait bien que je te le dise !

Il n'avait pas fini sa phrase que Tai et Sargie traversaient le jardin en courant, en direction du ponton. Dare poussa un grognement mécontent, baissa les yeux vers Molly, et constata qu'elle souriait.

Il sourit à son tour.

Il fit descendre son T-shirt et remonta la fermeture Eclair du sweat.

— Debout, jeune femme, il est temps de rentrer, déclara-t-il.

Il se leva pour aller à la rencontre des chiennes qui jappaient de plaisir, ravies de le voir, et encore plus ravies de gambader à l'extérieur en pleine nuit.

Il les flatta gentiment, en attendant que Molly le rejoigne. Elle posa une main sur son épaule.

— Dare?

Il se pencha pour déposer un baiser sur le bout de son nez.

— Tu es prête? On peut y aller?

Elle avait pensé à ramasser la couette, qu'elle tenait contre elle, roulée en boule.

— Oui, mais... Et toi?

Il la prit par les épaules. Il n'avait pas l'intention de lui avouer qu'il avait choisi de s'abstenir — c'est-à-dire de souffrir en silence.

— Je suis trop fatigué, mentit-il.

Il l'entraîna vers la maison.

— Je crois qu'il est temps pour moi d'aller au lit, ajouta-t-il.

— Mais ça ne me dérangerait pas de...

Il s'empressa de lui couper la parole. Si elle s'offrait de nouveau à lui, il n'aurait sans doute pas la force de résister.

— Mes filles ne sont pas habituées à ce que j'invite des gens à dormir ici, commenta-t-il en suivant des yeux les deux chiennes qui bondissaient autour d'eux en poussant des jappements excités.

Il ne put s'empêcher de rire.

— Et encore moins à ce qu'une femme partage mon lit, poursuivit-il. Elles ne savent pas ce que c'est que de respecter l'intimité d'un couple.

Molly se tut et il s'en inquiéta. Etait-elle vexée par son refus? Se sentait-elle rejetée?

Il se pencha pour murmurer à son oreille.

— Avec le lac, tous les sons sont amplifiés, ne l'oublie pas. Chris entendrait tout. Même un soupir.

— Seigneur…, gémit-elle en s'arrêtant net. Tu veux dire que…

— Ce n'est pas grave, la rassura-t-il en la prenant par la taille pour la pousser à avancer. Mais mieux vaut ne pas en parler tant que nous sommes dehors, tu veux bien ?

Elle jeta un regard effaré vers le pavillon de Chris, qui avait de nouveau éteint ses lumières. Mais Dare ne fut pas dupe. Il devait les observer derrière ses rideaux. Et bien se marrer du tour qu'il leur avait joué.

Elle posa ses paumes sur ses joues, et il en déduisit qu'elles brûlaient de honte.

— Est-ce que… ? Est-ce que j'ai crié ?

Elle parlait si bas qu'il devina la question plus qu'il ne l'entendit. Il la serra contre lui.

— Tu étais magnifique. Tu es magnifique. Et Chris n'est qu'un sombre crétin. Oublie-le.

Il la fit entrer par l'arrière de la maison, côté cuisine. La pièce était plongée dans la pénombre, uniquement éclairée par une veilleuse au-dessus de l'évier. Il y faisait encore plus sombre qu'à l'extérieur. Dare serra Molly contre lui et cala son menton sur sa tête.

— Tu as faim ?

Elle secoua la tête.

— Tu es un peu réchauffée ?

— Oui, ça va, ne t'inquiète pas.

Ça va. Ça va. Elle n'avait que ce mot à la bouche.

— Dans ce cas, on y va. Ensemble. D'accord ?

Comme elle lui jetait un regard interrogateur, il secoua la tête.

— Dormir, Molly. J'aime te sentir près de moi, mais je ne te ferai pas l'amour ce soir.

Il se servit de son poing fermé pour lui relever le menton.

— Ce n'est pas que je ne te désire pas. Tu le sais.

Il appuya contre elle son sexe en érection et elle entrouvrit les lèvres.

Il déploya sa main sur son visage et la referma sur sa joue. Impossible de résister au désir de l'embrasser quand elle se laissait aller ainsi contre lui, avec tant de langueur, tant d'impudeur, tant de confiance.

Quand il s'écarta, elle ouvrit lentement les yeux, puis les baissa vers Tai et Sargie, assises à leurs pieds, qui battaient le sol de leur queue.

— Non, murmura Dare qui avait lu dans ses pensées. Ce n'est pas à cause des filles. Tout de même pas.

Il les adorait, mais il n'aurait pas hésité à les éloigner quelques heures pour faire l'amour à Molly.

Elle poussa un soupir exaspéré.

— D'accord. Mais dans ce cas, pourquoi?

Mieux valait se montrer honnête avec elle — jusqu'à un certain point.

— Parce que je pense que nous ne devons pas nous précipiter. Tu as besoin de temps.

Elle s'humecta les lèvres, les mordilla, se racla la gorge.

— Tu m'avais demandé de me manifester quand je serais prête.

En effet… mais il ne s'était pas attendu à ce que ce soit si rapide!

— Bientôt, promit-il en l'entraînant vers la chambre. Nous devons d'abord tirer certaines choses au clair.

Elle ne cacha pas sa déception, voire son agacement.

— Par exemple? demanda-t-elle sèchement.

Par exemple, déterminer si elle avait un père assez monstrueux pour organiser son enlèvement et si c'était à lui qu'elle devait ses neuf jours d'enfer. Qu'elle en ait conscience ou non, Molly avait des problèmes à régler. Mais c'était l'heure d'aller au lit, pas de réfléchir.

— Nous reprendrons cette discussion demain, d'accord?

Il lui prit la couette des mains et la balaya du regard.

— Tu as l'intention de dormir avec ce harnachement?

— Non.

Elle ôta le sweat, le T-shirt, sa culotte, et se glissa entre les draps, tout naturellement, comme si c'était sa place. Et peut-être... Peut-être que ça l'était.

Les chiennes sautèrent sur le matelas, et après deux ou trois tours de piste, se laissèrent tomber dans le coin qui leur convenait, au bout du matelas, comme d'habitude. Elles aussi se comportaient comme si Molly faisait déjà partie de leur vie.

Dare passa dans la salle de bains pour prendre une douche et se laver les dents. Lorsqu'il regagna la chambre, il trouva Molly allongée sur le côté, hissée sur un coude. Elle réfléchissait, elle aussi.

Il profiterait de leur longue route vers l'Ohio pour la mettre au courant de ce qu'il savait. Il espéra qu'elle était aussi solide qu'elle le prétendait, parce qu'elle aurait besoin de toute sa force intérieure pour affronter la vérité.

— J'ai froid, murmura-t-elle. Tu viens bientôt te coucher ?

— Oui.

Il se mit complètement nu et la rejoignit. Dès qu'il eut éteint la lumière, il allongea instinctivement le bras vers elle et elle se recroquevilla contre son flanc, comme si elle considérait déjà qu'il s'agissait là de sa position habituelle pour dormir.

Il songea que leur vie aurait pu être douce si le danger ne rôdait pas autour d'elle. Prêt à l'anéantir pour de bon.

Après un sommeil profond et réparateur, Molly s'éveilla avant l'aube. L'un des bras de Dare, qui entourait sa taille, et sa jambe posée en travers des siennes la retenaient prisonnière. Les poils de son torse lui chatouillaient le nez. C'était délicieux. Avec lui, elle se sentait toujours en sécurité.

Mais elle venait d'avoir une idée pour son livre, et elle avait hâte de se mettre à écrire. Elle était surprise que son inspiration revienne si vite après ce qu'elle venait de traverser. Mais après tout, ce n'était pas si étonnant que ça : écrire avait toujours représenté pour elle une échappatoire. Quand elle était plongée dans une intrigue, elle oubliait ses problèmes et se concentrait sur ceux de son héroïne — problèmes qu'elle pouvait résoudre aisément.

Elle se dégagea doucement de l'emprise de Dare, en veillant à ne pas le réveiller. Elle allait quitter le lit quand il lui saisit le poignet.

— Qu'est-ce qui se passe? demanda-t-il.

Zut! Elle aurait préféré ne pas perturber son sommeil.

— Rien du tout, murmura-t-elle. Rendors-toi.

Il se redressa, jeta un coup d'œil au réveil et se passa la main dans les cheveux.

— Il n'est que 5 heures 30! protesta-t-il.

— Je sais.

Gênée, elle tenta de se disculper.

— J'ai écrit quelques pages hier. Je me suis arrêtée à un moment crucial de l'histoire et j'ai hâte de m'y remettre.

— Où ça?

— Comment où ça? Tu parles de mon livre?

S'il espérait qu'elle allait lui dévoiler son intrigue, il rêvait.

— Non, marmonna-t-il en se grattant le torse. Où ça dans la maison?

Pourquoi lui posait-il cette question? Elle haussa les épaules.

— Dans la chambre que tu m'avais attribuée, à l'étage.

Elle le regarda s'étirer dans la lumière grise du petit matin. Le matelas remua quand il se leva. Puis il alla dans la salle de bains et s'y enferma.

Elle entendit le bruit de la chasse d'eau, puis le robinet du lavabo. Quand il revint, un caleçon sur les hanches, il laissa la porte ouverte, sans éteindre la lumière, sans doute pour éclairer un peu la chambre.

Elle ne put s'empêcher de remarquer qu'il était charmant, avec sa barbe mal rasée et ses cheveux en bataille. Son corps presque nu, aux muscles longs et secs, dégageait une force impressionnante. Comment résister?

Il ouvrit un tiroir et en sortit un pull.

Elle se leva d'un bond. Du coup, les *filles* s'agitèrent.

— Dare, qu'est-ce que tu fais?

— Je me lève à 6 heures, d'habitude.

Il enfilait déjà des chaussettes blanches et des tennis.

— Je vais aller courir avec les filles.

Les chiennes sautèrent au bas du lit, les oreilles dressées, prêtes à le suivre.

— Tu vas courir à cette heure-ci?

— Oui, répondit-il en enfilant un sweat à capuche.

Il était prêt. Les chiennes hésitèrent quelques secondes entre lui et Molly. Puis elles le rejoignirent en remuant la queue.

Molly emboîta le pas à leur trio qui sortait déjà de la chambre.

— Tu seras absent longtemps?

— Une petite heure, pas plus.

Il s'arrêta net et fit volte-face, puis la prit par les épaules.

— Ensuite, je monterai travailler dans la bibliothèque.

Il allait courir une heure à jeun?

Il se pencha pour l'embrasser. Sargie aboya pour protester contre ce contretemps.

— Tu as toute la matinée pour écrire, assura-t-il. Nous n'avons rien de prévu avant cet après-midi.

Et sur ce, il se détourna.

Elle le regarda s'éloigner. Rien de prévu avant cet après-midi? Qu'avait-il donc prévu? Et en quoi était-elle concernée?

Elle se demanda s'il avait l'intention de la ramener dans l'Ohio.

Cette perspective la réjouissait autant qu'elle l'effrayait. Elle avait sûrement des douzaines de messages sur son répondeur. Son agent et son éditrice devaient se demander ce qui lui avait pris de disparaître au beau milieu des négociations pour le film. Mais rentrer signifiait aussi quitter la maison de Dare.

Avait-il hâte de se débarrasser d'elle?

Elle fit un effort pour se souvenir des mots qu'elle avait prononcés, de ce qui s'était passé entre eux la veille, et prit brusquement conscience de l'affreuse vérité : Dare s'était montré généreux et attentionné, mais il n'avait pas voulu d'elle.

12

Après le départ de Dare, Molly demeura un long moment seule dans le couloir, absorbée dans ses pensées. Finalement, elle décida qu'un peu de caféine l'aiderait à y voir plus clair. Après avoir enfilé un jean et le sweat de son hôte, elle se rendit dans la cuisine et mit la machine en marche.

Elle retourna brièvement dans la chambre pour se laver les dents et se débarbouiller. Ses cheveux étaient une catastrophe. Ce fut en vain qu'elle tenta de les peigner. Elle se trouvait affreuse.

Elle dénicha tout de même un élastique dans un tiroir du bureau de la bibliothèque, là où Chris rangeait les accessoires de bureau, lequel lui permit de se faire une queue-de-cheval qui dégageait son visage et donnait un semblant d'ordre à l'ensemble.

Mais il lui fallut trois tasses de café pour accepter l'évidence : elle avait réellement une mine de chien.

Bien sûr, elle savait qu'elle était défigurée, épuisée, amaigrie. Mais elle avait d'abord eu tant d'autres problèmes à résoudre, tant de changements, tant de bouleversements à apprivoiser — et entre autres les sentiments que lui inspirait Dare —, qu'elle ne s'était pas vraiment appesantie sur la question.

Seigneur...

Elle s'était offerte à lui sans la moindre retenue ! A lui qui était si séduisant. Alors qu'elle avait l'air de... d'une victime hagarde et dépenaillée.

Elle poussa un gémissement de désespoir et s'adossa au

fauteuil. La scène qu'elle tentait désespérément de faire avancer se brouilla devant ses yeux. Ses cheveux étaient plats et mal peignés, elle n'avait rien pour se maquiller, des yeux encore cernés d'ecchymoses, le corps couvert de traces de coups et d'égratignures.

Comment avait-elle pu croire une seconde qu'elle pouvait éveiller le désir de Dare ? Son invite avait dû le plonger dans un terrible embarras, au contraire ! Il l'avait désirée sur le moment, mais une érection ne prouvait rien. Il n'avait pas voulu la froisser et prétendu qu'il tenait à attendre qu'elle aille mieux, qu'elle soit prête.

Elle lui avait pourtant montré qu'elle était prête. Elle l'avait presque supplié.

Il l'avait comblée de plaisir, puis il l'avait invitée dans son lit, et il avait dormi avec elle sans chercher à lui faire l'amour.

Qu'est-ce que c'était que ce mec ?

Tous les mâles qu'elle avait connus considéraient le sexe comme une priorité. Pour les avoir dans son lit, il n'était pas nécessaire de jouer le grand jeu — un regard suffisamment éloquent permettait la plupart du temps de conclure l'affaire. Aucun des garçons qu'elle avait fréquentés n'aurait refusé de coucher avec une femme qui le lui proposait — quand cette femme l'attirait physiquement et parfois même quand elle ne l'attirait pas.

Adrian ne l'avait jamais vraiment aimée, elle avait fini par l'admettre, mais il l'avait désirée, ou du moins il avait aimé faire l'amour avec elle. Il n'avait jamais décliné une offre. Et quand c'était elle qui refusait, parce qu'elle était malade ou préoccupée, il insistait.

Et elle avait toujours considéré qu'il s'agissait là d'un comportement normal pour un homme.

Est-ce que Dare avait tenu à garder ses distances pour ne pas créer de liens entre eux, parce qu'il avait déjà décidé de la ramener chez elle, même s'ils n'avaient toujours pas identifié la personne qui avait organisé son enlèvement ? Peut-être avait-il pensé que le sexe compliquerait leur relation ?

Seigneur! Elle se posait tant de questions qu'elle en avait mal à la tête.

Quand elle entendit Chris dans la cuisine, elle enregistra son texte en cours, et descendit le rejoindre, avec l'intention de lui soutirer quelques renseignements sur la personnalité de Dare.

Elle le trouva devant l'évier, les yeux tournés vers le parc. Il portait un jean déchiré, un sweat-shirt délavé et des chaussures de sport, mais cette tenue décontractée ne l'empêchait pas d'être terriblement séduisant. Il devait avoir son petit succès, elle n'en doutait pas.

Chris se retourna en l'entendant entrer et lui adressa un sourire chaleureux.

— Salut! lança-t-il.

— Bonjour.

— C'est gentil d'avoir préparé le café, dit-il en l'examinant avec attention.

Puis il porta de nouveau ses yeux vers la fenêtre.

Qu'avait-elle donc de spécial aujourd'hui? Elle baissa les yeux, pour vérifier, mais ne remarqua rien.

— Je l'ai préparé, mais j'ai presque tout bu. Inutile de me remercier!

Il lui montra le mug qu'il tenait à la main, comme pour répondre qu'elle en avait laissé suffisamment pour lui, puis désigna la cafetière, qu'il avait remise en route.

— C'est pour Dare, expliqua-t-il. Il l'aime très fort.

Il s'accouda au comptoir et se tourna de nouveau vers la fenêtre.

— Vous avez vu ça? demanda-t-il.

— Quoi donc?

— Le lever de soleil au-dessus du lac.

Il lui fit signe d'approcher.

— Venez. Je crois que ça va vous plaire.

Puis, plus pour lui-même que pour elle, il murmura :

— Le café est meilleur quand on le déguste devant un beau paysage.

Intriguée, Molly marcha jusqu'à la fenêtre. Elle heurta l'épaule de Chris en s'approchant et lui adressa un sourire d'excuse, déjà captivée par le spectacle qu'elle découvrait.

— C'est magnifique! s'extasia-t-elle.

La vue s'étendait bien au-delà du quai, du hangar à bateaux, des arbres du petit bois. Des nappes brumeuses flottaient au-dessus de la surface lisse du lac, lui donnant un aspect mystérieux et presque magique. Le soleil qui perçait par endroit le brouillard se reflétait dans les eaux.

— C'est à vous couper le souffle, reprit-elle.

Chris lui jeta un regard entendu.

— Ça vous inspire, n'est-ce pas?

— J'allais le dire.

— La journée va être superbe, affirma-t-il.

Il se dirigea vers le bar avec un bol de céréales.

— Dès que j'aurai pris mon petit déjeuner, j'irai chercher vos vêtements en ville, annonça-t-il.

Molly se tourna vers lui.

— Ils sont arrivés?

— J'ai reçu un email me confirmant la livraison.

Il s'aperçut qu'elle regardait son bol avec envie.

— Vous en voulez? proposa-t-il sèchement.

— Avec plaisir.

Tout en se demandant où était passée sa bonne humeur, elle sortit une cuillère et un bol du placard.

— Dare vous préparera quelque chose de plus consistant quand il sortira de la salle de sport, mais ne vous attendez pas à des miracles. Il est en train de taper sur le punching-ball comme un fou. Il a l'air de mauvais poil.

Il prit un air énigmatique pour ajouter :

— Je me demande ce qui a pu le mettre dans cet état.

— Des céréales, ça me va très bien, rétorqua Molly tout en le rejoignant au comptoir, les sourcils froncés. Vous dites que Dare est dans la salle de sport?

— Vous ne le saviez pas ? s'étonna Chris.

— Je l'ai à peine vu ce matin. Il s'est levé très tôt et il est parti courir avec ses filles.

— Quand il s'enferme au sous-sol pour se défouler, il vaut mieux le laisser tranquille, c'est tout ce que je peux vous dire.

Elle se demanda si Dare l'avait assez vue et si c'était à cause d'elle qu'il avait besoin de se défouler. Possible... Elle décida de tenter d'en savoir un peu plus.

— Je crois que nous allons chez moi aujourd'hui, dans l'Ohio, dit-elle d'un ton détaché.

— Oui, il me l'a dit, marmonna Chris en avalant une bouchée de céréales.

— Il vous l'a dit ? murmura-t-elle en pâlissant.

Il acquiesça.

Vexée, elle se redressa sur sa chaise. Dare avait annoncé à Chris qu'ils iraient chez elle, mais elle, il n'avait pas daigné l'informer !

— Il vous l'a dit quand ?

— La nuit dernière, avant d'aller vous rejoindre sur le ponton.

Il comprit ce qu'elle ressentait et tenta de se rattraper.

— Il m'a averti parce que je devais préparer ses affaires et votre itinéraire.

Mais elle se sentait d'humeur acariâtre.

— L'itinéraire ? Tout droit, par la I-75. C'est d'une simplicité enfantine.

— Pas quand on s'appelle Dare. Vous avez oublié ? Avec lui, il faut tout planifier. J'ai dressé une liste des stations essence, des restaurants, des motels.

— Des motels ?

La cuillère de Molly s'arrêta entre son bol et sa bouche. Pourquoi les motels ?

— C'est tout de même un trajet de quatre heures, répondit Chris d'un ton taquin. Cinq si vous vous arrêtez pour manger. Vous pourriez avoir besoin d'une chambre — on ne sait jamais !

Pour l'amour de Dieu... Il se moquait d'elle ?

— Pourquoi aurions-nous besoin… ?

Elle se tut. Elle venait de comprendre. Chris faisait allusion aux gémissements de plaisir qu'il avait entendus la veille. Horrifiée, elle lui lança une céréale trempée qui l'atteignit en plein torse, puis retomba sur la table, en laissant une tache de lait sur son T-shirt.

Chris éclata de rire, et ramassa la céréale pour la manger.

— Bon… Je n'ai plus rien à faire dans cette cuisine, conclut-il en se levant. Si vous voyez Dare, dites-lui que je serai de retour dans une heure.

Encore rouge de honte, Molly fit de son mieux pour jouer l'indifférence.

— Où sont les filles ? demanda-t-elle.

— En bas, avec Dare.

Il lui pressa gentiment l'épaule, puis il attrapa les clés de la voiture et sortit en sifflotant.

Demeurée seule, Molly prit tout son temps pour terminer son bol de céréales. Elle se sentait perdue. Elle ne comprenait plus rien à rien. Pas même à ses propres réactions. Elle appuya sa tête sur son poing en regrettant de ne pas avoir au moins la compagnie des chiennes pour la distraire. Elle s'était habituée à leur présence, mais maintenant que Dare était revenu, elles préféraient rester avec lui, c'était évident. Elle avait déjà remarqué à quel point il était attaché à ses *filles,* et elles à lui.

Elle serait sûrement moins perturbée si elle en savait un peu plus sur lui. S'absentait-il souvent et longtemps pour son travail ? Et en quoi consistait ce travail, exactement ? Apparemment, il gagnait très bien sa vie, comme en témoignaient cette belle propriété et l'argent qu'il dépensait allègrement. Est-ce qu'il avait l'habitude de tuer des bourreaux pour sauver des victimes ?

Avait-il déjà eu une relation sérieuse ? Vu la vie qu'il menait, elle en doutait.

Elle aurait aussi aimé qu'il lui parle de sa famille, de ses amis, de ce qu'il aimait, de ce qu'il n'aimait pas. Elle aurait voulu savoir tout de lui.

Chris était parti pour une heure. Les chiennes ne se montreraient sûrement pas, et Dare ne s'était pas encore assez défoulé sur son punching-ball... Il ne lui restait plus qu'à trouver une occupation — mais laquelle?

Après avoir rangé les restes de son petit déjeuner, elle monta à l'étage dans l'intention de se remettre à écrire. Mais cette fois, l'inspiration n'était pas au rendez-vous. Elle se leva au bout de trente minutes, les nerfs à vif.

Elle sortit sur le balcon pour profiter de l'air frais, mais la simple vue du ponton lui rappela ce qu'elle y avait fait la veille... et elle regagna aussitôt l'intérieur de la pièce.

Bon. Parfois, une bonne douche l'aidait à se remettre au travail. Elle passa donc vingt minutes sous le jet tiède, prit le temps de se laver la tête et de laisser poser l'après-shampoing. Ses cheveux étaient plus doux quand elle eut terminé, et sa peau plus lumineuse, mais dans l'ensemble, ça ne changeait pas grand-chose.

Elle observa son reflet dans le miroir. La couleur de ses ecchymoses commençait à changer. Elles n'étaient plus mauve, mais d'un jaune écœurant marbré de vert pâle.

Son ventre se noua. Une sensation désormais familière, éveillée par le souvenir de la peur et de l'incertitude, compagnes de sa séquestration. Ses bourreaux avaient abîmé son corps, mais aussi sa fierté et son esprit. L'angoisse et le désespoir avaient laissé des traces, invisibles, mais bien réelles, sur la femme qu'elle était.

Elle ne serait plus jamais la même.

Sans Dare, elle serait peut-être encore prisonnière dans cette caravane. Ou morte. Et personne n'aurait jamais su ce qui lui était arrivé.

Mais il lui avait sauvé la vie et il avait réussi à la rassurer, à la protéger, à lui faire sentir qu'elle comptait.

Chaque fois qu'elle songeait à ses caresses de la veille, elle en oubliait un peu l'horreur de sa captivité. Elle s'était sentie si bien dans ses bras! Il lui avait fait tant de bien.

Elle se vit rougir dans le miroir. Grâce à lui, elle avait même un peu meilleure mine.

Mais elle n'était pas sotte au point de se mentir. Elle avait trente ans et un physique quelconque. On n'y pouvait rien. Oh! et puis zut! Elle n'avait jamais été une écervelée qui mise tout sur les apparences. Elle n'allait pas commencer maintenant. Elle n'était pas glamour, rien de tape-à-l'œil dans son allure, les têtes ne se retournaient pas sur son passage. Mais elle n'était pas laide pour autant, même avec quelques ecchymoses aux couleurs passées.

Elle décida de cesser de s'apitoyer sur son sort. Elle descendit l'escalier d'un pas résolu et s'arrêta devant la porte qui menait à la salle de sport. Après tout, Dare travaillait pour elle et elle allait le payer — une somme conséquente, qui plus est. Elle avait donc droit à des réponses, quelle que soit la nature de leur relation.

En ouvrant la porte, elle entendit le bruit sourd et régulier des coups qu'il donnait sur le punching-ball, accompagnés d'une musique à plein volume. Tiens, tiens... Dare aimait le hard rock, comme elle. Et ils avaient sûrement d'autres goûts en commun.

Son cœur se mit à battre au rythme du morceau. Elle rassembla son courage et descendit lentement les marches.

Dare perçut la présence de Molly, avant même de la voir — les deux chiennes aussi, parce qu'elles se mirent à bondir joyeusement et à remuer de la queue. Il considérait la salle de sport comme un territoire très privé auquel peu de gens avaient accès, mais, curieusement, l'intrusion de Molly ne le dérangea pas le moins du monde. De plus, il n'avait cessé de se demander, tout en cognant sur son punching-ball, si elle travaillait, si elle avait mangé, comment se passait sa matinée.

S'inquiéter du bien-être de quelqu'un, accepter de prendre une femme en charge — tout cela était nouveau pour lui. Il avait toujours su faire la différence entre les liens affectifs et les responsabilités inhérentes à son travail.

Mais avec Molly, c'était plus compliqué. Tout se mélangeait. Quand il sentit peser sur lui son regard brûlant, il se retourna pour lui faire face. En homme habitué à s'intéresser aux détails, il remarqua aussitôt qu'elle avait fait un effort pour s'arranger. Il se demanda si c'était pour lui.

Bon sang... Déjà qu'il avait du mal à lui résister !

Elle lui adressa un sourire dont il ne fut pas dupe. Elle n'osait pas approcher, comme si elle n'était pas certaine d'être la bienvenue. Sa gorge se noua à cette pensée.

Il ramassa une serviette pour essuyer son visage couvert de sueur.

— Tu es particulièrement jolie, aujourd'hui, Molly.

Une légère rougeur teinta ses joues.

— Merci.

Elle soupira.

— J'ai fait ce que j'ai pu, mais je n'ai pas de maquillage et rien pour me coiffer correctement.

— Tu te débrouilles très bien sans, commenta-t-il.

Il appréciait qu'elle ne passe pas des heures dans la salle de bains à se pomponner... mais peut-être le faisait-elle en temps normal ?

Après tout, il ne savait quasiment rien d'elle.

Si ce n'est qu'elle avait réussi à garder la tête froide pendant sa séquestration, à maîtriser ses émotions, à éviter les crises de panique et d'hystérie, soutenue par son orgueil autant que par un instinct de survie particulièrement développé. Elle était capable de résister à une forte pression.

C'était une battante. Comme lui.

Conscient du regard appuyé qu'elle posait sur son torse nu et couvert de sueur, il décida de rompre le silence.

— Tu avais besoin de quelque chose ?

— Non, répondit-elle en balayant la pièce du regard. Pas vraiment.

Des tapis de gymnastique couvraient le sol de béton et

de multiples accessoires pendaient à des crochets vrillés aux murs. Un petit réfrigérateur rempli de bouteilles d'eau minérale se dressait dans l'angle de la salle. A côté, un tapis de course, un vélo elliptique, un banc chargé d'haltères, et tout un assortiment d'appareils sophistiqués. Bien entendu, il y avait aussi une grande douche carrelée et une armoire bien fournie en serviettes, mais contrairement au reste de la maison, il n'avait pas fait d'efforts de décoration. La pièce était restée telle quelle, nue et utilitaire.

Il prit la commande à distance de la chaîne stéréo pour arrêter la musique. Le silence encouragerait peut-être Molly à parler. Elle avait sûrement une bonne raison d'être venue le trouver, mais elle n'osait pas se lancer.

— Tout va bien ? demanda-t-il.

Elle acquiesça, tout en continuant à regarder autour d'elle.

Il n'y avait pourtant pas grand-chose à voir. A part l'équipe de nettoyage et d'entretien des appareils, personne ne s'aventurait dans cette salle de sport.

Il passa la serviette autour de son cou et alla se chercher une bouteille d'eau. Puisque Molly ne disait toujours rien, c'était à lui d'engager la conversation pour la pousser à se confier.

— Tu as beaucoup écrit ? demanda-t-il.

Elle se tourna. Puis avança lentement vers lui. Soupira.

Ah… Il en conclut qu'elle le désirait toujours, et s'en réjouit, tout en songeant que ça ne simplifiait pas la situation.

Il regretta de ne pas avoir cédé la veille. Lui résister l'avait mis sous pression. Il n'en pouvait plus. Le jogging de ce matin et le punching-ball ne l'avaient pas vraiment soulagé.

Il brûlait toujours de désir pour elle. Et cette façon qu'elle avait de le regarder le rendait fou… Lui résister le mettait au supplice.

Mais il n'avait jamais profité de la confiance et de la faiblesse d'une femme. Il n'allait pas commencer maintenant ! Ils demeureraient donc insatisfaits pendant quelque temps encore — il le fallait. Et lorsqu'ils céderaient enfin à leurs pulsions, rien ne les arrêterait. Alors, il lui montrerait de quoi il était capable.

Il baissa la tête, embarrassé. Elle le fixait avec une telle intensité qu'il ne pouvait plus soutenir son regard. Il venait de passer des heures à se démener pour évacuer la tension due à la frustration sexuelle, et voilà qu'elle venait tout réactiver !

Il avala quelques gorgées d'eau, posa la bouteille, et fit quelques pas vers Molly.

— Pardonne-moi… Je suis en sueur.

Elle le balaya du regard, et se mordilla les lèvres.

— Tu ressembles à un lutteur de l'antiquité.

Il ne put s'empêcher de rire.

— Si tu le dis…

Il poursuivit, pour ne pas laisser s'installer un silence pesant :

— Je m'habille le moins possible quand je m'entraîne. Ça me laisse une plus grande liberté de mouvements.

— Je vois, dit-elle en contemplant fixement son short.

Puis elle détourna les yeux.

— Tu t'entraînes toujours aussi longtemps ?

Il ne s'était pas entraîné assez longtemps à son goût. Pas assez pour dénouer toutes les tensions. Mais il ne voyait pas l'intérêt de le lui faire remarquer. Il haussa une épaule.

— Quand c'est possible, oui. Je dois absolument garder la forme.

— Pour ton travail ?

— Oui.

Il était régulièrement obligé de combattre, mais elle n'avait pas besoin de savoir comment et pourquoi. Il ne lui précisa pas qu'il avait toujours le dessus, grâce à son niveau d'entraînement et à une condition physique irréprochable.

Molly croisa les bras sur sa poitrine.

— Je t'ai vu taper sur ce punching-ball. C'est impressionnant.

Dare serra les poings dans ses mitaines de boxe. Ses muscles étaient en feu. Sa libido aussi.

— Je pratique une forme de combat qui utilise les poings et les pieds, expliqua-t-il.

— Tu es vraiment bon, c'est ça ?

Il l'était, mais elle n'était pas descendue jusqu'ici pour le couvrir de compliments et ils le savaient tous les deux.

— J'ai intérêt à l'être, Molly. On me paye pour ça.

— Et aussi pour tuer. Tu as tué les hommes qui me séquestraient.

Il la revit, enchaînée dans cette sordide caravane.

— Je fais ce que je dois faire.

— Tu as tué beaucoup d'hommes dans ta vie ?

Il la dévisagea, tenta de lire dans ses yeux où elle voulait en venir. Il craignait de la choquer. Il n'était pas certain qu'elle soit capable de comprendre et d'accepter la vérité. Il soupira.

— Disons que j'ai tué plus d'une fois.

Il alla s'asseoir sur le banc et se mit à délacer ses gants, en attendant sa réaction.

— C'est facile pour toi ? insista-t-elle.

— Ce n'est pas facile, mais j'ai dû m'y faire. Je n'ai parfois pas le choix. Je dois être prêt à aller jusqu'à tuer.

— Pourquoi ?

Elle ne paraissait pas effrayée, ni indignée, juste prodigieusement intéressée. Il appuya ses avant-bras sur ses genoux et étudia son expression.

— Il est important que j'aie confiance en moi, que je sache que je peux aller jusqu'au bout pour tenir mes engagements. Je ne doute pas. Je n'ai pas peur. Je garde la tête froide. C'est ça qui fait de moi un bon combattant.

Il se souvint brusquement qu'il n'avait pas gardé la tête froide quand on avait tenté d'enlever Molly sur le parking du Walmart. Il avait même failli paniquer.

Cette petite femme était décidément dangereuse… Mais il tenait trop à elle pour s'en préoccuper.

— Je t'envie de ne pas connaître la peur, commenta-t-elle seulement.

Il fut surpris de l'aisance avec laquelle elle acceptait la vérité, mais surtout ému à l'idée qu'elle avait vécu neuf jours de terreur dont elle se souviendrait toute sa vie.

— Tu es quelqu'un de bien, Molly. Je ne voudrais pas que tu changes.

— Toi aussi, tu es quelqu'un de bien.

Ma foi... Apparemment, le fait qu'il soit un mercenaire ne la dérangeait pas. Il décida de tout lui dire.

— Je sais que je peux tuer mes adversaires à mains nues. Et ça aussi, ça m'aide à avoir le dessus.

— Mais tu ne le fais que si tu y es obligé.

Quand il y était obligé, ou quand il considérait que la personne qu'il combattait ne méritait pas de vivre. Mais ça, il le lui préciserait par la suite. A condition qu'il y ait une suite entre eux.

— Est-ce que ta curiosité est satisfaite? demanda-t-il en la regardant droit dans les yeux.

— En ce qui concerne ton travail, oui, mais je voudrais savoir tant d'autres choses! Comment tu en es arrivé à faire ce que tu fais, ce que tu aimes, ta routine.

Elle se posait trop de questions. Ça aussi, ça la rendait dangereuse.

— Tu veux tout savoir de ma vie, si je comprends bien?

— Je veux savoir tout ce que tu voudras bien me confier, répondit-elle prudemment.

— Très bien. Pour commencer, je me suis engagé dans l'armée à l'âge de dix-sept ans...

— A dix-sept ans? Mais tu étais mineur! Un mineur peut s'engager dans l'armée?

Dare haussa les épaules.

— Oui, avec l'autorisation de ses parents.

Elle semblait abasourdie. Sans doute se demandait-elle comment des parents pouvaient autoriser leur fils à prendre un tel risque.

— C'était une bonne décision, Molly. L'une des meilleures de ma vie. Je me suis tout de suite distingué par mes qualités de combattant et par ma capacité à aller jusqu'au bout.

Il ôta ses gants.

— Pourtant, je hais la violence gratuite, insista-t-il. C'est aussi pour ça que je ne peux pas rester indifférent quand on s'en prend à un innocent. Mais chaque fois que c'est possible, j'évite l'affrontement physique.

— Tu as tué les hommes de la caravane, murmura-t-elle d'un air songeur.

— Oui.

Il chercha son regard.

— Molly ?

Elle leva vers lui ses grands yeux sombres.

— C'était avant que je sache ce qu'ils t'avaient fait. Tu n'y es pour rien.

Elle se mordit la lèvre.

— Tu as fait ce qui était nécessaire. Je n'en doute pas.

Il fut ému jusqu'aux larmes par cet aveu de confiance. Ses doigts se crispèrent sur le banc.

— Ils avaient enlevé Alani, expliqua-t-il.

— Je sais, murmura-t-elle d'un ton un peu trop doucereux. Tu m'as dit qu'elle était comme une sœur pour toi.

De la jalousie ? Merde. Il n'aimait pas parler de ses sentiments et n'avait pas envie de lui expliquer pourquoi il tenait tant à Alani, mais elle ne lui laissait pas le choix.

— Trace est comme un frère pour moi, s'empressa-t-il d'ajouter. Nous formons une sorte de famille, tous les trois.

Elle demeura songeuse.

— Tes parents, tu les vois ?

Il secoua la tête, tout en soupirant de soulagement. Ses parents, il pouvait en parler sans émotion. Le sujet ne le dérangeait pas.

— Mon père est mort dans un accident d'avion il y a de nombreuses années. Ma mère s'est remariée et vit dans le Michigan. Je lui rends visite une ou deux fois par an.

— Tu n'es pas très proche d'elle ?

— Pas vraiment. Pas depuis la mort de papa.

Il haussa les épaules.

— On s'entend plutôt bien, justement parce qu'on ne se voit pas souvent.

Il regretta de ne pas trouver les mots justes. Comment lui faire comprendre qu'il avait toujours été un solitaire ? Sa mère n'avait jamais été très affectueuse. Il l'aimait, mais il ne ressentait pas le besoin de la voir. Et apparemment, c'était réciproque.

Mais Molly ne posa pas la question qu'il attendait.

— Tu as des frères et sœurs ?

Décidément, cette conversation prenait la forme d'un interrogatoire ! Il ne s'en formalisa pas, conscient de lui devoir quelques informations.

— J'ai un demi-frère — le garçon que ma mère a eu de son second mariage. Il est médecin. Il est plutôt chouette.

Mais il n'avait rien en commun avec lui.

— Est-ce que ta mère sait comment tu gagnes ta vie ?

Bon sang, non ! Seules quelques personnes de confiance étaient au courant.

— Elle pense que je suis une sorte de garde du corps, mais je ne lui ai pas donné de détails. Les détails, je ne les donne pas facilement.

— Pas même à ta mère ?

Il la regarda droit dans les yeux.

— A personne. C'est une règle de vie, énonça-t-il d'un ton solennel.

— Oh ! murmura-t-elle d'un air contrit. Alors mes questions te dérangent. Désolée.

Elle se sentait coupable, manifestement. Il en fut peiné. Mais il se confiait un peu trop à elle… Il lui en avait déjà trop dit. Mieux valait qu'elle n'en sache pas trop — pour leur sécurité à tous les deux.

— Ce n'est pas grave, dit-il. Mais je préférerais tout de même changer de conversation.

— Je ne voulais pas me montrer indiscrète.

— Tu l'as été. J'espère au moins que ta curiosité est satisfaite !

Elle fit la grimace. Il regretta aussitôt sa remarque trop acerbe. Elle avait encore besoin d'être ménagée.

— Allez, je t'accorde une dernière question, dit-il gentiment.

Elle parut hésiter, puis se décida.

— Tu voyages beaucoup, pour ton travail ?

— Pas en ce moment. Moins qu'avant. Trace me taquine en disant que je suis en pré-retraite. Je n'accepte que des affaires importantes.

Il ne s'engageait que s'il jugeait qu'on ne pouvait pas se passer de ses services. Ou si ça le concernait directement. Comme dans le cas d'Alani.

Il songea que si Alani n'avait pas été enlevée par ces salauds, il n'aurait jamais eu l'occasion de sauver Molly. Elle serait peut-être encore entre leurs mains, sans personne pour s'intéresser à elle.

Et il n'aurait pas fait sa connaissance...

Leurs regards se croisèrent et il eut l'impression qu'elle avait lu dans ses pensées. L'atmosphère se chargea d'électricité.

Les lèvres de Molly s'entrouvrirent. Dare sentit qu'il allait craquer. Il se leva et fit un pas vers elle. Par chance, son portable se mit à sonner, le ramenant à la réalité. Il se figea.

Molly eut un sourire attristé.

— Tu veux peut-être que je te laisse un peu d'intimité pour répondre à ton coup de fil ? Je peux remonter.

— Ne bouge pas, murmura-t-il d'une voix rauque. Reste là.

Il attendit qu'elle s'adosse au mur pour prendre son téléphone.

— J'en ai pour une seconde, assura-t-il.

13

Dare hésitait à répondre. Il aurait préféré continuer ce qu'il avait commencé avec Molly... Puis il se souvint qu'il ne communiquait son numéro de portable qu'à de rares élus. Cet appel était forcément personnel, donc important. Après avoir échangé un dernier regard avec Molly, il se dirigea vers le réfrigérateur sur lequel il avait posé l'appareil, vérifia l'identité de l'appelant, puis décrocha aussitôt.

— Oui ?

— Pourrais-tu m'accorder une faveur ? demanda Trace sans préambule.

— Ça dépend, répondit-il, pris au dépourvu.

Trace ne faisait appel à lui qu'en cas d'absolue nécessité, et il aurait dû accepter sans réfléchir. Mais maintenant que Molly était entrée dans sa vie, assurer sa sécurité était devenu sa priorité.

— Que se passe-t-il ?

— Alani insiste pour rencontrer ta... complication, annonça Trace d'un ton contrarié.

Dare fit la grimace. C'était lui qui avait présenté Molly comme une « complication » — il ne pouvait donc pas en vouloir à Trace. Mais tout de même... A présent, il voyait les choses différemment. Molly comptait pour lui. Elle lui compliquait la vie, certes, mais elle n'était pas qu'une complication.

— Pourquoi veut-elle la rencontrer ?

— Je n'en sais rien. Ça me déplaît d'avoir à te demander ça, Dare. Tu as déjà beaucoup fait pour moi dans cette affaire.

Mais je crois que ça ferait du bien à Alani de parler avec une femme qui était dans la même situation qu'elle.

— Je t'ai dit qu'elles n'étaient pas dans la même situation, rétorqua Dare en suivant des yeux Molly qui s'aventurait près du punching-ball pour lui donner une petite poussée.

— C'est ce que j'ai expliqué à Alani. Mais elle insiste tout de même pour que j'organise un rendez-vous.

Molly voulut tester le punching-ball, mais c'est à peine s'il se balança. Elle grimaça, manifestement vexée.

Dare songea une fois de plus que Molly et Alani étaient à l'opposé l'une de l'autre. Molly était une battante, tandis qu'Alani était encore une enfant gâtée. Une petite princesse, adorable, mais capricieuse.

— Et peux-tu m'expliquer pourquoi tu lui cèdes ?

Trace soupira. Il n'admettait pas facilement qu'il avait besoin d'aide pour gérer sa sœur.

— Elle a du mal à s'en remettre. Je me fais du souci pour elle.

Dare se laissa attendrir.

— Bon… Attends une seconde, dit-il en abaissant son téléphone.

Molly lui jeta un regard interrogateur.

— Alani voudrait te rencontrer, annonça-t-il.

Elle haussa les sourcils.

— Moi ? Pourquoi ?

— Parce que vous avez été séquestrées toutes les deux. Apparemment, elle ressent le besoin de parler avec quelqu'un qui a partagé ce qu'elle a vécu.

Il attendit sa réponse, tout en sachant qu'elle accepterait.

— Comment va-t-elle ?

Dare tâcha de faire court.

— Elle est en bonne santé et en sécurité. Et son chaperon la surveille de près.

— Il a raison, murmura-t-elle. Tu peux dire à ton ami que je serais ravie de rencontrer sa sœur si elle pense que ça peut l'aider.

Dare colla de nouveau son téléphone à l'oreille.

— C'est d'accord, Trace. Tu voudrais qu'on se retrouve où ?

— Je vais voir ça avec Alani.

— D'accord. Rappelle-moi pour me tenir au courant.

— Entendu, Dare. Et merci.

Il raccrocha et reposa le téléphone sur le réfrigérateur. Il remarqua que Molly posait sa main sur son ventre comme si elle souffrait brusquement de nausées. La perspective de rencontrer Alani l'angoissait-elle ? On l'aurait été à moins... Leur conversation les replongerait toutes deux dans l'enfer de cette caravane.

— J'ai vraiment de la peine pour elle, murmura-t-elle en cherchant son regard. Elle est si jeune !

Il fut surpris qu'elle manifeste de la compassion pour une autre, alors qu'elle ne s'apitoyait pas sur son propre sort.

— Elle a vingt-deux ans, répondit-il.

— Heureusement qu'elle vous a, toi et Trace. Je ne vois pas qui d'autre aurait pu la sortir de là.

Dare fit quelques pas vers elle.

— Molly ?

— Oui ?

— Comment ça va ?

Elle fit un vague geste de la main.

— Bien.

Elle semblait préoccupée, pourtant. Que lui cachait-elle ? Elle avait tenté de faire diversion en l'interrogeant sur son travail et sa famille, mais il n'était pas dupe.

Il aurait pu la pousser aux confidences, mais se l'interdit — du moins pour le moment, d'autant qu'il était en sueur et qu'il luttait toujours contre le désir qu'elle lui inspirait. L'entraînement l'avait épuisé, mais il avait suffi que Molly fasse irruption dans la pièce pour qu'il ait de nouveau envie d'elle.

— Tu dis tout le temps que tout va bien, fit-il remarquer.

— En fait, je voulais te parler, dit-elle précipitamment, comme quelqu'un qui se jette à l'eau.

— Nous sommes en train de parler, rétorqua-t-il posément en espérant qu'elle ne remarquerait pas son trouble.

— Oui, mais nous n'avons pas abordé le sujet qui me préoccupe le plus.

— Ah oui?

De quoi s'agissait-il? Elle savait déjà l'essentiel, non? Si elle voulait obtenir le décompte précis des hommes qu'il avait tués, elle pouvait toujours courir. Il ne se lamentait pas sur les cadavres qu'il laissait derrière lui, mais il ne s'en vantait pas non plus.

Ses dents vinrent mordiller sa lèvre inférieure.

— Hier soir...

— Oui? encouragea-t-il.

Elle fit mine de se détourner, puis se ravisa, et lui fit face.

— J'avais un peu oublié à quel point j'étais moche, avoua-t-elle avec une grimace.

Il ne s'était pas attendu à ça. Moche, elle? Il la trouvait sublime, au contraire! D'ailleurs, il avait perdu sa bataille contre lui-même à la seconde où elle était entrée dans cette salle. Il en avait mal partout.

Et elle croyait qu'il ne l'avait pas touchée parce qu'elle le dégoûtait? Il planta ses poings sur ses hanches et la fixa d'un air sévère.

— Continue, dit-il.

Une expression peinée, mais déterminée, se peignit sur le visage de Molly.

— Je suis défigurée, avec toutes ces ecchymoses. Et puis il n'y a pas que ça. Je ne me maquille pas beaucoup en temps normal, mais je prends quand même soin de moi. Ça fait dix jours que je me laisse aller et ça se voit. Mes cheveux, par exemple, sont vraiment minables et...

Elle effleura la natte qu'elle avait tressée à la hâte.

— Je... J'ai l'air d'une serpillière, soupira-t-elle.

Il serra les dents.

— Ce n'est pas mon avis, dit-il.

— Mais tu m'avais embrassée…, poursuivit-elle comme s'il n'avait rien dit. Alors j'ai cru…

Le cœur de Dare se serra.

— Je t'ai déjà expliqué pourquoi je t'avais embrassée, murmura-t-il.

Elle secoua la tête, comme quelqu'un qui ne veut rien entendre.

— Oui, je sais, mais… J'ai fini par comprendre que c'était pour m'aider, pour m'empêcher de ruminer mes idées noires.

Elle agita la main.

— Les mecs ne disent pas toujours ce qu'ils pensent.

Elle osait le mettre dans le même panier que les crétins qu'elle avait fréquentés ? Elle le comparait à ce minable d'Adrian ?

Merde alors !

Il en fut abasourdi. Il s'était toujours cru radicalement différent des autres hommes.

Il avait déjà du mal à ne pas céder à ses pulsions, mais s'il devait en plus la convaincre qu'il la désirait, la situation risquait de devenir ingérable.

Il la regarda droit dans les yeux.

— J'ai envie de toi, Molly. Je te l'ai dit et tu n'as aucune raison d'en douter.

Cette fois, elle posa sa main sur son cœur et il vit battre un pouls affolé à la base de son cou.

— Je sais que tu l'as dit, mais…

— C'était vrai, crois-moi, et ça l'est toujours.

Il avança encore d'un pas, puis s'arrêta. S'il la touchait, il était perdu.

— Et encore plus depuis hier soir.

Elle secoua de nouveau la tête d'un air accablé.

— Je ne te comprends pas. Ce que tu as fait hier…

— Oui. Eh bien ?

Il n'était pas près d'oublier ce qui s'était passé sur le ponton du lac. Et il n'allait pas lui laisser dire que ça ne signifiait rien.

— Hier, je t'ai donné du plaisir et je ne le regrette pas.

Elle battit des paupières, gênée. Et visiblement perplexe.

— Mais ensuite tu n'as pas voulu de moi! lâcha-t-elle en lui jetant un regard accusateur. Et si ce n'est pas parce que tu me trouves repoussante, explique-moi pourquoi. J'ai besoin de comprendre.

Repoussante? Seigneur! Il faisait de son mieux pour se comporter en gentleman, et voilà comment elle interprétait son attitude chevaleresque?

— Tu veux tout savoir? murmura-t-il entre ses dents.

Elle acquiesça, un peu hésitante.

— Très bien, dit-il.

Puisqu'elle voulait la vérité, elle l'aurait!

— Crois-moi, Molly, si j'avais uniquement pensé à tirer un coup, je ne t'aurais pas laissée dormir de la nuit.

Elle ne s'était pas attendue à tant de franchise de sa part. Elle en resta bouche bée.

Il se détourna et se mit à frapper le punching-ball. Trois fois. Mais ça ne le défoula pas le moins du monde. Il laissa retomber ses bras, découragé. Comment lui faire comprendre ce qu'il ne comprenait pas lui-même?

— Tu me plais beaucoup, Molly, murmura-t-il.

Il l'entendit inspirer.

Il lui jeta un regard aigu par-dessus son épaule.

— Je tiens à toi.

— C'est vrai?

Il n'eut que deux enjambées à faire pour réduire la distance qui les séparait. Elle voulut reculer, mais heurta le mur.

— Ce soir, promit-il.

Il posa ses deux mains à plat sur le mur de chaque côté de la tête de Molly. Puis, parce que c'était plus fort que lui, il se pencha vers elle, mais en prenant soin de ne pas la toucher.

— Ce soir? répéta-t-elle tout bas.

Elle était si petite, si fragile, si vulnérable. Et elle le rendait fou. Il fut tenté de la renverser — là, tout de suite. De la plaquer au sol, de s'allonger sur elle, de prendre son dû.

Le souffle court, il colla sa bouche à la sienne. Mais rien

que sa bouche. Il préférait ne pas trop tenter le diable. Et il ne voulait pas céder maintenant. Pas tout de suite.

Il lui offrit un long baiser passionné. Même si elle ne le savait pas encore, il venait de franchir un point de non-retour. Il lui donnerait ce qu'elle réclamait... Quant à la suite des événements, il se refusait à la planifier. Advienne que pourra, comme on dit !

Elle posa les mains sur son torse en gémissant de plaisir. Il recula, conscient d'avoir exacerbé son désir.

— Ce soir, Molly. Si tu le veux encore ce soir, je ne refuserai pas.

— Ce soir ?

Commençait-elle à regretter d'avoir tant insisté ?

— Oui. Mais tâche d'être sûre de toi, parce que, avec moi, il n'y aura pas de demi-mesure.

Il lui prit le menton, pour l'obliger à le regarder droit dans les yeux.

— Une fois que nous serons tous les deux au lit, ça pourrait bien durer plusieurs heures... Et crois-moi, quand nous aurons fini, tu sauras que je ne te trouve pas repoussante !

Molly posa ses mains sur les siennes.

— Entendu, dit-elle avec un soupir tremblant.

— Est-ce que Molly est avec toi ? lança Chris depuis le haut des marches. Je la cherche partout !

Molly sursauta comme une enfant que l'on surprend en train de faire une grosse bêtise. C'était touchant et presque comique, mais Dare n'avait pas envie de rire.

— Chris était sorti ? demanda-t-il.

Elle acquiesça.

— Il était parti en ville chercher mes vêtements.

— Elle est avec moi, cria-t-il à Chris.

— Entendu !

Ils entendirent se refermer la porte donnant sur l'escalier. Chris avait la délicatesse de les laisser seuls, mais Dare n'avait pas l'intention d'en profiter. Pas ici. Pas comme ça. Mais maintenant qu'il avait avoué à Molly ce qu'il ressentait, les barrières étaient tombées. Encore quelques secondes de ce tête-à-tête, et ils rouleraient ensemble sur le sol de béton.

— Il faut que je prenne une douche, annonça-t-il. Je monterai te rejoindre là-haut.

— Très bien, acquiesça-t-elle. A tout à l'heure.

Dare ne parvenait pas à détacher son regard de ses seins.

— J'en ai pour une vingtaine de minutes, dit-il.

— Vingt minutes, répéta-t-elle machinalement tout en continuant à battre en retraite.

Apparemment, elle était encore sous le choc. Lui aussi, d'ailleurs. Elle lui mettait la tête à l'envers.

— Dépêche-toi de filer, avant que je change d'avis, grommela-t-il.

Elle grimpa l'escalier. Il la suivit des yeux, fasciné par le balancement de ses hanches.

Bon sang... Cette femme, c'était quelque chose ! Elle était spontanée, directe, naïve.

Rien à voir avec la vie qu'il s'était choisie. Une vie passée à se cacher, à calculer, à se méfier.

Sa fraîcheur lui faisait du bien.

Cet après-midi, il l'emmènerait chez elle. Il espéra qu'elle voudrait toujours de lui le soir venu.

Kathi Berry-Alexander acheva de donner les consignes de la journée aux domestiques de la grande maison qu'elle habitait avec son mari, puis elle quitta la cuisine d'un air digne. On l'avait élevée dans l'idée qu'elle aurait un jour à gérer une importante domesticité. Par chance, elle avait le sens de l'organisation et savait s'y prendre. Bishop n'avait pas conscience du travail qu'elle accomplissait quotidiennement pour rendre leur vie plus agréable. Son mari était un homme très occupé, un homme important et influent, et bien sûr, il n'avait pas le temps de s'intéresser à ce genre de détails. Pour lui, elle n'avait qu'un rôle secondaire.

Mais elle l'aimait tout de même.

Et elle aimait aussi le prestige qu'il lui apportait, le monde dans lequel ils évoluaient, le pouvoir que sa fortune leur donnait.

Il n'était pas un mari attentionné, mais elle ne perdait pas au change : il gagnait très bien sa vie, on le respectait, on l'admirait.

Kathi avait toujours vécu dans un milieu favorisé, mais avec Bishop elle avait appris à aimer le pouvoir. Etre sa femme lui permettait de se placer un cran au-dessus de la mêlée.

Elle évoluait avec plaisir dans l'ombre glaciale du succès de son mari.

Et ce que Bishop ne pouvait ou ne voulait lui donner, elle s'arrangeait pour se le procurer elle-même.

Elle jeta un regard satisfait aux objets d'art et aux bouquets de fleurs fraîches qui décoraient le hall d'entrée. Elle portait une grande attention aux détails. Leur maison se devait d'être parfaite, puisqu'elle servait de cadre à leur vie exemplaire.

Elle dressa mentalement la liste de son programme du jour : cours de yoga dans une heure, déjeuner avec ses amies, visite du salon qu'elle avait réservé pour une réception d'affaires.

Pour Bishop, le réseau social constituait le nerf de la guerre. Au cours des années, il n'avait cessé d'investir dans divers domaines d'activité et, depuis peu, il soutenait financièrement des campagnes politiques. Elle savait qu'il possédait, en plus des parts de sa société, plusieurs commerces, des biens immobiliers, des résidences secondaires où ils passaient leurs vacances. Le détail, elle s'en fichait, elle ne s'y intéressait pas. Bishop lui versait chaque mois une somme conséquente pour faire tourner la maison et pour ses dépenses personnelles. Elle était aussi l'une des principales bénéficiaires de son testament. S'il venait à disparaître, tous ses biens immobiliers lui reviendraient. Elle se savait à l'abri du besoin pour le restant de ses jours.

Elle avait tout pour être heureuse.

Elle avança dans le couloir, satisfaite du claquement rassurant et rythmé de ses talons sur le sol de marbre, en direction de sa chambre à coucher, où elle avait laissé son sac à main. En entrant, elle remarqua Bishop, dehors sur la terrasse.

En dépit du froid et de la brise fraîche, il ne portait pas de veste. Il était en train de téléphoner et lui tournait le dos, accoudé à la rambarde en fer forgé, mais elle décela à la tension de ses épaules qu'il était contrarié.

Il parlait fort, d'un ton plein de colère. Intriguée, elle s'approcha pour l'écouter.

— Elle avait disparu et je l'ignorais ! disait-il.

Il marqua une pause, puis reprit :

— Bien sûr que c'est un problème, parce que l'homme de Neandertal qui s'occupe d'elle s'est senti suffisamment à l'aise pour venir me provoquer devant mon club de golf !

Kathi n'en crut pas ses oreilles. Quelqu'un avait osé provoquer Bishop devant son club de golf ?

Inquiète, elle sortit le rejoindre sur la terrasse, mais s'arrêta net quand il se mit à hurler.

— Comment pouvais-je lui répondre à propos de ce que j'ignorais ? vociféra-t-il en se passant la main dans les cheveux. Je vous ai déjà expliqué qu'il m'a menacé de revenir à la charge si j'osais parler à qui que ce soit de notre entrevue, alors renseignez-vous, mais discrètement. Sinon, il va le savoir.

Kathy se demanda qui pouvait bien être assez inconscient pour défier Bishop de la sorte. Cet individu ignorait certainement que son mari avait des amis haut placés, sans quoi il ne se serait pas permis de lui dicter sa conduite.

L'interlocuteur de Bishop dut protester, car celui-ci se remit à hurler — si fort que tous les domestiques de la maisonnée durent l'entendre :

— Comment voulez-vous que je le sache, putain ?

Il remarqua Kathi et lui jeta un regard qui aurait dû la pétrifier. Mais elle était plus inquiète de leur réputation que de sa colère. Qu'allaient penser les domestiques ? Tout cela était très inconvenant ! Elle se donnait un mal fou pour se montrer irréprochable. Il n'allait pas tout gâcher à cause d'un simple mouvement d'humeur!

— Rentre à l'intérieur, ordonna-t-elle. Je te laisserai seul.

Elle lui prit le bras, mais il se dégagea d'un coup sec et lui tourna le dos.

Mais il baissa tout de même la voix.

— Je vous dis que ce type en sait long sur moi. Il prétend avoir le moyen de me surveiller, et vu ce qu'il a déjà appris, je le crois. Je ne veux prendre aucun risque, c'est compris? Tout ce que je vous demande, c'est de vous renseigner discrètement pour savoir qui il est et comment il me connaît. Non, je ne sais pas comment vous allez vous y prendre. C'est à vous de trouver. C'est pour ça que je vous paye!

Il referma son téléphone d'un coup sec. Elle crut qu'il allait le jeter au loin, mais il prit le temps d'inspirer longuement, puis le glissa posément dans sa poche.

Elle tremblait d'indignation, mais elle tâcha de se maîtriser. Il fallait avant tout calmer Bishop.

— Je suis désolée de m'être montrée indiscrète, murmura-t-elle.

Il lui lança un regard plein de mépris.

— On ne peut pas avoir de vie privée dans cette maison. Ce n'est pas la première fois que je le remarque, cracha-t-il.

Kathi le fixa posément.

— Nous avons déjà discuté de ça, Bishop. Tu peux t'isoler dans ta bibliothèque. Personne n'y entre, sauf pour faire le ménage du matin.

— Je pense qu'elle est truffée d'écoutes, grommela-t-il.

— Des écoutes? bredouilla-t-elle en posant sa main sur son cœur, profondément choquée. Tu plaisantes?

Il se mit à arpenter la terrasse, l'air furieux.

— Je n'en sais rien. Mais je ne m'y sens pas en sécurité.

Elle préféra ne pas le contrarier.

— Tu veux que je demande à quelqu'un de vérifier?

Il serra les dents.

— Tu crois donc avoir une solution à chaque problème ? Tu ne te sens jamais dépassée ?

— Bien sûr que si, il m'arrive de me sentir dépassée.

Elle posa sa main sur son avant-bras, et apprécia le contact de sa peau tiède, de ses fins poils d'homme. Séduisant et puissant, il protégeait ce qui lui appartenait.

— Mais je m'efforce d'être toujours là pour toi. Mon rôle est de te soutenir et...

— Seigneur, ce que tu peux être agaçante ! s'énerva-t-il en retirant de nouveau son bras. Tu m'étouffes.

Elle fut tentée de s'excuser de nouveau, mais le regard qu'il lui lança l'en dissuada.

— Qui a disparu ? demanda-t-elle.

Il plissa les yeux.

— Molly a été enlevée, lança-t-il comme une accusation.

Elle recula d'un pas.

— Enlevée ? Comment ça, enlevée ?

— C'est toi qui es chargée de faire marcher la maison. A toi de me le dire.

Elle secoua la tête, abasourdie.

— Ta fille ne vit pas ici ! Je ne la surveille pas, donc je n'ai pas la moindre idée de...

— Je plaisantais, merde.

— Je vois.

Il était décidément de très méchante humeur. Elle avait beau avoir l'habitude de lui servir de défouloir, elle en fut blessée.

Il l'écarta pour quitter la terrasse, sans chercher à dissimuler le mépris qu'elle lui inspirait.

— Mais tu pourrais quand même prendre des nouvelles de ta belle-fille de temps en temps ! ajouta-t-il.

Elle entendit une porte claquer. Il était parti.

Sans lui dire comment allait Molly.

Il fallut quelques secondes à Kathi pour reprendre ses esprits. Bishop venait de lui annoncer une très mauvaise nouvelle, mais elle ne devait pas pour autant en oublier son programme de la journée. Elle ne se laissait jamais déborder par ses émotions, et encore moins détourner de ce qu'elle avait à faire. Elle assisterait donc à son cours de yoga comme prévu. Mais avant cela, elle avait un coup de fil à passer. Et à la différence de Bishop, elle prendrait la précaution de s'isoler pour que personne ne l'entende.

14

Tout en grimpant l'escalier menant au rez-de-chaussée, Molly songeait à la nuit que Dare venait de lui promettre. Cette perspective lui avait donné pour son roman une idée géniale qui modifiait son intrigue. C'était toujours comme ça. L'inspiration lui venait brusquement, de n'importe où, et en ce moment, elle lui venait surtout de Dare. Il y aurait plus de sexe dans ce roman que dans les précédents.

Son père allait détester, mais Kathi apprécierait sûrement. Comme la plupart de ses lecteurs, sa belle-mère aimait les scènes un peu pimentées.

Depuis qu'elle avait rencontré Dare, Molly comprenait pourquoi.

Elle referma derrière elle la porte donnant sur l'escalier et s'adossa au mur en souriant aux anges.

— D'où vous vient cet air béat?

La voix de Chris la fit sursauter. Elle avait oublié qu'elle était montée le rejoindre.

— Pardon? Euh…

Il lui éclata de rire au nez.

— Vous êtes un monstre, se plaignit-elle. Je viens de résoudre un nœud de mon intrigue, voilà tout.

— Un nœud de votre intrigue. C'est la nouvelle expression en vogue pour parler de…

Il ne termina pas sa phrase et lui sourit d'un air entendu.

Elle ouvrit la bouche, mais ne trouvant rien de cinglant ou de spirituel à répondre, elle préféra changer de registre.

— Où sont mes vêtements ? demanda-t-elle.

— J'ai posé les paquets dans votre deuxième chambre — celle de l'étage, répondit-il, toujours en souriant. Et Dare, où est-il ?

— Il se douche. Il en a pour une vingtaine de minutes.

Ce qui ne lui laissait pas beaucoup de temps pour écrire.

— Je... Il faut que j'y aille, déclara-t-elle en s'éloignant.

— Je vous en prie, approuva Chris en la saluant de la tête.

Puis il retourna dans la cuisine, pour vider ses sacs de course.

Quarante minutes et six pages plus tard, Molly le retrouva en bas, assis devant l'ordinateur de la cuisine. Il leva la tête et l'accueillit d'un sourire.

— Vous avez terminé ? demanda-t-il.

Elle acquiesça.

— Pour le moment.

Dare était là aussi, occupé à casser des œufs dans un bol. Ils échangèrent un regard.

— Chris m'a dit que tu étais en train d'écrire, fit Dare.

— Oui. Je voulais absolument mettre en forme quelques idées avant qu'elles ne m'échappent.

Chris pivota sur son fauteuil.

— Suis-je assez âgé pour entendre les détails ? ironisa-t-il.

— Ce n'est pas une question d'âge, répondit-elle avec le plus grand sérieux. Je ne parle jamais de mon travail en cours. Ça perturbe mon énergie créatrice.

— Ah, je comprends ! Dans ce cas, ne dites rien, commenta le jeune homme en nouant les mains derrière sa nuque pour s'étirer. Quand pourrai-je me procurer un exemplaire de ce chef-d'œuvre ?

— Il faudra patienter au moins un an.

Elle s'installa sur l'un des tabourets du bar.

— Il faut d'abord que je le rende, et ce n'est pas pour tout de suite. Ensuite, il faut l'imprimer et le diffuser. C'est un long processus. Mais je vous promets de vous envoyer un exemplaire avec une dédicace.

— Vraiment ?

Chris se pencha vers elle.

— Ce serait rudement chouette, assura-t-il.

— Je vois dois bien ça, pour être allé chercher ma commande en ville.

Dare avait rajouté de la farine et du lait et battait son mélange, tout en faisant chauffer une poêle en fonte.

— Est-ce que j'aurai droit, moi aussi, à un exemplaire dédicacé ? dit-il.

Molly rougit jusqu'aux oreilles et baissa le nez vers ses mains.

— Si tu veux, bien sûr.

L'idée que Dare lise ses romans l'inquiétait un peu. Son opinion comptait beaucoup pour elle. Un peu trop, sans doute.

— Molly ?

Il attendit qu'elle lève les yeux vers lui.

— Je vais acheter tes précédents ouvrages, annonça-t-il.

— C'est inutile.

Il lui adressa un sourire entendu.

— Je suis curieux, vois-tu.

Elle se racla la gorge, gênée par l'air amusé de Chris qui suivait cet échange avec le plus grand intérêt.

— Je m'en doute. Ce que je veux dire, c'est que j'en ai reçu plusieurs exemplaires chez moi, en tant qu'auteur. Tu n'as pas besoin de les acheter. Je te les enverrai dès que je serai rentrée chez moi.

Dare lui lança un drôle de regard tout en versant une louche de pâte dans la poêle.

— Nous aurons de quoi nous sustenter dans quelques minutes, dit-il.

Elle n'avait mangé que des céréales, et cette crêpe sentait diablement bon.

— Merci.

— Tu n'auras pas à m'envoyer tes livres puisque nous passerons chez toi cet après-midi, reprit-il. Mais nous n'y ferons qu'un court séjour.

Un court séjour... Qu'entendait-il par là ? Lorsqu'elle avait parlé de lui envoyer ses romans, elle avait prêché le faux pour savoir le vrai. Elle tenait à voir sa sœur, à relever son courrier et ses messages, mais elle redoutait de rester dans cet appartement, là où on l'avait enlevée. Celui qui avait payé ses ravisseurs cherchait peut-être encore à lui nuire. Elle s'était imaginé qu'ils feraient juste un aller-retour… Pourquoi un court séjour ?

— Veux-tu que je te transmette tes appels et tes messages ? demanda Chris à Dare.

— Seulement les plus importants. Le reste attendra. Quant à Trace, il est au courant. Il me contactera sur mon portable.

Molly se laissa glisser de son tabouret. Elle ne comprenait rien à ce qui se passait. Elle avait envie de prendre ses jambes à son cou.

Dare dut le sentir, car il posa sur elle un regard attendri.

— J'ai rencontré ton père, hier, dit-il d'une voix douce.

Elle faillit s'étouffer.

— Pardon ?

— Je l'ai attendu à la sortie de son club de golf, dans le Kentucky. Il jouait avec des associés.

Elle se demanda aussitôt ce que son père avait pu dire à Dare. Ou plutôt, malheureusement, elle ne le savait que trop bien. Le rouge de la honte lui monta aux joues.

Dare croisa ses bras sur son torse et se pencha vers elle.

— Dès que nous serons chez toi, nous l'appellerons pour fixer un petit dîner de famille. Je veux voir tout le monde.

Molly secoua la tête, abasourdi par son aplomb.

Chris fit pivoter son fauteuil pour se tourner vers elle.

— Molly ?

Elle l'ignora et se concentra sur Dare.

— Tu bluffes, murmura-t-elle d'une voix qu'elle jugea trop plaintive.

Agacée, elle tenta de la raffermir avant de poursuivre :

— Tu ne crois pas que tu devrais me demander mon avis avant de prendre de telles initiatives ?

Il haussa un sourcil.

Elle se pencha vers lui, elle aussi. Son cœur battait la chamade.

— Tu sembles oublier que c'est moi qui paye, ajouta-t-elle sèchement.

— Si tu parles de ma conversation avec ton père, c'était en dehors de mes heures de travail, rétorqua-t-il en la dévisageant avec un regard dur.

— Pas du tout! Je paye pour tout ce que tu fais. Nous nous sommes mis d'accord.

Il ne répondit rien.

— Merde, Dare! Tu ne peux pas me manipuler comme une marionnette!

Le ton hystérique de sa voix lui parut ridicule, surtout comparé au silence posé de Dare.

— Tu n'es pas d'accord pour organiser une réunion familiale? demanda-t-il.

— Eh bien…

Elle hésita. Elle était d'accord pour voir sa sœur. Son père et Kathi, il faudrait bien qu'elle leur rende visite tôt ou tard, mais elle n'était pas pressée…

— Non, murmura-t-elle.

Dare se tourna ostensiblement vers Chris.

— Nous passerons quelques jours chez Molly, indiqua-t-il.

— D'accoooord, répondit Chris d'un ton emphatique. Est-ce que je dois mettre des costumes dans tes bagages?

— Non, mais un truc un peu plus habillé qu'un jean.

— Pigé.

Molly était toujours plantée face à Dare, lequel fit comprendre à Chris qu'il était de trop.

— Je vous laisse, murmura-t-il.

Il se leva et abandonna son ordinateur.

Dare dévisagea Molly pendant quelques secondes, puis il alla lui chercher une assiette et la posa devant elle.

— Ça va? demanda-t-il.

— Oui, je…

— Je vais bien, acheva Dare à sa place.

Il poussa un soupir de frustration.

— Je me demande pourquoi je me fatigue à te poser la question !

— Je vais bien, répéta-t-elle. Comparé à l'état dans lequel j'étais il y a quelques jours, je ne peux qu'aller bien, se crut-elle obligée d'ajouter.

— Je vois, dit-il en faisant le tour du comptoir pour l'enlacer.

La colère de Molly fondit brusquement. Elle se sentait si bien dans ses bras qu'elle aurait pu y rester toujours. Elle aurait voulu tout oublier, ne plus quitter cette maison.

Mais elle avait sa vie. Elle devait se remettre à écrire, rassurer sa sœur, contacter son agent pour les négociations en cours. Elle ne pouvait pas se cacher éternellement ici.

Elle inspira l'odeur rassurante de Dare et se lova plus étroitement contre lui.

— Tu veux vraiment savoir comment je vais ? demanda-t-elle.

Elle n'attendit pas sa réponse.

— J'ai mal partout et je suis fourbue — surtout au niveau des épaules et de la nuque. Mais rien de catastrophique. Psychologiquement, je me sens fragile et indécise. J'ai hâte de reprendre une vie normale, mais je sais que je ne verrai plus jamais les choses comme avant... C'est pour ça que je redoute de rentrer chez moi.

Il glissa une main dans ses cheveux.

— Je serai là pour te protéger, promit-il.

Il était sincère, elle n'en doutait pas, mais s'il ne trouvait pas le coupable ? Il ne pouvait pas consacrer tout son temps à la protéger. Il avait une vie, lui aussi !

S'il y avait une personne capable de l'aider, c'était lui, mais il n'était pas infaillible. De plus, rester auprès d'elle en ce moment n'était pas sans danger. Il n'était pas non plus invincible. Elle craignit brusquement qu'il ne soit blessé — ou pire, tué.

— Je devrais peut-être m'en remettre à la police, dit-elle.

Il tira délicatement sur une mèche de ses cheveux pour l'obliger à lever la tête vers lui.

— Tu sais bien que ce n'est pas la bonne solution. La police ne fera rien.

La police ne serait jamais venue la chercher jusqu'à Tijuana, en effet, mais si elle portait plainte, ils ouvriraient une enquête. Ce ne serait peut-être pas complètement inutile. Dare se pencha vers elle et l'embrassa, presque violemment. Elle voulut le repousser, mais il la souleva de terre, sans lâcher sa bouche, jusqu'à ce qu'elle réponde à son baiser.

Il la déposa sur le bar et se positionna entre ses jambes, les mains posées sur ses hanches.

— Tu ne feras pas de déclaration à la police, dit-il fermement.

Elle comprit qu'il était redevenu le guerrier dur et autoritaire qui lui avait sauvé la vie.

— Mon père...

— Ton père ne t'arrive pas à la cheville. Notre conversation m'a confirmé la mauvaise opinion que j'avais déjà de lui. C'était édifiant. Si tu y tiens, je te raconterai en détail ce que nous nous sommes dit. Pour l'instant, je veux juste que tu me promettes de me laisser t'aider.

Molly lui caressa la joue.

— Je ne voudrais pas qu'il t'arrive quelque chose à cause de moi, murmura-t-elle.

— Seigneur...

— Tu n'es pas Superman, Dare. Et tu n'es pas non plus voyant. Tu peux peut-être éviter certaines embûches, mais si quelqu'un prépare en douce un mauvais coup, comment feras-tu pour...?

— Tu songes à ton père?

Il avait adopté un ton plein de dédain, comme s'il méprisait le danger. Ou comme s'il n'en tenait aucun compte.

— A mon père ou à celui qui a organisé mon enlèvement.

Elle avait l'impression que le monde extérieur, hors de cette maison, était devenu une jungle. Elle avait peur.

— Tu dois me faire entièrement confiance, reprit-il en posant l'une de ses grandes mains dans son dos. Fais ce que je te dis et il ne nous arrivera rien, je t'assure. C'est d'accord?

Elle avait enroulé ses jambes autour de sa taille, sans même y penser.

— D'accord, murmura-t-elle.

Il se pencha lentement vers elle pour l'embrasser et elle vit changer l'expression de son visage.

— Nous prendrons la route dès que nous aurons mangé, souffla-t-il tout contre sa joue.

— D'accord, répéta-t-elle en renversant la tête en arrière.

Il lui mordilla tendrement le cou.

— Et ce soir…

Le cœur de Molly s'accéléra.

— Ce soir ?

Il lécha son oreille, puis murmura :

— Ce soir, je serai tout à toi. Et crois-moi, j'ai hâte d'y être !

Puis il la fit asseoir sur un tabouret. Juste à temps : Chris passa prudemment la tête par la porte et, les trouvant dans une position décente, il entra.

— Je suis ravi que votre petit différend soit réglé, parce que je meurs de faim ! annonça-t-il d'un ton guilleret.

Molly suivit Dare des yeux à travers une sorte de brouillard. Il se comportait comme si de rien n'était, comme s'il ne venait pas de lui murmurer à l'oreille qu'ils feraient l'amour ce soir. Il versa du lait dans un verre qu'il déposa à côté d'elle et s'installa pour manger, tout en discutant tranquillement avec Chris.

Elle ne jouait décidément pas dans la même cour que lui.

Elle prit sa fourchette d'une main tremblante et, tout en plongeant sa crêpe dans la crème fouettée, elle soupira.

Dare avait réussi à la rassurer sur le fait de rentrer chez elle. Au fond, peu lui importait où elle se trouvait, du moment que c'était avec lui.

Il la protégeait des dangers extérieurs. Mais il ne ménageait pas son cœur.

***

Il était près de 18 heures quand Dare arrêta sa voiture devant l'immeuble de Molly.

Il la sentait nerveuse, mais il ne pouvait rien faire pour elle. Durant le trajet, il lui avait raconté son entrevue avec Bishop, en omettant certaines remarques qui auraient pu la blesser. Mais elle connaissait ce salaud mieux que lui : elle n'avait sûrement pas été dupe.

Elle ne fréquentait pas les amis de son père et elle ne connaissait aucun des hommes avec lesquels il jouait au golf. Warwick et Sagan ? Elle ne les avait jamais rencontrés. Dare lui avait parlé d'eux et de leurs pratiques électorales, parce qu'il fallait qu'elle soit au courant. S'il s'avérait que c'était Bishop Alexander qui avait organisé son enlèvement, mieux valait préparer un peu le terrain.

— Je viens de penser à quelque chose, murmura Molly.

Une main agrippée au siège de la voiture, l'autre au tableau de bord, elle regardait par le pare-brise de tous côtés, comme si elle craignait de voir resurgir les hommes qui l'avaient agressée.

— Détends-toi. Tout va bien se passer.

— Je sais, répondit-elle.

Mais elle demeura sur le qui-vive.

— Comment allons-nous entrer ? Je n'ai plus mes clés. J'avais laissé mon sac à l'intérieur et...

Elle poussa un gémissement et tourna vers Dare des yeux effarouchés.

— Je n'avais même pas fermé ma porte à clé, parce que j'étais censée revenir tout de suite. Je viens de m'en souvenir.

— Dans ce cas, elle doit être toujours ouverte. Et si elle ne l'est pas, je me débrouillerai. Arrête de te faire du souci pour tout, conclut-il.

— Tu me répètes ça depuis ce matin, murmura-t-elle en scrutant de nouveau la rue.

Dare posa une main sur sa cuisse.

— Essaye de me faire un peu confiance, veux-tu ?

— Ça n'a rien à voir avec la confiance, soupira-t-elle.

Elle se trompait, mais il n'insista pas, parce qu'elle tremblait.

— Où veux-tu que je me gare ? demanda-t-il.

Elle avala sa salive.

— Sur le parking en face. Ma voiture doit toujours y être, si mes ravisseurs ne l'ont pas embarquée.

Il ne fut pas surpris qu'elle ait déjà réfléchi à la question. Elle avait raison. Ses ravisseurs avaient peut-être fait disparaître sa voiture, pour que personne ne s'étonne de la voir garée si longtemps à la même place.

Il suivit ses indications pour rejoindre le parking. Comme elle le lui avait annoncé, il était éclairé par des réverbères. Il remarqua quelques personnes assises au pied de leur immeuble, ravies de profiter de la douceur des premiers beaux jours. Le quartier, une succession de maisons individuelles et d'immeubles de caractère, était propre et bien entretenu. Et très tranquille, comme l'avait assuré Molly.

Au point que c'était difficile de croire qu'on ait pu l'embarquer en plein jour.

— Elle est là ! s'exclama Molly en désignant une petite Mazda Miata sport, rouge cerise.

— Jolie voiture, commenta Dare.

— Jolie ? répéta Molly d'un ton faussement offensé. C'est le cadeau que je me suis fait avec mon dernier contrat !

— Ah oui ?

Il ne put s'empêcher de rire, ravi de cette diversion. La Mazda était minuscule et il ne s'y serait pas senti à l'aise, mais il imaginait sans peine Molly derrière le volant.

Après s'être garé près de la Mazda, il ôta ses lunettes de soleil et les posa sur le tableau de bord, puis il se tourna vers sa compagne. Elle se mordillait la lèvre inférieure, signe d'une nervosité croissante. Il se pencha et l'attira à lui.

— Dare ?

Il ne répondit pas et prit son visage entre ses mains pour lui donner un baiser qui se voulait rassurant, mais qui ne tarda pas à se transformer en étreinte passionnée.

Quand il la sentit se détendre enfin contre lui, il la lâcha, tout en caressant sa lèvre avec son pouce.

— Tu te sens prête ?

— Tu m'as encore embrassée pour me calmer, reprocha-t-elle en posant sur lui un regard accusateur.

— Oui, avoua-t-il en lui donnant cette fois un petit baiser rapide et sonore. C'était pour te rappeler que tu n'es pas seule. Et que je ne laisserai personne te faire du mal.

— Tu es rusé comme un renard, dit-elle en souriant.

Apparemment, elle l'entendait comme un compliment.

— Et pour répondre à ta question : je suis prête, poursuivit-elle.

Elle se détourna et ouvrit sa portière.

Il sortit à son tour et vérifia discrètement que la Mazda n'avait pas été trafiquée. Il ne détecta rien de louche, mais se promit de procéder une vérification complète avant d'autoriser Molly à la conduire.

Puis, tout en continuant à surveiller les alentours, il alla chercher dans le coffre son sac et la petite valise de Molly. Quand ils traversèrent la rue, les voisins les suivirent des yeux, visiblement intrigués.

— Je me fais remarquer, on dirait, commenta Dare.

— La plupart du temps, il n'y a pas un chat dehors, surtout l'hiver. Mais aujourd'hui il fait doux.

Dare salua de la tête un couple âgé qui les contemplait fixement.

— Tu n'as pas l'habitude de faire monter des hommes chez toi, apparemment, ironisa-t-il avec une pointe d'ironie.

La plaisanterie ne fit pas rire Molly. Elle avançait en regardant droit devant elle, indifférente aux voisins.

— J'y suis venue avec Adrian, c'est tout.

Elle poussa la porte de l'immeuble et ils pénétrèrent dans le hall d'entrée. Deux portes donnaient sur des appartements, et quatre boîtes à lettres se dressaient contre le mur.

— J'habite à l'étage, expliqua Molly.

Dare la laissa passer devant lui, en la suivant de près. Il avait la sensation que quelque chose clochait.

A l'étage, il y avait deux appartements : l'un à droite de

l'escalier, l'autre à gauche. Comme Molly allait pousser la porte de celui de droite, il l'arrêta.

— Je préfère entrer en premier.

Molly se figea.

— Tu penses qu'il y a un problème ?

— Je ne sais pas, répondit-il à voix basse, tout en ouvrant la poche extérieure de son sac pour sortir son Glock.

Molly contempla l'arme avec des yeux ronds.

— Qu'est-ce que tu fais ?

Les yeux toujours rivés à la porte, Dare posa le sac et la valise près d'elle.

— Appuie-toi contre le mur et ne bouge pas, ordonna-t-il. Si tu vois arriver quelqu'un, appelle-moi tout de suite. Sinon, ne dis pas un mot.

Il allait entrer, mais elle s'agrippa désespérément à son bras.

— Dare ?

Il lui jeta un bref coup d'œil.

— Quoi ?

— Tu me fais peur.

— C'est pas le moment, Molly.

Il n'avait pas le temps de la rassurer, cette fois. Il tendit l'oreille, mais n'entendit aucun bruit à l'intérieur. La poignée tourna aisément et le battant s'ouvrit avec un grincement de vieille porte de bois. L'intérieur de l'appartement était plongé dans la pénombre, mais Dare vit aussitôt qu'il avait été fouillé.

— Merde.

— Qu'est-ce qu'il y a ? chuchota Molly d'un ton angoissé. Qu'est-ce qui se passe ?

Il lui jeta un regard qui la fit taire, puis se glissa à l'intérieur comme un chat.

Les meubles étaient renversés, les tiroirs ouverts et remués, les papiers et les livres éparpillés un peu partout. Bon sang, elle en avait des livres…

Quelle pagaille ! Elle n'allait pas apprécier.

Il continua à avancer dans l'appartement, sans même se retourner, sûr qu'elle ne s'aventurerait pas à le suivre. Celui ou ceux qui étaient passés par là n'avaient pas éteint la lumière de la cuisine, mais les rideaux étaient soigneusement tirés. Dare fit le tour des pièces, en se déplaçant en silence. L'appartement avait été visité et fouillé de fond en comble, mais les intrus étaient partis. Il retourna donc chercher Molly, en enjambant meubles, livres, vêtements et papiers.

Il la trouva sur le seuil, le visage crispé, les yeux pleins de colère.

— Bon sang! s'exclama-t-il en glissant son revolver dans sa ceinture. Je t'avais dit de ne pas bouger.

Elle avait pris le sac et la petite valise, lesquels pesaient lourd pour elle, mais elle ne les lâchait pas et restait figée devant le spectacle de son salon dévasté.

— Qui a pu faire une chose pareille?

— Aucune idée. C'est pour ça que tu aurais dû rester dans le couloir, comme je te l'avais demandé.

Il lui ôta les bagages des mains et les posa dans l'entrée, puis il la prit par le bras et la fit entrer. Ensuite, il referma la porte derrière eux et la saisit par les épaules pour la clouer au mur.

Elle le fixa de ses grands yeux noirs. Elle paraissait désespérée, mais il n'avait pas le temps de s'apitoyer sur elle. Elle devait absolument comprendre que sa sécurité dépendait de sa capacité à suivre ses ordres.

— Ecoute-moi bien, commença-t-il.

Ses épaules étaient si frêles et délicates sous ses grandes mains qu'il dut faire appel à tout son sang-froid pour ne pas la serrer dans ses bras.

— A partir de maintenant, tu vas faire exactement ce que je te demande. Tu as bien compris?

Elle regardait du côté du salon, avec une expression désolée. Il dut la secouer gentiment pour attirer son attention.

— Molly! C'est très important.

— Je sais.

Elle paraissait sonnée.

— J'aurais dû m'en douter, murmura-t-elle. Mais l'idée que quelqu'un a fouillé mes affaires...

Il laissa tomber. Il reviendrait plus tard sur le fait qu'elle devait suivre ses instructions à la lettre.

— On a fouillé, mais pas saccagé, fit-il remarquer.

Il ramassa une chaise et y déposa un coussin qui traînait par terre.

— On va tout ranger, assura-t-il.

Elle s'humecta les lèvres.

— Je ne savais pas que tu avais emporté ton arme.

— Je ne me déplace jamais sans.

— J'aurais dû m'en souvenir, murmura-t-elle en baissant les yeux vers ses mains. Si tu avais trouvé quelqu'un ici, tu aurais tiré?

— D'après toi?

Elle n'hésita qu'une seconde.

— Uniquement si tu n'avais pas eu le choix, répondit-elle.

Elle frissonna.

— Finalement, je suis contente que tu sois armé. On ne sait jamais.

Elle était contente? Dans ce cas, pourquoi arborait-elle cette mine défaite?

Elle se baissa pour prendre un coussin fleuri.

— Je sais que la question va te déplaire, reprit-elle. Mais tu ne crois pas qu'on devrait prévenir la police?

Il y avait vaguement songé, mais n'avait encore rien décidé.

— Tu devrais d'abord faire le tour et vérifier qu'on ne t'a rien pris, éluda-t-il.

Elle ôta sa veste et son écharpe qu'elle déposa sur le canapé, unique meuble qui n'avait pas été renversé ou déplacé.

Puis, les bras croisés, elle prit le temps de détailler la pièce.

— Mon manuscrit! s'exclama-t-elle brusquement, d'un ton affolé.

Elle s'élança vers sa chambre, sans un regard pour les étagères vidées, les cadres de photos brisés, la plante à moitié déracinée. Dare s'empressa de la suivre.

Elle s'arrêta devant son bureau et poussa un gémissement. Le clavier pendait du plateau, encore branché. On avait visiblement fouillé dans ses papiers. Ses vêtements étaient dispersés dans la chambre.

Mais l'écran semblait intact et on n'avait pas touché aux cordons d'alimentation.

Elle se mit à rassembler les feuilles éparses.

— Tous mes contrats sont mélangés, gémit-elle.

Elle en fit un tas qu'elle déposa sur le bureau, et entreprit de passer la pièce en revue.

Dare la laissa faire. Lui, il s'intéressait à autre chose. Il venait de remarquer que la garde-robe de Molly était plutôt sexy. Il apercevait des culottes aux tons provocants, des corsets, des soutiens-gorge en dentelle. Négligemment jetée sur la porte ouverte de l'armoire, une petite robe rouge attira son attention, ainsi qu'un chemisier de soie mauve roulé en boule au pied du lit, et un jean, apparemment étroit, donc moulant.

Eh bien. Il n'aurait jamais cru qu'elle portait des tenues pareilles... Il l'avait plutôt imaginée en jean et T-shirt, décontractée.

Mais ça lui plut.

Quand il avait fait le tour de l'appartement tout à l'heure, il avait remarqué l'atmosphère sensuelle de la salle de bains — la baignoire en fonte à pieds griffus, les carreaux noirs et blancs, les serviettes rouges, le pot-pourri.

Elle cachait bien son jeu...

— Je suis un peu surpris, dit-il.

— Pourquoi ? demanda-t-elle.

Puis elle remarqua qu'il contemplait fixement un soutien-gorge bustier à fleurs. Elle le ramassa et le cacha derrière son dos.

— Tu ne croyais tout de même pas que je m'habillais uniquement dans les supermarchés ?

Eh bien si, il l'avait cru.

— Tu as une grande faculté d'adaptation, fit-il remarquer.

— Oui, sans doute, et après ?

Elle était brusquement sur la défensive. Il retint un sourire.

— C'est une qualité très appréciable, Molly.

— Oui.

Elle poussa un soupir, jeta le soutien-gorge sur le lit et s'agenouilla devant son bureau.

— Mais personne ne me voit en petite tenue, alors…

Lui il la verrait. Bientôt.

Il la regarda écarter des papiers et des dossiers qui encombraient le dessous du bureau.

— Tu cherches quelque chose ?

— Mon disque dur. Il était branché à l'ordinateur quand je suis sortie poster mes lettres. J'espère qu'ils ne l'ont pas pris. Il contient une sauvegarde de mon travail.

— Tu n'as pas d'autre sauvegarde ? demanda-t-il en lui prenant des mains un paquet de vêtements qu'il posa sur le lit.

— Non et… Je l'ai ! s'exclama-t-elle d'un ton victorieux. Il était coincé entre le pied du bureau et mon fauteuil.

Elle le prit en soupirant de soulagement.

— Ecoute… Je crois qu'il vaut mieux laisser la police en dehors de tout ça. Leur intervention ne ferait que retarder mon enquête.

— Pourquoi ? demanda-t-elle.

Depuis qu'elle avait retrouvé le disque dur, elle paraissait plus calme.

— Parce qu'ils m'embarqueraient, Molly. Je serais leur suspect numéro un.

15

— Comment ça, tu serais leur suspect numéro un ? s'écria Molly.

Elle paraissait abasourdie.

— Pourquoi te soupçonneraient-ils ?

— Parce qu'ils se demanderaient ce que je viens faire dans l'histoire. Et aussi parce qu'ils chercheraient à se renseigner sur moi et qu'ils ne trouveraient pas grand-chose.

— Ah bon ? Ils ne trouveraient pas grand-chose ?

— J'ai pris soin de brouiller les pistes derrière moi.

Il n'était pas de ceux qui laissent sur internet un profil accessible à tous.

— C'est essentiel, vu le travail que je fais. Mais les flics n'aiment pas ça. Pour eux, ça signifie qu'on a quelque chose à se reprocher.

Et s'ils considéraient qu'il avait quelque chose à se reprocher, ils enquêteraient sur lui, au lieu de se concentrer sur les coupables.

Il avait fini d'inspecter la chambre. Les draps étaient défaits, l'armoire et les tiroirs en désordre, mais pour le reste, tout paraissait normal.

— Le problème, vois-tu, avec les flics, c'est qu'ils ont le chic pour se tromper de suspect. Ce qui laisse au coupable le temps de disparaître.

Molly se redressa.

— Pourquoi ? Je ne comprends pas.

Elle fourra son disque dur dans sa poche et entreprit de ramasser ses vêtements.

— Ils sont obligés d'avancer à visage découvert, expliqua-t-il patiemment. A cause des procédures d'enquête. Pas moi. Tu peux me croire : je serai plus efficace qu'eux.

— Je n'avais pas pensé à ça, avoua-t-elle dans un soupir.

— Pour coincer les gens, le mieux c'est de les surprendre. Ceux qui t'ont kidnappée sont des pros. Si c'est eux qui ont visité l'appartement, tu peux être certaine qu'ils n'ont pas laissé de quoi les identifier. La police ne trouvera rien.

Il contempla un tiroir ouvert et à moitié vidé, tout en se demandant si c'était Bishop Alexander qui avait payé pour ce beau travail.

— Ma porte n'était pas fermée à clé, fit remarquer Molly. N'importe qui a pu entrer.

Dare parut réfléchir à cette éventualité.

— Tu les ranges où, tes clés ?

— Dans la cuisine, dans un petit placard, avec mon sac à main.

Elle prit la direction de la cuisine et il lui emboîta le pas. La cuisine n'était pas aussi en désordre que la chambre. On avait tout de même renversé sur la table le contenu du sac à main de Molly, lequel avait par ailleurs disparu, et exploré les deux tiroirs où elle conservait des papiers et des crayons.

Et elle eut beau chercher ses clés, elle ne les trouva pas.

— On les a prises, gémit-elle.

— Quelqu'un possède un double ?

— Ma sœur. Et le propriétaire.

Dare vérifia rapidement les placards. On n'avait pas touché à ceux qui contenaient la vaisselle, la nourriture, les produits d'entretien.

— Ils cherchaient quelque chose de précis, commenta-t-il. Ils n'ont pas mis ton appartement dans cet état pour le plaisir.

Molly retourna jeter un coup d'œil dans le salon, puis dans sa chambre. Dare comprit qu'elle tentait d'évaluer l'étendue des dégâts, et de leur donner un sens.

Elle s'arrêta de nouveau devant son bureau et tria quelques papiers.

— Ils ont lu ce que je venais d'imprimer, fouillé mon ordinateur et oublié de l'éteindre, annonça-t-elle au bout de quelques minutes.

Dare fronça les sourcils.

— Branche ton disque dur et vérifie qu'il est intact, ordonna-t-il.

— Je travaillais sur mon livre avant de sortir. C'est le dernier fichier que j'avais ouvert.

Elle s'empara du clavier et de la souris, pour les poser devant l'écran, lequel devait être en veille car une fenêtre s'y afficha aussitôt.

— C'est mon agenda, murmura-t-elle.

— Tu l'avais laissé ouvert?

Elle secoua la tête.

— Non. Je ne l'avais pas ouvert depuis... Depuis plusieurs jours.

Quelqu'un avait donc cherché à se renseigner sur les rendez-vous de Molly. Dans quel but?

Dare tendit le bras vers la souris et réduisit la taille de l'agenda sur l'écran. Une invitation apparut, la dernière sur le calendrier. Dare se redressa et posa ses mains sur les épaules de Molly.

— Je devais me présenter hier pour une séance de dédicaces, soupira-t-elle en se tournant vers lui. Pas pour une publication récente, mais tout de même... C'était pour remercier un libraire local qui part à la retraite. Heureusement, je n'étais pas la seule invitée! Mais les gens ont dû me trouver bien cavalière de ne pas venir sans m'excuser.

— Et moi, je me demande en quoi cette séance pouvait intéresser ceux qui ont fouillé ton appartement, parce que je ne pense pas que l'un d'eux ait eu l'intention de dédicacer tes livres à ta place... En revanche, il est probable que quelqu'un est allé vérifier si tu étais là-bas.

Elle se raidit.

— Tu as raison.

Il lui massa les épaules.

— On a donc cherché à savoir où tu te cachais, conclut-il.

— Seigneur, gémit-elle en posant sa tête dans sa main. J'ai dû rater d'autres manifestations pour la promotion de mes livres !

— Ce n'est pas le moment de s'en soucier, d'accord ?

Son autre main, crispée sur le bureau, trahissait sa colère. Elle avait conscience de la gravité de cette intrusion dans sa vie personnelle. Et de la détermination de ceux qui la poursuivaient.

Mais comme toujours, elle conservait son calme. Ce qui facilitait grandement les choses.

Il la fit lever de son fauteuil.

— Laisse-moi ta place.

Elle s'exécuta sans protester.

— Pourquoi ?

— Je vais essayer de déterminer à quel moment ton appartement a été visité. Et je tiens aussi à vérifier qu'on n'a pas cherché autre chose dans ton ordinateur.

— Tu peux faire ça ?

— Oui. J'ai quelques compétences en informatique.

Il en avait plus que la moyenne, mais il ne se considérait pas comme un pro.

— Le spécialiste, c'est Trace. Mais puisque tu as un Mac, c'est assez facile de consulter l'historique. J'espère que tu n'as pas configuré ton ordinateur pour effacer ton historique après chaque cession ?

— Non. Je ne saurais même pas comment m'y prendre pour faire un truc pareil !

— Ah bon ? s'étonna-t-il. Cet appareil est pourtant ton instrument de travail !

Elle haussa les épaules, comme si l'argument lui paraissait fallacieux.

— Je suis capable de faire ce qui m'est utile : taper mes

romans, envoyer des emails, surfer sur le net pour effectuer mes recherches. C'est l'essentiel.

Dare se promit de lui expliquer comment fonctionnait un ordinateur et ce qu'on pouvait faire avec. Mais ce n'était pas urgent.

— En retrouvant les fichiers ouverts par ceux qui sont passés chez toi, on pourra sans doute se faire une idée de ce qu'ils voulaient.

— Ils voulaient connaître mon emploi du temps, assura-t-elle.

— D'accord, mais dans quel but ? Ils n'avaient tout de même pas l'intention de t'enlever en pleine séance de dédicace !

Elle frissonna.

— Tu crois qu'ils vont encore chercher à m'enlever ?

— Je n'en sais rien.

Bishop cherchait peut-être à la faire chanter pour la museler et l'empêcher de porter plainte. Mais qu'espérait-il trouver ici ?

Ses yeux se posèrent sur un tissu de soie bordé de dentelle qui dépassait d'un tas de vêtements, près du bureau. Il voulut le ramasser, mais Molly le prit de vitesse. Il s'agissait d'une petite culotte.

— Ce n'est pas drôle, Dare, protesta-t-elle en la lançant sur le lit. Je déteste qu'on manipule mes affaires. J'ai envie de tout brûler et de tout racheter.

— Mais non, murmura Dare en l'attirant sur ses genoux. Tu verras, ça passera.

Elle se pencha pour l'embrasser.

— Ta présence m'aide vraiment beaucoup, murmura-t-elle. Merci.

Il l'attira à lui pour un baiser plus passionné, qu'il interrompit un peu trop tôt.

— Et moi, je ne voudrais pas être ailleurs, répondit-il.

Elle eut un sourire coquin.

— C'est vrai qu'on s'amuse beaucoup, avec moi !

— Ne minimise pas le danger. Je suis heureux d'être près

La peur à fleur de peau

de toi pour te protéger. Jamais je ne t'aurais laissée seule dans de telles conditions.

Elle baissa les yeux, comme si elle peinait à le croire.

— Tai et Sargie vont te manquer.

— C'est vrai, mais elles adorent Chris, et il s'occupe bien d'elles. Il les nourrit, il les sort, il prend le temps de jouer avec elles et de les câliner.

Soucieux de la convaincre, il chercha son regard.

— Je me suis souvent absenté pour de longues périodes. Ça ne fait pas longtemps que j'ai réduit mon activité.

— Et maintenant que tu pourrais profiter d'un peu de temps libre, je débarque pour t'en empêcher !

Il n'osa pas lui dire à quel point elle comptait pour lui — il n'osait pas même se l'avouer à lui-même.

— Personne ne peut me contraindre à quoi que ce soit, assura-t-il en la prenant par le menton. Je suis là parce que j'en ai envie, c'est tout.

Ils se dévisagèrent pendant quelques secondes, puis Molly poussa un long soupir. Il ne fut pas dupe. Elle ne le croyait pas.

Elle balaya sa chambre du regard.

— Pendant que tu vérifies l'historique, est-ce que je peux commencer à mettre un peu d'ordre ?

— Bien sûr que oui.

Elle quitta ses genoux.

— Quand tout sera rangé, je me sentirai de nouveau chez moi, murmura-t-elle. J'aurai l'impression que ma vie est revenue à la normale.

Une fois de plus, il ne put s'empêcher de l'admirer. Non seulement elle ne craquait pas, mais elle cherchait déjà le moyen de surmonter cette nouvelle épreuve.

Il aurait bien voulu la garder contre lui, sur ses genoux, et l'embrasser encore… Mais elle avait raison. Il était temps qu'elle reprenne une vie normale. Ils auraient la nuit pour eux. Encore un peu de patience.

Pendant qu'elle ramassait ses vêtements épars, il entreprit de vérifier l'activité de l'ordinateur.

Etrange… Le lendemain de l'enlèvement de Molly, quelqu'un avait ouvert le fichier de son roman en cours. Il fut pris d'une rage sourde en songeant que pendant qu'elle souffrait dans une caravane à Tijuana, un salaud lisait tranquillement ce qu'elle avait écrit.

Ensuite, il n'y avait plus rien pendant quelques jours, puis, récemment, peu après son entretien avec Bishop, on avait ouvert plusieurs programmes — dont son calendrier et son historique internet.

Il s'adossa à son fauteuil pour réfléchir. Pourquoi ce laps de temps entre les deux visites ?

Des professionnels n'auraient pas pris le risque de revenir deux fois au même endroit. De plus, ils auraient trouvé ce qu'ils cherchaient dès la première fois.

Et s'il ne s'agissait pas des mêmes hommes ? Bishop avait-il ignoré son avertissement et envoyé quelqu'un ici pour tenter de découvrir où se cachait sa fille ?

Ou pour effacer des traces laissées lors de la première visite ?

Tout en passant en revue les hypothèses qui lui venaient à l'esprit, Dare restait attentif aux déplacements de Molly dans l'appartement. Elle avait déjà rangé la chambre et s'occupait à présent du salon. Or il n'aimait pas qu'elle échappe à son regard. Tant qu'il n'aurait pas identifié ses agresseurs, il estimait indispensable de la surveiller de près.

Il en était à l'historique internet quand elle apparut sur le seuil de la porte. Elle avait enlevé son pull, ses bottines et ses chaussettes. Elle le fixait depuis le seuil, pieds nus, l'ourlet de son jean traînant par terre.

Alarmé, il se leva d'un bond.

— Qu'est-ce qui se passe ?

Elle poussa un soupir tremblant.

— Je… J'ai trouvé un mot. Sur la petite table du téléphone.

Dare noua un bras autour de ses épaules. Il ne supportait pas de la voir souffrir.

— Montre-moi ça, dit-il d'un ton qui se voulait rassurant.

La peur à fleur de peau

Elle le conduisit jusqu'à une petite table ronde, qui gisait, renversée contre le mur séparant le coin cuisine du salon.

— C'est là que je pose le téléphone fixe, expliqua-t-elle. Et aussi mon portable quand je le recharge, mon courrier, ma petite monnaie. Elle me sert un peu de vide-poches.

Une douzaine de lettres, quelques paquets et colis étaient éparpillés sur le sol autour de la table.

— Tu as beaucoup de courrier, fit-il remarquer.

— Ça fait plus de dix jours que je suis absente.

— Mais qui a déposé le courrier ici ?

La main sur le front, une expression sinistre sur le visage, elle montra du doigt un papier scotché sur le répondeur.

— Celui qui a laissé ça, je suppose.

Dare enjamba le fil du téléphone pour aller vers le répondeur, lequel se trouvait lui aussi par terre au milieu du courrier. Il était débranché et peut-être cassé, il allait vérifier ça tout de suite.

Molly le suivit.

— Ce téléphone me sert uniquement pour les appels professionnels. Pour communiquer avec mon éditrice, mon agent, pour les interviews téléphoniques. Ma famille utilise plutôt mon portable. Celui qui a déposé le papier savait que j'irais vers ce répondeur en entrant. C'est pour ça qu'il l'a mis là.

— Probablement, acquiesça Dare.

Le message était écrit en lettres capitales, au feutre rouge. Dare le lut à voix haute :

— « Toujours l'âme aussi encline au pardon ? »

Les poings serrés, la mâchoire crispée, Molly tremblait de rage.

— Tu as une idée de ce que ça signifie ? demanda-t-il.

— Oui, je crois bien.

Elle semblait sur le point de s'embraser. Dare s'empressa de faire diversion.

— Voyons si le répondeur fonctionne encore.

Molly s'agenouilla pour brancher le répondeur au téléphone. Ils purent écouter plusieurs appels de sa sœur, qui attendait de ses nouvelles. Puis de son agent et de son éditrice réclamant qu'elle les rappelle. Le libraire délaissé n'était pas fâché, mais se déclarait extrêmement surpris de son absence.

Puis il y eut de nouveau un appel de Natalie expliquant qu'elle avait bien reçu son message, mais qu'elle voulait des détails.

Pourquoi tu ne m'appelles pas ? Je ne comprends pas. C'est dingue ! Tant mieux pour toi si tu t'amuses comme une petite folle, j'en suis ravie, mais tu pourrais tout de même prendre une minute pour parler. J'attends ton coup de fil.

Molly poussa un gémissement.

— Natalie doit être aux cent coups, murmura-t-elle d'un ton coupable.

— A quel message faisait-elle allusion ? demanda Dare.

— Je l'ignore.

— Viens.

Il la prit par la main et l'entraîna vers la chambre, où ils consultèrent de nouveau l'ordinateur. En vérifiant soigneusement l'historique, ils purent constater que quelqu'un avait ouvert sa messagerie électronique.

— Je peux y jeter un coup d'œil ? demanda-t-il.

— Au point où j'en suis, je n'ai plus grand-chose à cacher, répondit-elle. Je t'en prie.

Dare ouvrit le compte, puis chercha les messages reçus et envoyés pendant l'absence de Molly — en vain.

Elle fronça les sourcils.

— Ouvre la corbeille, dit-elle.

— C'est ce que j'avais l'intention de faire, répondit-il tout en cliquant. Bingo !

Ils trouvèrent trois messages de sa sœur. Le premier annonçait qu'elle s'absentait pendant les vacances de printemps et qu'elle aurait bien voulu lui parler avant son départ.

— Les vacances de printemps ? s'étonna Dare.

— Elle est enseignante, expliqua Molly en se penchant

258

par-dessus son épaule. Regarde! Il y a aussi un email soi-disant rédigé par moi...

Date l'ouvrit et le lut à haute voix.

— « Je pars pour quelque temps. J'ai besoin de me changer les idées. Je te fais signe dès que je peux. Bisous. Molly. » Elle se redressa lentement.

— Je n'aurais jamais écrit ça à Natalie, murmura-t-elle.

— Ça explique son inquiétude, commenta Dare.

Elle poussa un soupir angoissé.

— Celui qui a envoyé ça savait que ma sœur serait la seule à se préoccuper de mon absence. Mon agent et mon éditrice aussi, bien sûr, mais elles ne risquaient pas de paniquer si ma famille trouvait ça normal!

— Ce message a donc été envoyé par quelqu'un qui te connaît bien, conclut-il.

Ce n'était pas une surprise. Il se leva et la prit dans ses bras. Il lui semblait que c'était la seule chose à faire. En dépit des circonstances, il ne put s'empêcher de penser à la nuit qu'ils passeraient bientôt ensemble.

Troublé, il s'empressa de rompre leur étreinte.

— Il faut que je rassure Natalie, annonça-t-elle.

Mais son téléphone portable était resté dans son sac à main. Quant à celui de la maison, on aurait dit que quelqu'un avait marché dessus.

Dare sortit son appareil de sa poche.

— Tiens. Appelle-la.

Parler à sa sœur lui ferait du bien. Elle en oublierait un peu le saccage de son appartement et le message au feutre rouge.

— Que dois-je lui dire?

Il haussa les épaules.

— Explique-lui qu'il t'est arrivé quelque chose, mais que tu ne peux pas en dire plus au téléphone. Demande-lui de venir ici.

Ça lui donnerait l'occasion de la rencontrer, et d'observer sa réaction quand Molly lui raconterait son calvaire. A priori, il n'avait aucune raison de soupçonner Natalie. Pour autant qu'il sache, elle était la seule à s'être alarmée du silence de Molly. Mais il était encore trop tôt pour qu'il l'écarte de la liste des suspects.

Molly composa le numéro, attendit, puis secoua la tête.

— C'est le répondeur, murmura-t-elle en couvrant le téléphone de sa main.

— Ne laisse pas de message. Ça ne ferait que l'inquiéter davantage.

Il reprit le téléphone et le ferma.

— Tu essayeras plus tard.

Molly se mordilla la lèvre d'un air contrarié, mais elle ne discuta pas les ordres, cette fois.

— Si elle est toujours en vacances, elle n'a peut-être pas son téléphone sur elle en permanence, murmura-t-elle.

Dare n'arrivait plus à lâcher Molly. Plus il la caressait, plus il avait envie de la caresser. Il avait besoin de sentir la douceur de sa peau, l'odeur de ses cheveux, sa chaleur, sa gentillesse.

Il la prit par la taille pour l'entraîner hors de la chambre — un geste qui se voulait amical. Mais qui ne fit que raviver son désir. Comment ignorer le satin de sa peau sous le fin tissu de son chemisier, la finesse de sa taille et la manière dont elle se calait contre lui ?

— Qu'est-ce qu'on fait, maintenant ? demanda-t-elle.

— Je voudrais que tu m'expliques ce que signifie ce mot au feutre rouge... mais avant cela, il faudrait que tu manges. Et que tu boives un peu.

— Je vais bien ! protesta-t-elle avec un petit rire. Et je n'ai pas du tout faim.

Il se figea face à elle dans la cuisine, et lui caressa les cheveux.

Il la trouvait pâle, angoissée. Et très belle.

— Comme tu voudras, concéda-t-il. Je n'ai pas vraiment faim, moi non plus. Mais nous pourrions au moins nous asseoir pour discuter.

Elle jeta un regard contrit autour d'elle.

— C'est que je n'ai pas terminé de ranger !

— On viendra à bout de cette pagaille, ne t'en fais pas.

Il dégagea une chaise de ce qui l'encombrait, puis un coin de table, et l'obligea à s'asseoir.

— Respire lentement, ma chérie.

Elle parut surprise.

— Je me sens bien, je t'assure!

— Je n'en doute pas.

Elle ne cessait de prendre des coups, mais elle les encaissait dignement. Sa force intérieure le laissait pantois.

— Fais-moi plaisir, insista-t-il.

Après s'être assuré que la cafetière n'était pas fêlée, il entreprit de préparer du café.

— Et si tu m'expliquais le sens du message? lança-t-il en branchant la machine.

Elle enfouit la tête dans ses mains.

— C'est une allusion à un de mes livres... Celui qui a suscité tant de polémiques.

Elle leva les yeux vers lui.

— Tu te souviens des critiques de mes lecteurs?

Tout en dosant le café, il tâcha de se souvenir des critiques les plus virulentes.

— Tu as offert une fin heureuse à un personnage déplaisant, c'est ça?

Molly acquiesça.

— Oui. Il s'agit d'un être troublé, dominé par des émotions confuses. Et il ne se conduit pas très bien.

— C'est-à-dire?

— Il vole des voitures et des cartes de crédit. Ensuite, au cours du roman, il se rend compte de ses erreurs, tente de se racheter, et obtient le pardon des personnages principaux.

Cette notion intrigua Dare, sans doute parce qu'il n'était pas de ceux qui pardonnent aisément. Il n'oubliait jamais quand quelqu'un s'était mis en travers de son chemin et lui retirait définitivement sa confiance.

— Certains de tes lecteurs se sont sentis trahis par ce choix, commenta-t-il.

Elle acquiesça.

— Apparemment, ils ne pensaient pas que tout le monde a droit à une seconde chance.

Elle se frotta les tempes, comme si elle sentait venir une migraine.

— Une de mes lectrices m'a envoyé une série de mails dans lesquels elle se délectait à détailler les mauvais traitements qu'elle aurait aimé me faire subir, pour voir jusqu'où allait ma capacité à pardonner.

— Et c'est maintenant que tu m'en parles! s'exclama Dare.

Elle lui jeta un regard agacé.

— J'étais déjà suffisamment mortifiée que tu aies lu certaines critiques. Et franchement, jusqu'à aujourd'hui, je n'avais pas prêté grand intérêt aux délires de cette folle. Ça m'était déjà arrivé de recevoir des messages épouvantables. Tous les écrivains y ont droit, tu sais.

— Donne-moi un exemple.

Elle prit le temps de réfléchir, les yeux rivés au plateau de la table.

— Une fois, c'était à propos d'un personnage de père.

Dare sentit que la conversation la dérangeait profondément, mais il ne pouvait pas la lui épargner : il lui fallait des détails.

— Il avait perdu sa femme et délaissait complètement ses enfants.

Il se demanda si c'était son propre père qui lui avait inspiré ce personnage. D'après ce qu'elle lui avait raconté, il avait compris que Bishop avait négligé ses filles après le suicide de leur mère — soit au moment où elles avaient le plus besoin de lui.

Molly croisa les mains.

— Il les soutenait financièrement, mais c'était tout. Je ne l'ai pas présenté comme un pur salaud, mais son pitoyable ego était à la limite du supportable.

— Et?

— Un de mes lecteurs masculin a été scandalisé parce qu'il considérait que je n'avais pas su comprendre à quel point ce père avait souffert. Il est allé jusqu'à menacer de me tuer.

Elle eut une moue de mépris.

— Comme s'il pouvait y avoir des excuses au fait de ne pas s'occuper de ses enfants, ajouta-t-elle d'un ton rageur.

— En effet, il n'y en a pas, approuva Dare d'un ton prudent, pour ne pas l'irriter encore plus. Il t'a menacée de quelle manière, exactement ?

— Il m'a écrit une vingtaine de lettres. Des textes pleins de colère, tous plus dingues les uns que les autres. Il voulait que je comprenne ce que c'était que de perdre quelqu'un, avant de me permettre de juger les autres.

Elle poussa un grognement.

— Je ne lui ai pas dit que j'avais perdu ma mère, mais j'aurais pu, pour lui river son clou !

— Tu as bien fait de ne pas lui répondre.

Moins les lecteurs en savaient sur sa vie privée, mieux c'était.

— Et ensuite, il s'est manifesté ?

Elle eut un geste vague de la main.

— Non. J'ai montré les lettres à la police, qui les a transmises à une équipe d'experts. Ils ont mené une enquête rudimentaire et retrouvé le type qui les écrivait. Apparemment, c'était un déséquilibré. Ils m'ont assuré qu'il avait repris son traitement et que je ne risquais plus rien.

Dare fit la moue.

— C'est tout ? Je les trouve un peu légers, tout de même…

— Peu importe. Je n'ai plus jamais entendu parler de lui.

Elle tambourina sur la table du bout des doigts.

— Après ça, il y en a eu un qui venait à toutes les séances de dédicaces, toujours pour le même livre. C'était carrément angoissant.

— Ce livre avait dû lui plaire, commenta Dare d'un ton impassible.

Elle leva les yeux au ciel.

— Je lui ai demandé d'arrêter. C'était vraiment trop bizarre. Pour tous les deux.

— Je comprends, admit-il en lui prenant la main. Et comment a-t-il réagi ?

— Il est devenu rouge comme une pivoine et j'ai cru qu'il allait se mettre à pleurer. Mais il ne s'est plus montré et il ne m'a pas écrit non plus, pour autant que je sache.

— Comment ça, pour autant que tu saches ?

— Beaucoup de lecteurs m'écrivent de manière anonyme, sans me communiquer leur nom ni leur adresse.

Elle eut un rictus ironique.

— Surtout les mécontents !

— Tu veux dire que tu reçois régulièrement des lettres de lecteurs mécontents ?

Elle haussa les épaules.

— Je suis vaccinée contre ce genre de réactions, tu sais. Je n'aime pas mécontenter mes lecteurs, mais ça fait partie du métier. Ce que certains adorent est détesté par d'autres.

Elle soupira.

— Quand cette lectrice m'a menacée à plusieurs reprises pour me faire comprendre qu'on ne peut pas tout pardonner, j'ai commencé par l'ignorer.

— Une lectrice ? souligna Dare en haussant un sourcil. Tu es sûre qu'il s'agissait d'une femme ?

— Eh bien…

Elle prit le temps de réfléchir.

— Pas vraiment, non. Les lettres n'étaient pas signées. C'est juste que j'ai plus de lectrices que de lecteurs.

— Mais tu viens de me parler de deux lecteurs ! fit-il remarquer. Rien ne permet de prouver que l'auteur des lettres de menaces est une femme…

La machine à café émit le bruit caractéristique qui signifiait que le café était passé. Dare se leva pour prendre des tasses.

Molly se leva aussi, pour sortir du lait en poudre d'un autre placard.

— Je n'ose pas ouvrir mon réfrigérateur, commenta-t-elle. J'ai peur de ce que je pourrais y trouver.

Dare lui jeta un regard amusé.

— Je m'en charge, si tu veux.

Il ouvrit la porte.

— A ta place, je m'abstiendrais de goûter le lait ou la crème, mais le reste semble normal.

Il referma la porte.

— Il est très propre, ton réfrigérateur. Pas du tout encombré de cochonneries.

— Heureusement…

Elle versa du lait en poudre dans son café — une hérésie pour Dare — et revint s'asseoir.

— Comme je suis seule, je cuisine de très petites quantités. En général, je n'ai pas de restes.

Dare ouvrit quelques placards, en quête de quelque chose à grignoter.

— Je t'aurais volontiers offert un biscuit, mais je crois que je n'en ai plus, s'excusa Molly.

— Ne t'en fais pas. Nous commanderons à dîner et nous irons faire des courses demain si nécessaire.

Molly se mit à remuer son café.

— Combien de temps allons-nous rester? s'enquit-elle en évitant son regard.

— Je n'en sais rien.

Tout dépendrait de la manière dont les choses se passeraient avec Bishop, mais il n'avait pas l'intention de le lui dire tout de suite.

— Je commence à croire à ta thèse du lecteur, commenta-t-il. A moins que tu puisses me citer quelqu'un d'autre avec qui tu as récemment été en conflit?

— En conflit?

Il haussa les épaules.

— Quelqu'un qui serait furieux contre toi parce que tu ne lui pardonnes pas.

Ils échangèrent un regard entendu.

— Adrian, dirent-ils d'une seule voix.

Dare se demanda comment il n'y avait pas pensé plus tôt. L'ex de Molly était-il assez rancunier pour avoir saccagé son appartement? Et si oui, comment savait-il que Molly n'y était pas?

Etait-il capable d'avoir supervisé son enlèvement?
Molly ricana.

— Non. Pas Adrian. Il n'est pas du genre à…

Un bruit de clé se fit entendre. Ils tournèrent tous deux la tête vers la porte d'entrée.

— Qui…?

— Chut! fit Dare en entraînant Molly à terre.

Il la fit ramper jusqu'au mur et éteignit la lumière au passage. Molly ouvrit des yeux ronds. Il avait sorti son revolver.

— Je n'arrive pas à y croire, murmura-t-elle.

Dare la fit asseoir dos au mur.

— Ne bouge surtout pas, cette fois. Je ne plaisante pas. Ne bouge pas d'un millimètre.

16

Molly retint son souffle tandis que Dare se glissait hors de la pièce. Son cœur battait à tout rompre. Elle avait soudain terriblement chaud, et l'impression que sa peau en feu allait se craqueler. L'attente était insupportable.

La porte s'ouvrit sur un rire étouffé d'homme, puis il y eut des bruits de pas précipités. Des gens s'engouffraient dans l'appartement? Une femme pouffa et... Oui, pas de doute, ce que Molly venait d'entendre était bien un baiser retentissant.

Elle fronça les sourcils. Ce rire d'homme lui rappelait quelqu'un.

Tout en sachant que Dare allait être furieux, elle ne put s'empêcher de se déplacer — juste assez pour jeter un coup d'œil dans le salon, au moment où Adrian entrait dans l'appartement, accompagné d'une jolie femme. Ils avançaient collés l'un à l'autre en s'embrassant goulûment.

Dans son appartement!

Furieuse, elle se leva d'un bond, à l'instant où Dare pointait son arme sur les deux intrus.

Adrian, qui n'avait encore rien vu, repoussa la porte d'une main. Privés de l'éclairage du couloir, ils étaient maintenant dans l'ombre et reculaient lentement contre le mur, toujours enlacés.

Molly, qui était déjà à cran, eut l'impression qu'elle allait exploser. Mais elle ne bougea pas.

De son côté, Dare paraissait désarçonné. Visiblement, il

ne s'était pas attendu à ce type d'intrusion… Finalement, il se décida. Il n'abaissa pas son arme, mais alluma la lumière. La femme poussa un cri aigu et Adrian fit volte-face. Ils devinrent tous deux livides.

— Laissez-moi deviner, ricana Dare. Vous êtes Adrian.

Ce crétin d'Adrian vacilla et se colla le dos au mur tandis que la femme se blottissait contre lui.

Ils avaient l'air complètement allumés. Soûls ou défoncés. Ou les deux.

Molly se racla la gorge.

— Dare?

— Oui? répondit-il sans se retourner.

— Je peux venir, n'est-ce pas?

— Attends une seconde.

Adrian poussa un glapissement de peur quand Dare fit un pas vers lui.

— Les clés, ordonna-t-il.

Adrian les lui remit en tremblant.

Après les avoir glissées dans sa poche, Dare palpa Adrian pour le fouiller. Molly songea que ce n'était pas nécessaire — Adrian n'était sûrement pas armé — mais elle ne chercha pas à arrêter Dare, lequel ne trouva rien, et attrapa Adrian par le bras pour le pousser vers un fauteuil.

Molly sortit de la cuisine.

— Qu'est-ce que tu fais chez moi, Adrian?

L'intéressé se leva d'un bond en la voyant.

— Molly! Tu es là? Je commençais à me faire du souci pour toi.

Dare le repoussa si violemment dans le fauteuil que celui-ci faillit se renverser.

— Assis! gronda-t-il.

Adrian jeta un coup d'œil inquiet du côté de Molly, mais en la voyant si calme et posée, il parut se rassurer un peu. Et comme il reprenait ses esprits, il remarqua la pagaille qui régnait dans le salon.

— Seigneur! s'exclama-t-il. Qu'est-ce qui s'est passé ici?

— Bouclez-la, fit sèchement Dare.

Puis il se tourna vers la femme pour l'observer.

Elle ne portait presque rien sur elle, hormis une minuscule robe noire et moulante dont le décolleté plongeait entre ses seins et qui ne cachait presque rien de ses longues jambes juchées sur des sandales à hauts talons. Sa tenue, ses cheveux blonds décolorés et son rouge à lèvres criard lui donnaient l'allure d'une starlette en quête de reconnaissance.

Dare se dirigea vers elle.

— Dare ! appela Molly.

Il hésita, mais ne quitta pas la femme des yeux.

— Quoi ?

Elle se sentit rougir jusqu'à la racine des cheveux. Bon sang, ce que la situation était embarrassante... Mais tant pis, ça lui était égal de se couvrir de ridicule. Elle remplit ses poumons d'air avant de répondre :

— Je ne veux pas que tu poses les mains sur elle.

Un lourd silence s'abattit dans la pièce. Dare lui lança un regard soupçonneux.

— Et pourquoi donc ?

Elle serrait tellement les dents qu'elle en avait mal à la mâchoire. Parce que... Parce que s'il palpait ce corps de femme... Enfin, non, elle ne voulait pas. C'était indécent. Cette dame était pratiquement nue !

— L'idée me déplaît, essaya-t-elle d'expliquer posément.

De nouveau, il jeta un regard vers elle. Et cette fois, elle crut y voir briller une lueur d'amusement.

— Je n'avais pas l'intention de la fouiller, expliqua-t-il. De toute façon, sa robe est tellement moulante qu'elle ne risque pas de cacher une arme sur elle.

— Ah... D'accord.

Dare tendit une main à la femme.

— Donnez-moi votre sac, ordonna-t-il.

Elle le lui confia sans un mot. Il le prit et rejoignit Molly.

— J'ai hâte que tu fasses les présentations, indiqua-t-il.

Elle s'en doutait, mais c'était tout de même gênant pour

Dare de faire connaissance de son crétin d'ex dans des circonstances pareilles.

Elle se posta avec lui devant le couple et croisa les bras, tout en tapotant nerveusement le plancher du pied.

— Qu'est-ce que tu fais là, Adrian ?

Il ouvrit la bouche, risqua un regard embarrassé vers sa compagne, puis referma la bouche.

— Tu veux que je lui fasse cracher le morceau ? demanda Dare d'un ton détaché.

— J'allais justement te le demander, répondit Molly tout en espérant que Dare plaisantait.

Adrian n'apprécia pas du tout l'idée.

— Tu n'étais pas là ! protesta-t-il.

— Tu ne m'apprends rien, répliqua-t-elle. Mais je ne vois pas le rapport avec ta présence ici.

Adrian secoua la tête, tout en surveillant Dare d'un œil inquiet, comme s'il craignait que celui-ci ne lui saute dessus.

Et il y avait de quoi. Avec sa stature imposante, ses muscles saillants, son air mécontent et le revolver qu'il tenait à la main, Dare était plus qu'impressionnant.

La blonde, quant à elle, demeurait silencieuse et parfaitement immobile.

Adrian s'humecta les lèvres.

— Tu t'étais volatilisée.

— Comment saviez-vous qu'elle n'était pas chez elle ? voulut savoir Dare.

— Sa sœur n'arrête pas de m'appeler, répondit-il. Elle est super-inquiète.

Puis il se tourna vers Molly.

— Personne ne savait où tu étais passée, et comme tu ne répondais jamais sur ton portable, j'ai pensé que tu étais vraiment partie.

— Partie ? Et alors ? Est-ce une raison pour débarquer chez moi ?

— Non, bien sûr que non. J'ai mon appartement.

Il regarda la blonde à la dérobée, se renversa dans son fauteuil et tenta d'en appeler à la compréhension de Molly.

— Tu sais bien que je n'aime pas faire venir des gens sur mon territoire.

— Ton territoire ?

— Oui, je…

Ses yeux se posèrent de nouveau sur la blonde qui se raidit, sourcils froncés.

— Je ne veux pas exposer ma vie privée.

— Je ne vois pas où vous voulez en venir, maugréa Dare. Crachez le morceau, qu'on en finisse !

Adrian manifesta enfin un peu de courage en le fixant droit dans les yeux.

— Ce n'est pas très malin d'emmener une fille chez soi quand on veut juste passer une nuit avec elle…

— Parce que tu avais l'intention de m'envoyer paître au petit matin ? interrompit la blonde, ulcérée.

Quant à Molly, elle était abasourdie par tant de culot.

— Tu venais ici pour faire l'amour avec une fille ? Dans mon appartement ?

Elle en avait presque la nausée.

— Dans mon lit ?

— Eh bien… oui, avoua Adrian en haussant les épaules.

Molly voulut se jeter sur lui, mais Dare la prit par la taille pour l'en empêcher. Adrian en profita pour se réfugier derrière son fauteuil.

— Tu n'es qu'un immonde salaud ! cracha Molly.

Dare se permit de rire sous cape.

Sa réaction mit Molly en rage : il eut droit à un coup de coude dans les côtes. Il cessa de rire, mais ne la lâcha pas.

— Calme-toi, dit-il.

— Je me calmerai. Quand je me serai vengée.

Adrian tenta de nouveau de se justifier.

— Je te croyais partie ! insista-t-il.

— Tu pensais que je ne reviendrais plus, c'est ça ?

Elle se démena pour échapper à Dare, qui la souleva de terre pour l'immobiliser définitivement.

— Est-ce que c'est toi qui as saccagé l'appartement ? poursuivit-elle. C'est toi ?

— Du calme, murmura Dare.

Il la tenait fermement, sans lui faire mal, et elle comprit qu'elle devait avoir l'air ridicule, à s'agiter de la sorte. De toute façon, elle imaginait mal Adrian orchestrer son enlèvement. Il était trop minable pour organiser ce type d'exaction.

— Repose-moi, s'il te plaît, demanda-t-elle à Dare.

Il obéit aussitôt, mais lui pressa gentiment la taille pour l'inciter à se tenir tranquille.

— Vous étiez certain que Molly ne rentrerait pas, puisque vous aviez l'intention d'occuper l'appartement cette nuit, fit remarquer Dare. D'où vous venait cette certitude ?

— Molly ne s'absente jamais sans prévenir sa sœur, répondit Adrian. Et comme Natalie n'avait pas de nouvelles, je me suis dit que Molly était partie pour un temps indéterminé, pour réfléchir ou pour écrire. J'ai appelé son portable, et elle n'a pas répondu. Si elle avait été là, elle aurait décroché.

Dare croisa les bras.

— Comment êtes-vous entré ?

— La première fois, j'ai trouvé la porte ouverte.

— La première fois ? répéta Molly d'un ton incrédule. Tu es déjà venu ?

Elle tenta d'échapper à Dare, qui la retint.

— Poursuivez, dit-il à Adrian.

— J'ai trouvé la clé dans la cuisine et j'ai refermé derrière moi en partant, comme l'aurait fait n'importe quel copain digne de ce nom.

— Et tu as gardé cette clé pour pouvoir revenir, comme n'importe quel copain digne de ce nom ?

— Je… Euh…

— Ecoutez, intervint la blonde. Je n'ai rien à voir avec ce qui se passe ici. Je viens de rencontrer cet idiot.

Adrian n'apprécia pas l'adjectif et en oublia sa peur.

— La ferme, Sally !

— C'est toi qui vas la fermer, rétorqua-t-elle en s'avançant pour lui donner un coup de poing en pleine poitrine. Tu n'es qu'un menteur. Tu ne m'as pas dit que ce n'était pas chez toi !

Il eut une moue de mépris.

— Dans l'état où tu étais…

Sally revint sur lui et le gifla, suffisamment fort pour le faire chanceler.

Il poussa un grognement féroce et tendit le bras vers elle. Mais Dare le prit par le poignet avant qu'il ait pu atteindre la jeune femme. Adrian s'immobilisa aussitôt.

Sally se tourna vers Molly.

— Est-ce que je pourrais récupérer mon sac ? demanda-t-elle. J'ai hâte de sortir d'ici.

Molly le lui tendit.

— Je suis désolée que vous ayez assisté à ça, s'excusa-t-elle.

Dare lui jeta un regard incrédule.

Molly l'ignora. Ce n'était pas la faute de Sally si Adrian l'avait entraînée dans un appartement qui ne lui appartenait pas et dans lequel il n'avait aucun droit d'entrer !

— Vous voulez que je vous appelle un taxi ? proposa-t-elle.

Sally prit un air digne.

— Pas la peine, je vous remercie.

— Les rues ne sont pas aussi sûres que vous le pensez, dans ce quartier, insista Molly d'un ton inquiet.

— Dans cette maison non plus, ce n'est pas très sûr. Je préfère tenter ma chance dehors.

Après un dernier regard cinglant à Adrian, qui lui adressa en retour un sourire douceâtre, Sally se dirigea vers la porte.

Dare vint lui barrer le passage. Elle s'arrêta tout contre lui, puis très lentement, elle inclina la tête en arrière pour lever les yeux vers lui.

Il ne lui fit pas l'aumône d'un sourire.

— Vous êtes une fille intelligente, je présume ?

Sally quêta du regard une aide du côté de Molly, laquelle se garda bien d'intervenir.

Voyant qu'elle n'obtiendrait pas de soutien, Sally se tourna de nouveau vers Dare.

— J'aime à le croire, répondit-elle.

— Très bien.

Cette fois Dare lui adressa un sourire — mais un sourire de carnassier, dépourvu de toute amabilité. Molly songea que la pauvre fille ne devait pas en mener large.

— Ecoutez-moi bien : vous n'êtes jamais entrée dans cet appartement. Vous voyez ce que je veux dire ?

Elle acquiesça, l'air apeuré.

— Je vois très bien. En sortant du bar, je suis rentrée directement chez moi.

Dare la jaugea du regard, puis il dut décider qu'il pouvait lui faire confiance, car il s'écarta pour la laisser passer et lui ouvrit même la porte.

Adrian la suivit des yeux en affectant une expression boudeuse, puis il laissa échapper un soupir contenu et se tourna vers Molly.

— Bon, déclara-t-il d'un ton résolu. Qu'est-ce qu'on fait, maintenant ?

— Maintenant, vous allez répondre à quelques questions.

Dare était d'un calme inquiétant.

— Et tant que je ne serai pas certain qu'entrer dans cet appartement est votre unique et plus grave forfait, vous ne bougerez pas d'ici.

— Vous me menacez ?

La réponse étant évidente, Molly se demanda si Adrian jouait les imbéciles.

— Je ne fais que vous expliquer les choses, afin qu'il n'y ait pas de confusion, expliqua posément Dare.

— Votre explication ne me renseigne pas beaucoup, se plaignit Adrian d'une voix aiguë. Je n'ai toujours pas la moindre idée de ce qui se passe ici.

Molly s'avança lentement pour se mettre face à lui — avec une certaine jubilation, elle dut se l'avouer.

— Tu veux savoir pourquoi je n'étais pas chez moi, Adrian ?

— Euh, oui... Je suppose que ce serait un bon début.

Il n'avait pas l'air très sûr de lui, mais elle ne s'en étonna pas. Il était toujours comme ça. Décidément, il n'avait rien de commun avec Dare. Ce dernier affrontait le danger. Adrian, lui, ne songeait qu'à prendre ses jambes à son cou.

L'un était un héros, l'autre un lâche.

Molly secoua la tête.

— Je me demande bien ce que j'ai pu te trouver, Adrian.

Dare ricana.

— Je me posais la même question.

Adrian se sentit insulté.

— Je suis un très bon parti! protesta-t-il.

— Non, objecta Molly. Ton seul mérite était d'être à portée de main. Séduisant et éduqué, d'accord, mais à présent... A présent, je me demande comment j'ai pu être assez sotte, ou assez désespérée, pour m'intéresser à toi.

Dare fronça les sourcils.

— Tu étais désespérée?

Elle ne pouvait pas s'expliquer là-dessus. Pas ici. Pas maintenant. Pas à lui qui était si indépendant, si sûr de lui. Jamais il ne comprendrait qu'une femme a besoin de trouver l'homme de sa vie, d'envisager l'avenir avec sérénité. De fonder une famille heureuse et solide.

Sans doute avait-elle toujours su, au fond d'elle-même, qu'Adrian ne comblerait pas ses attentes. Elle ne rêvait pas d'un homme plus séduisant ou plus riche que lui, mais d'un compagnon avec un véritable sens de l'honneur. Quelqu'un d'enthousiaste et de courageux. Quelqu'un comme Dare.

Or les hommes qu'elle avait connus jusqu'à présent ne valaient pas mieux qu'Adrian. Elle en avait rencontré de plus beaux ou de plus gentils, mais instables ou sans personnalité. Elle soupira.

Elle se rendit compte que Dare attendait sa réponse et tenta de dévier la conversation.

— Tu ne trouves pas Adrian séduisant?

— Tu te fiches de moi! répondit Dare en plissant les yeux.

Elle ne put s'empêcher de rire et s'étonna qu'il parvienne à la dérider dans une situation aussi dramatique.

— Il n'est pas aussi grand que toi, je te l'accorde, poursuivit-elle avec une pointe d'ironie dans la voix. Mais ça va tout de même.

Elle fit mine d'observer Adrian.

— Il n'est pas non plus aussi musclé que toi, mais on voit qu'il prend soin de lui et qu'il fait du sport.

Adrian devint écarlate.

— Je vais tous les jours dans une salle de gym, protesta-t-il d'une voix outragée.

— Il est blond, reprit Molly. Avec des yeux verts. Et un beau sourire.

Elle n'aurait su dire ce qui la poussait à taquiner Dare, mais elle poursuivit :

— Et quand il veut, il peut vraiment avoir du charme et du charisme.

— Oui, je m'en doute, marmonna Dare d'un air pincé. Tu as fini ?

Elle s'efforça de dissimuler son sourire. Elle n'avait jamais séduit un homme digne de ce nom — beau, intelligent, et sympathique. Mais à présent, elle avait conscience de son pouvoir. Et se sentait capable de tout surmonter.

Jamais plus elle ne se contenterait d'un minable comme Adrian. Elle méritait mieux.

Elle méritait Dare.

— Oui, j'ai fini, murmura-t-elle en tapotant gentiment le torse de Dare.

Elle se sentait brusquement en paix, plus calme et sûre d'elle-même qu'elle ne l'avait été depuis longtemps.

Il lui adressa un long regard appuyé, puis il lui prit la main et embrassa ses phalanges. Sidérée par ce geste tendre, elle cherchait à l'interpréter quand il reprit la parole.

— Molly a été enlevée, déclara-t-il abruptement.

— Quoi ?

Le regard d'Adrian passa de Molly à Dare. Puis il la dévisagea fixement. Sans doute venait-il de remarquer les ecchymoses sur son visage.

— Seigneur! murmura-t-il.

Tout en observant attentivement les réactions d'Adrian, Dare poursuivit.

— Des hommes l'ont forcée à monter dans une camionnette. Et ça s'est passé ici, devant cet appartement.

Adrian secoua la tête.

— Pourquoi?

Dare fit un pas vers lui. Il recula aussitôt.

— Ensuite, ils ont traversé le pays pour lui faire passer la frontière mexicaine et l'emmener à Tijuana.

— A Tijuana?

L'expression sincèrement choquée qui se peignit sur le visage d'Adrian acheva de convaincre Molly qu'il n'était pour rien dans son enlèvement.

— Quand je l'ai trouvée, reprit Dare, elle était enchaînée dans une caravane. On l'avait affamée, droguée, maltraitée.

Les yeux écarquillés, Adrian ne parvenait plus à fermer la bouche.

— Mais… C'est impossible!

Il désigna Molly du doigt.

— Pas elle!

Dare avança d'un pas supplémentaire. Adrian recula d'autant, et se retrouva dos au mur.

— Et pourquoi pas elle? demanda Dare.

— Parce que ça n'a pas de sens. Elle n'est pas la fille d'un politicien, d'une star ou d'un milliardaire…

Il battit des paupières.

— Attendez… Ne me dites pas qu'elle a été embarquée par un réseau de traite des Blanches?

— Si. Et ça se produit plus souvent que vous ne l'imaginez.

Adrian secoua la tête, comme s'il ne concevait pas qu'on puisse s'intéresser à Molly pour la vendre comme prostituée.

— Vous l'avez trouvée à Tijuana dans une caravane, murmura-t-il. Qu'est-ce que vous faisiez là-bas?

Ses sourcils remuaient comme des aiguilles à tricoter. Il paraissait vraiment perplexe.

— Je l'en ai sortie, rétorqua seulement Dare.

Ils se trouvaient presque torse contre torse.

— Mais… Comment ?

— C'est mon boulot.

Le visage d'Adrian s'éclaira, comme s'il venait brusquement de comprendre quelque chose et s'en félicitait intérieurement.

— Vous êtes payé pour sauver des gens ?

Dare croisa les bras.

— On peut dire ça comme ça, oui.

— Eh ben merde, alors ! s'exclama Adrian en repoussant Dare, qui ne bougea pas d'un millimètre. Et vous voudriez que je paye pour elle ? Elle m'a laissé tomber. Elle vous l'a dit, ça ?

— Elle m'en a parlé, oui, répondit posément Dare.

— Je ne me sens donc aucun devoir envers elle.

— Vous n'en avez aucun, en effet.

Adrian continua à fulminer tout haut, comme s'il n'avait pas entendu.

— De plus, je n'ai pas de quoi payer ce genre de service. Si vous songez à m'extorquer de l'argent, vous faites fausse route.

Un calme étrange s'abattit sur la pièce. Dare tentait de contenir sa rage. Molly retint son souffle.

Trop bête pour sentir venir le danger, Adrian ajouta :

— Je ne me sens absolument pas concerné par ce qui peut lui arriver.

17

C'était vraiment une remarque minable. Molly avait beau savoir qu'Adrian n'était qu'un pauvre type, elle ne s'était pas attendue à un coup aussi bas. Elle eut de nouveau envie de l'étrangler.

Elle s'apprêtait à se jeter sur lui quand la voix basse de Dare résonna dans la pièce avec l'intensité d'une bombe qui explose.

— Vous croyez vraiment que je voudrais de votre putain de fric ?

Le ton était si menaçant que Molly en frissonna des pieds à la tête.

Dare paraissait hors de lui. Molly ne l'avait jamais vu dans un état pareil.

— Vous pensez que je vous donnerais l'occasion d'être partie prenante dans sa vie ?

— Je...

Adrian commençait à comprendre qu'il avait commis une grave erreur d'appréciation. En quête de secours, il lança un regard suppliant à Molly.

Elle se contenta d'articuler silencieusement *Va te faire foutre* — vengeance qui lui procura une intense satisfaction.

Choqué par sa grossièreté, et comprenant qu'il n'avait rien à attendre d'elle, Adrian reporta son attention sur Dare.

— Non, bien sûr que non ! fit-il d'un ton apaisant.

Il éprouva le besoin de détourner la tête pour échapper au regard meurtrier de Dare.

— C'est ce que je disais, justement : je ne veux plus intervenir dans sa vie. Je ne veux plus la voir.

— Au point d'organiser sa séquestration ?

— Quoi ? Mais non ! Jamais de la vie !

Effaré, il recula de nouveau contre le mur.

— Je suis barman, pas bandit ! Molly, dis-lui que je ne suis pas un criminel.

— Je n'en sais rien, moi, minauda-t-elle en examinant ses ongles. Je ne pensais pas non plus que tu étais du genre à entrer chez moi en mon absence, et pourtant…

Une image lui traversa l'esprit. Elle leva la tête vers Adrian.

— Tu as couché avec des femmes dans mon lit ?

— Non !

Elle plissa les yeux.

— Mais tu étais prêt à le faire.

— Euh… Oui, peut-être.

Dare réagit aussitôt. Entre Molly et lui, le pauvre Adrian n'avait pas une minute pour souffler.

— Que voudrais-tu que je fasse de lui ?

La manière dont il avait posé la question sous-entendait qu'il était prêt à le pulvériser si elle le lui demandait.

Elle fit mine de réfléchir, juste pour le plaisir de voir Adrian frémir d'angoisse. Mais elle n'avait aucun goût pour la violence gratuite. Dare non plus, d'ailleurs.

— Tu peux le laisser partir, dit-elle.

Dare ne bougea pas.

— Tu en es bien certaine, ma chérie ?

Elle se racla la gorge et s'efforça de maîtriser le tumulte de ses émotions.

— Oui. Nous savons tous les deux que tu ne t'en prends jamais aux plus faibles que toi. Aux minables.

Dare recula d'un pas.

— Pour lui, j'aurais fait une exception, ricana-t-il.

Effondré contre le mur, les genoux flageolants, Adrian s'efforçait de reprendre ses esprits.

— Je suis désolé... Je ne voulais pas... C'est juste que je n'aurais pas eu les moyens de...

— Vous n'avez plus un sou, je le sais, rétorqua Dare en secouant la tête avec une moue de dégoût. Maintenant, bouclez-la.

— Il n'a plus un sou ? répéta Molly, étonnée.

La manière dont Adrian s'empressa d'acquiescer était presque comique.

— Mon bar ne marche plus. Je suis couvert de dettes. Je n'aurais pas eu les moyens de financer un enlèvement, crois-moi.

Molly alla s'asseoir sur le canapé. En fait, la nouvelle ne la surprenait pas tant que ça. Adrian avait les poches percées. Il ne savait pas résister à ses envies — la crise qu'il avait piquée pour les fameuses jantes en était la preuve.

— Quand tu es venu ici la première fois, Adrian, comment était mon appartement ?

— Comme d'habitude, murmura-t-il tout en s'approchant prudemment d'un fauteuil.

— Il n'était pas dans cet état ?

— Mais non !

Il balaya la pièce du regard d'un air incrédule.

— Parce que ce n'est pas toi qui as fait ça ? demanda-t-il.

Il était vraiment complètement idiot.

— Pourquoi aurais-je saccagé mon appartement ?

— Je n'en ai pas la moindre idée, murmura-t-il en se passant la main dans les cheveux.

Il demeura silencieux quelques instants, puis se tourna de nouveau vers elle.

— Ça va, tu tiens le coup ? demanda-t-il.

Sa sollicitude venait si tard qu'elle n'y crut pas une seconde.

— Je survivrai, ne t'en fais pas, répondit-elle sèchement.

Il continua à la dévisager.

— Qu'est-ce qui s'est passé exactement ?

— C'est ce que nous essayons de découvrir, dit-elle.

Elle se pencha, les coudes sur les genoux, et fixa Adrian droit dans les yeux.

— Tant que je ne saurai pas qui a organisé mon enlèvement, je ne serai pas en sécurité.

Il haussa un sourcil étonné.

— Tu penses que ça pourrait se reproduire?

Il observa Dare à la dérobée.

— C'est pour ça qu'il est avec toi?

— La raison pour laquelle j'accompagne Molly ne vous regarde pas, intervint Dare. Sachez seulement que je suis déterminé à démasquer le responsable. Par conséquent, si vous savez quoi que ce soit, ce serait judicieux de me le dire tout de suite.

Adrian leva les deux mains pour arrêter Dare.

— Je crois vous avoir prouvé que je tiens trop à ma tranquillité pour prendre le risque de vous mentir.

Il eut un sourire teinté d'ironie.

— Franchement, j'aimerais pouvoir vous aider. Molly et moi, nous avons eu quelques différends, mais je ne lui ai jamais souhaité du mal.

Il se tourna vers Molly.

— J'espère que tu le sais.

Il parut brusquement se souvenir du motif de leur séparation, et changea de ton.

— Tu étais pleine aux as, mais tu étais trop radine pour me faire un cadeau.

Dare avança d'un pas, ce qui fit aussitôt taire Adrian.

— Je ne voulais pas t'offenser, s'empressa-t-il d'ajouter.

— Ne vous avisez plus de l'agresser, prévint calmement Dare.

Molly lui tapota le bras pour le calmer. Dans ce domaine, elle n'avait pas besoin de lui pour se défendre.

— Tout ce que je sais, reprit Adrian, c'est que Natalie m'a appelé pour me demander si je savais où tu étais.

— Pourquoi s'est-elle adressée à toi? s'étonna Molly.

— Qu'est-ce que j'en sais, moi! Je lui ai dit que nous avions rompu. Elle m'a répondu qu'elle était au courant, mais qu'elle avait reçu un email bizarre dans lequel tu lui annonçais que tu partais en voyage. Elle espérait que j'étais au courant. Elle venait d'appeler Kathi, qui n'avait pas de nouvelles non plus.

Kathi avait donc été alertée par Natalie.

Une fois de plus, Molly se demanda si son père était responsable de son enlèvement. Hormis le fait qu'elle ne voyait pas ce qui aurait pu le motiver, elle dut s'avouer la vérité : elle le croyait capable de tout. Elle n'en concluait pas pour autant qu'il était coupable, mais elle ne le rayait pas non plus de la liste des suspects.

Elle se redressa et s'adossa au dossier du canapé, pour réfléchir posément aux aspects tortueux de cette histoire.

— Donc, puisque j'avais disparu, tu t'es dit que tu pouvais emmener des femmes chez moi en prétendant que c'était chez toi ?

Adrian eut la décence d'adopter une expression contrite.

— La première fois, je suis venu par curiosité, avoua-t-il. Je savais que ce n'était pas ton genre de partir sans prévenir ta sœur.

Il se tourna vers Dare pour ajouter :

— Elles sont très proches.

Dare lui rendit un regard assassin, et Adrian détourna les yeux, gêné.

— J'ai pensé que tu avais inventé cette histoire de voyage pour rester seule chez toi. Je me suis demandé si tu n'étais pas en train de broyer du noir. A cause de notre rupture. Parce que je te manquais.

Il esquissa un timide sourire.

— J'espérais un peu que ça pouvait repartir entre nous, je crois…

Molly posa une main apaisante sur l'avant-bras de Dare, au cas où.

— Tu as perdu la tête ou quoi ?

Adrian allait riposter, mais elle le fit taire d'un geste.

— Si tu étais le seul homme sur terre, j'opterais avec joie pour le célibat.

Adrian encaissa l'insulte sans un mot, mais son visage se ferma.

— Il ne se passera plus rien entre vous et Molly, intervint Dare. N'y songez même pas.

Adrian comprit qu'il s'agissait d'une menace.

— D'accord… Mais ce jour-là, je me suis dit que ça ne me coûtait rien de passer voir si tu étais là et si tu allais bien. Quand je suis arrivé, ta propriétaire m'a signalé que ta boîte aux lettres allait bientôt déborder. Elle ne savait pas que nous n'étions plus ensemble, je suppose, et elle m'a demandé de monter ton courrier chez toi.

— Je n'avais parlé de notre rupture qu'à Natalie, confirma Molly.

— C'est pour ça que cette dame ne s'est pas étonnée de ma présence ici, commenta Adrian, tout en surveillant du coin de l'œil les réactions de Dare.

— De plus, comme tu es entré, elle a dû supposer que tu avais une clé, fit remarquer Molly.

Adrian haussa les épaules.

— Probablement.

— Avez-vous parlé à Bishop ? demanda Dare.

— Je n'ai aucun contact avec Bishop Alexander depuis que je suis séparé de Molly.

— Tant mieux. Evitez-le.

— Vous le connaissez ? s'étonna Adrian.

Son regard passa de Dare à Molly, comme s'il se demandait de qui viendrait la réponse.

— Je l'ai rencontré, répondit Dare sans chercher à dissimuler son dégoût. Et je lui ai dit exactement ce que je vais vous dire.

— A savoir ? bredouilla Adrian d'un air inquiet.

— Bouclez-la, répondit Dare d'un ton menaçant.

Il le fit lever en le prenant par le bras et l'entraîna vers la porte.

— Ne parlez à personne de notre rencontre. Vous ne m'avez pas vu, vous n'avez pas vu Molly. C'est compris ?

— Oui. Vous pouvez compter sur moi, assura Adrian.

Il jeta un regard à Molly.

— Si je peux faire quelque chose pour t'aider...

— Ne plus mettre les pieds dans cet appartement? ironisa-t-elle.

— D'accord.

Il voulut se tourner vers elle, mais Dare ne lui en laissa pas le temps : il ouvrit la porte et le poussa sur le palier.

— Attendez! protesta Adrian. Qu'est-ce que je dis à sa sœur si elle me rappelle?

— Puisque vous n'avez rien vu, rien entendu, vous n'aurez rien à lui dire, il me semble.

— Effectivement. Mais...

— Molly contactera elle-même sa sœur et toutes les personnes qu'elle veut mettre au courant, coupa sèchement Dare. Ça ne vous regarde pas. Ne vous mêlez plus de rien!

Sur ce, il lui claqua la porte au nez.

Molly retint un sourire.

— Tu n'as pas été très gentil avec lui.

Il la contempla fixement, une lueur étrange au fond des yeux. Elle ne lui avait jamais vu un tel regard. Un regard de braise, aussi intense que quand il était furieux, sauf qu'il n'avait pas l'air furieux du tout, mais plutôt...

Elle se demanda s'il la désirait.

— Dare?

— Comment ça va, Molly?

Il s'exprimait d'une voix étrangement basse et rauque. Elle ne douta plus.

— Je vais très bien, murmura-t-elle dans un souffle.

— Très bien? Plus que bien?

Bon sang, est-ce qu'il jouait avec elle? Il ressemblait à un prédateur qui attend le moment propice pour bondir sur sa proie. Il la provoquait, mais il restait à distance, près de la porte.

Elle s'humecta la lèvre inférieure.

— Je...

Elle balaya son appartement du regard. Tout à coup, le

désordre n'avait plus d'importance. Le ménage attendrait. Elle, en revanche, ne pouvait pas attendre une seconde de plus.

Elle se tourna vers Dare et prit une longue inspiration avant de se lancer.

— Si tu veux tout savoir, j'ai terriblement envie de toi. C'est mon seul problème.

Ses épaules se contractèrent.

— Tu en es sûre ? demanda-t-il d'une voix encore plus rauque.

Comme elle se taisait, il insista, sèchement.

— Dis-moi que tu en es sûre.

Incapable de répondre, elle se contenta de lui ouvrir ses bras.

L'instant d'après, il la serrait et l'embrassait férocement, presque violemment, en lui renversant la tête en arrière.

Elle se laissa faire avec ravissement.

Dare n'était pas du genre à perdre le contrôle de lui-même, mais avec Molly il ne maîtrisait plus rien. Cette femme le perturbait de manière inquiétante. Il n'était pas non plus d'un naturel jaloux, mais elle avait réussi à exciter sa jalousie, à le mettre hors de lui — et tout ça pour un ex minable, à qui il avait failli casser la gueule.

Mais qu'avait-elle pu trouver à ce type ? Le désespoir, il n'y croyait pas une seconde…

Elle n'était pas désespérée. Elle était forte. Et fière. Et ça aussi, ça le rendait fou. Jamais il n'aurait cru rencontrer une version féminine de lui-même. Molly en était une.

Il lutta pour lui résister, mais elle ne l'aidait guère. Le satin de sa bouche, la façon dont ses doigts malaxaient ses épaules, dont elle se pressait contre son sexe en érection… Il y avait de quoi perdre la tête.

Il fit un effort pour se souvenir qu'elle venait tout juste d'être séquestrée, qu'elle portait encore sur elle les marques des mauvais traitements qu'elle avait subis. Elle était sûrement hantée par des souvenirs atroces. Elle avait besoin de temps.

— Molly…

Il huma la peau douce de son cou, et glissa une main vers ses fesses — si rondes, si fermes, qu'il ne pouvait s'empêcher de les caresser.

— On devrait prendre notre temps, murmura-t-il. Je t'assure.

— Non, je t'en supplie.

Elle lui saisit le visage à deux mains pour s'emparer de sa bouche.

— Je ne veux plus attendre.

— D'accord.

Lui non plus ne pouvait plus attendre. Le désir qui le consumait réduisait à néant ses capacités de résistance.

Mais il avait besoin de savoir.

Il la prit par les épaules.

— La chambre, ça te va?

— Pourquoi tu me demandes ça?

— C'est que… Ton crétin de petit copain avait l'intention de se vautrer sur ton lit avec sa conquête!

— Oublie Adrian, répondit-elle d'une voix douce. Je ne pense pas qu'il ait fait quoi que ce soit sur ce lit.

Elle lui prit la main et l'entraîna dans la chambre.

Son enthousiasme était si touchant qu'il ne put s'empêcher de sourire. Elle était si joyeuse! Leur étreinte n'en serait que plus intense, pensa-t-il avec un frisson d'excitation.

Ses longues enjambées mettaient en valeur l'adorable croupe qu'il venait juste de caresser, et il ne put s'empêcher de la complimenter.

— Tu as vraiment des fesses superbes!

Elle lui jeta un sourire enjôleur par-dessus son épaule et le prit par la main pour le tirer dans la chambre.

— Merci, dit-elle simplement.

Il resta debout près du lit tentateur, face à cette femme merveilleuse. Il était si ému que ses mains en tremblaient. Il avait déjà désiré des femmes, mais pas à ce point-là.

Il caressa doucement ses longs cheveux pour les lisser en

arrière et se pencha pour lui embrasser le front, les joues, le menton, puis la bouche.

— J'ai tant rêvé de te voir nue, murmura-t-il en commençant à ouvrir son chemisier.

Elle baissa la tête, pour suivre le mouvement de ses mains qui défaisaient les boutons, un à un, de haut en bas. Quand il atteignit celui qui se situait entre ses seins, elle poussa un long soupir.

— Dare?

Il posa un baiser sur sa tempe, tout en poursuivant sa tâche. Arrivé au dernier bouton, il ouvrit les pans du chemisier.

Bon sang, ce qu'elle était sexy!

— J'ai encore des marques, gémit-elle d'un ton désolé.

Il caressa du doigt un bleu encore visible sur l'une de ses côtes.

— C'est fini, ma chérie. Ils ne te feront plus de mal.

— Je sais bien, mais… je me sens affreuse.

Il fit glisser le chemisier de ses épaules et le laissa tomber à terre.

— Tu es superbe, au contraire.

Il se courba pour poser ses lèvres sur la vilaine ecchymose de son épaule droite.

Pour lui faire oublier tout ça, et l'emmener avec lui sur le terrain où ils devaient se rencontrer, il se mit à la couvrir de petits baisers, sur le buste, les épaules, les clavicules, la gorge. De temps en temps, il la mordillait doucement, puis soufflait son haleine tiède sur l'endroit mordu et le léchait.

Molly s'agrippa à ses avant-bras et renversa la tête en arrière. Les grandes mains de Dare couvraient aisément son dos. Il la cambra en arrière et referma sa bouche sur son sein, à travers son soutien-gorge.

Le gémissement vibrant qu'elle poussa faillit le faire craquer, mais il tint bon. Il ne voulait pas aller trop vite.

— Dare?

Sa main droite quitta son bras pour se poser sur son ventre, puis glisser jusqu'à la ceinture de son jean.

A travers le tissu, elle trouva le renflement qu'elle cherchait et se mit à le caresser. De quoi le rendre fou.

Il se figea.

— Ce n'est pas une bonne idée, gémit-il.

Mais il ne fit rien pour l'arrêter.

Amusée de le voir au supplice, elle se chargea d'attiser encore son excitation.

— Tu es plus impressionnant que je ne l'imaginais, minauda-t-elle.

Au diable la patience... Dare dégrafa son soutien-gorge. Sa lourde poitrine, à présent libre, tremblait à chacun de ses mouvements. Elle avait des tétons rose pâle, et durs comme de la pierre.

Sans doute laissa-t-il échapper un halètement de satisfaction, car il crut l'entendre rire.

Eh bien, elle n'allait pas se moquer de lui encore longtemps.

Il se mit à genoux, défit le bouton-pression de son jean et ouvrit la fermeture Eclair. Puis il fit descendre le pantalon, en même temps que sa culotte, jusqu'à ses genoux.

— Dare, protesta-t-elle d'une voix étranglée, en refermant ses bras sur ses épaules. Qu'est-ce que tu...?

Tout en lui soutenant toujours le dos à deux mains, il l'attira à lui et colla son visage contre son sexe, en respirant son odeur.

— Je ne peux pas attendre, gémit-il.

Tandis qu'il se redressait, il crut l'entendre murmurer quelque chose, mais ne chercha pas à savoir quoi. Il la souleva pour l'allonger sur le lit et la déshabilla entièrement.

Il était subjugué par ses seins aux incroyables tétons roses, par son ventre rebondi, par le triangle noir entre ses cuisses, si bien dessiné. Quelques ecchymoses se détachaient encore sur la blancheur de sa peau, mais elles ne parvenaient pas à entamer sa beauté. Elles lui rappelaient seulement qu'en la sortant de cette caravane, il avait accepté de s'occuper d'elle. Il était responsable de sa sécurité, à présent. Elle s'en était remise à lui.

Tout en faisant descendre la fermeture Eclair de son

jean, il caressa d'une main la cuisse soyeuse de Molly. Il dut s'écarter pour enlever ses chaussettes et ses chaussures, puis il se débarrassa de sa chemise qu'il jeta au loin.

Les genoux serrés, dans une pose pudique et très troublante, Molly l'observait, légèrement soulevée sur les coudes.

Il acheva d'enlever son jean et se dressa devant elle. Si elle appréciait son corps autant que lui appréciait le sien, autant qu'elle en profite, non ?

Mais plus elle le regardait, plus il avait envie d'elle. Et elle prenait son temps. Elle le passait en revue, centimètre par centimètre.

— On dirait que c'est la première fois que tu te trouves devant un homme nu, Molly.

Elle secoua doucement la tête.

— Non, mais je n'ai encore jamais vu d'homme comme toi, Dare.

Qu'entendait-elle par-là ? S'il se fiait à la manière dont elle plantait ses dents dans sa lèvre inférieure et à son regard brillant, il s'agissait plutôt d'un compliment.

— Je ne voudrais pas te bousculer, ma chérie, mais j'aimerais m'allonger, maintenant…

— Je viens de penser que je n'avais pas de préservatifs, murmura-t-elle.

Il en avait, lui.

— Je m'en charge, assura-t-il.

Il alla chercher son portefeuille dans lequel il avait pris soin de glisser un préservatif. Dans son sac, il en avait une boîte entière.

— Pas d'autre problème ? demanda-t-il.

Elle chercha son regard.

— Non… Viens… Je ne tiens plus.

Il ne put s'empêcher de sourire.

— O.K.

Pendant qu'il enfilait le préservatif, elle l'observa avec tant d'attention qu'il eut du mal à effectuer l'opération correctement. Il ne voulait pas de pudeur déplacée entre eux, pas de timidité. La lampe de bureau était allumée, et il fut heureux qu'elle ne lui demande pas de l'éteindre.

Il se cala contre elle avec la sensation que c'était là sa place. Il avait terriblement envie d'elle, bien sûr. Mais leur relation allait au-delà d'un simple désir charnel. Bien au-delà.

Tout en honorant de nouveau ses seins généreux, il prit possession de sa bouche. Elle accepta sa langue, qu'elle enroula autour de la sienne, décuplant son désir. Elle lui caressait fébrilement le dos, les fesses, les cuisses, les épaules. Elle le voulait, il le sentait.

Au bout de quelques minutes, ils étaient tous les deux haletants. Molly l'encourageait d'un soupir chaque fois qu'il se penchait sur ses seins ou qu'il lui mordillait l'oreille.

Quand il commença à remuer des hanches, elle lâcha sa bouche pour gémir. Exactement comme sur le ponton du lac, elle se déchaîna brusquement et devint brûlante. Mais il ne voulait pas aller trop vite... Aussi se laissa-t-il glisser près d'elle. Il promena ses mains le long de son corps, jusqu'à son ventre, où elles s'arrêtèrent.

— Tu es douce et menue, murmura-t-il en frottant sa joue contre sa poitrine. Et tes seins sont splendides. Tu as un corps de rêve.

Elle éleva les bras au-dessus de sa tête et ferma les yeux, tressaillant d'anticipation. Il adorait la regarder, observer ses réactions, l'expression si naturelle de son visage.

— Est-ce que tu m'attends ? demanda-t-il.

Elle acquiesça, puis se cambra, comme pour l'inviter à venir en elle.

Mais c'était si bon d'exciter son désir qu'il décida d'attendre encore un peu. Il entendait prendre son temps, profiter de chaque seconde, de chaque gémissement, de chaque soupir.

— Montre-le-moi, murmura-t-il en plaçant sa main en coupe entre ses jambes.

Elle agrippa ses mains aux draps en le fixant avec des yeux écarquillés. Elle était si belle !

Tout en la caressant et en écartant doucement ses jambes

pour mieux explorer son intimité, il se pencha sur elle pour prendre l'un de ses seins dans sa bouche. Elle remua sous lui, le souffle court. Et quand il la mordilla, elle poussa un cri, lui confirmant qu'elle appréciait son initiative.

Ravi, il décida de pousser plus avant son exploration.

Tout en faisant aller et venir ses doigts en elle, il entreprit de tracer un chemin de baisers humides le long de son ventre, elle se figea — dans l'attente de ce qui allait suivre.

Il lui lécha le nombril, ce qui lui arracha de nouveau un gémissement, puis il passa à l'os de la hanche, un endroit chatouilleux pour elle, car elle se tortilla en pouffant.

Déjà l'odeur de son sexe devenait entêtante et sucrée — le plus puissant aphrodisiaque qu'il ait jamais connu.

Quand elle le prit par les cheveux pour s'agripper à lui, il résolut de passer vraiment à l'action.

Il colla son visage contre son sexe et entreprit de lécher son clitoris gonflé de désir. Ivre d'excitation, elle poussa de petits cris d'encouragement. Elle gigotait tant qu'elle faillit tomber du lit. Il la bloqua en posant un bras au niveau de sa taille, avant de reprendre avec sa langue, puis d'aspirer carrément cette mignonne protubérance qui procurait à Molly tant d'agréables sensations.

A la seconde où il la sentit dans sa bouche, il crut qu'il allait jouir.

Elle aussi, sûrement, car le long grognement de plaisir qu'elle poussa en disait plus long que tous les compliments. Elle se cambra, ses jambes tremblèrent, elle prit les doigts qui la pénétraient pour les pousser plus avant, tandis que l'orgasme déferlait sur elle. Il s'enivra de son odeur, de sa chaleur, autant que des cris qu'elle poussait.

Il fit durer son plaisir le plus longtemps possible, jusqu'à ce qu'elle se laisse retomber sur le matelas en gémissant.

Il leva la tête pour observer son visage. Elle avait les yeux fermés, les joues humides, elle respirait fort, elle ne bougeait plus. Il dégagea lentement ses doigts et les lécha avec une sorte de délectation, presque religieusement, en fermant les yeux.

Quand il les rouvrit, Molly le regardait avec des yeux ronds d'étonnement — et une lueur étrange dans les prunelles qui lui fit totalement perdre la tête.

Cette fois, il n'hésita plus. Il s'étendit de nouveau sur elle, lui prit le visage à deux mains et l'embrassa furieusement. Elle poussa un cri de surprise, puis lui céda sa langue.

Sans cesser de l'embrasser, parce qu'il en était incapable, il se plaça comme il convenait. Il la sentit ouverte, chaude et humide contre ses hanches. Il prit le temps de respirer pour ne pas perdre tout à fait le contrôle de la situation.

Il ne voulait pas lui faire mal.

Il dut faire appel à toute sa force intérieure pour entrer doucement en elle. Très lentement. Son plaisir fut tel que sa vue se brouilla. Molly l'enveloppait, le cajolait, le remplissait de son odeur et de sa présence. Il savoura la manière dont elle s'agrippait à lui et dont ses hanches allaient à sa rencontre à chacun de ses mouvements.

Il glissa une main sous son délicieux postérieur pour la soulever et s'unir plus étroitement à elle.

La tête renversée, les cheveux épars sur l'oreiller, elle poussa un long gémissement. Et s'offrit de nouveau à l'extase qui la dévorait.

Cette vision, associée aux contractions de son vagin autour de son sexe, eut raison de ses ultimes résistances.

— Regarde-moi, haleta-t-il.

Elle ouvrit les yeux et le fixa, lèvres entrouvertes.

Il vint en elle une dernière fois, et reprit d'autorité sa bouche, à la dernière seconde, juste avant de céder au plaisir.

Quelques instants plus tard, il se laissa retomber sur le dos à côté d'elle, le cœur battant, les jambes tremblantes.

Il comprit brusquement qu'il ne supportait pas l'idée de devoir la quitter.

Il le faudrait, pourtant. Elle croyait sans doute qu'il partirait une fois sa mission accomplie.

Il posa son avant-bras sur ses yeux et tenta de repousser cette idée…

Elle aussi avait dû sentir qu'il se passait quelque chose. Qu'il n'y avait pas que du sexe entre eux.

Elle remua pour venir se caler contre lui et s'endormit presque aussitôt.

Il fronça les sourcils, surpris, puis ses discrets ronflements lui arrachèrent un sourire. Apparemment, elle ne s'inquiétait pas de l'avenir. Pas ce soir, en tout cas. Il en fut heureux. Après ce qu'elle venait de traverser, une telle insouciance était de bon augure.

Il reposa son bras sur le matelas tout en se demandant si Molly ne lui avait pas jeté un sort. Parce qu'il avait l'impression de n'être plus lui-même.

18

Comme il n'arrivait pas à fermer l'œil, Dare se glissa hors du lit en prenant garde à ne pas réveiller Molly. Elle dormait en travers, les pieds dans le vide, mais cette posture ne semblait pas la déranger le moins du monde.

La voir ainsi, avec cette expression paisible et détendue sur le visage, lui serra le cœur. Il remarqua que ses lèvres, légèrement enflées par leurs baisers, s'étiraient en un léger sourire. Elle n'avait pourtant pas beaucoup de raisons de sourire en ce moment… Son innocence éveillait ses instincts protecteurs. Et d'autres émotions plus complexes et plus dérangeantes, qu'il peinait à identifier.

Il ramassa son jean et s'enferma dans la salle de bains, qui était petite, mais bien agencée. Il se débarrassa de son préservatif, se lava, remit son jean. Brusquement piqué par la curiosité, il ouvrit l'armoire à pharmacie. Quelques médicaments de base côtoyaient une ordonnance pour une pilule contraceptive. Elle ne l'avait pas prise pendant deux semaines. Ils ne pourraient donc pas se passer de préservatifs pendant quelque temps. Dommage…

Il referma l'armoire et ouvrit machinalement un tiroir. Il remarqua quelques articles de maquillage, plusieurs brosses à cheveux et peignes, ainsi que quelques ornements réservés aux coiffures féminines. Il essaya d'imaginer Molly les cheveux attachés, et cette vision l'enchanta.

Sur le rebord de la baignoire, il prit le savon couleur pastel aux fragrances fleuries. Mais rien ne sentait aussi bon que la peau nue de Molly, ses doux cheveux... son sexe, aussi.

Elle s'était offerte à lui sans aucune retenue.

Mais ça ne lui suffisait pas.

Il en voulait plus. Beaucoup plus. Sentir encore plus long-temps son corps lové contre le sien après l'amour ; partager avec elle des rires, des conversations ; apprendre à la connaître.

Mais où cela le mènerait-il ?

En se réveillant, Molly ne sentit pas le corps de Dare près du sien. Elle ouvrit les yeux et se redressa. La pièce était plongée dans le noir. Seul un filet de lumière passait sous la porte.

Elle se glissait lentement hors du lit quand elle entendit de nouveau le bruit qui l'avait réveillée. Un bruit de clé dans la serrure.

Le filet de lumière disparut. Elle comprit que, de l'autre côté, Dare avait éteint pour surprendre leurs visiteurs.

Horrifiée, elle se leva et s'enroula dans la couette, puis s'avança pieds nus jusqu'à la porte, qu'elle ouvrit silencieusement.

Elle scruta le salon en tentant de percer la pénombre. La lune éclairait suffisamment la pièce pour qu'elle remarque qu'elle était en ordre. Dare n'avait probablement pas pu s'endormir dans un appartement en désordre. Il s'était levé pour ranger...

Ou bien, une fois son plaisir pris, il n'avait pas souhaité dormir avec elle.

Cette idée lui fit mal. Elle s'efforça de la repousser et se concentra sur la pièce. Le guéridon qui accueillait le courrier était de nouveau à sa place, et ses lettres rassemblées en un tas bien net.

Elle chercha Dare du regard, mais ne le vit pas.

Elle n'eut pas le temps s'en inquiéter, car déjà le battant s'ouvrait lentement, avec ce grincement caractéristique qu'elle aurait reconnu entre mille.

Des voix étouffées lui parvinrent depuis le couloir. Des murmures. Plutôt joyeux.

Au-delà de la peur qui lui tenaillait le ventre, Molly crut vaguement identifier... L'une des voix lui rappelait...

Deux personnes s'engouffrèrent dans l'entrée. Une femme poussa un cri, puis il y eut un bruit sourd, suivi d'un juron.

— Natalie! hurla Molly en sortant de la chambre.

Elle alluma la lumière. Et se figea.

Il s'agissait bien de Natalie. Elle était affalée dans un grand fauteuil, comme si on l'y avait poussée, visiblement sonnée.

Et au milieu de la pièce, Dare clouait au sol un homme presque aussi grand et costaud que lui. Son pistolet était fermement appuyé contre sa mâchoire.

Natalie, voyant le pistolet, se mit à hurler.

— Qu'est-ce que vous faites? Qui êtes-vous?

— Je suis avec votre sœur, répondit Dare sans quitter l'homme du regard.

Natalie et l'homme tournèrent la tête vers Molly, qui acquiesça en silence.

— Et vous, qui êtes-vous? demanda Dare en secouant l'homme.

La bouche pincée, l'homme désigna Natalie du menton.

— Je suis avec sa sœur, dit-il d'un ton vaguement ironique.

Dare fronça les sourcils.

Natalie se leva de son fauteuil avec sa précipitation coutumière. Effarée, Molly comprit qu'elle avait l'intention d'attaquer Dare.

— Attends! s'écria-t-elle.

Elle ignorait qui était le type que Dare menaçait en ce moment de son arme, ni ce qu'il faisait là, mais elle ne pouvait pas laisser Natalie se jeter sur Dare.

Parce qu'il risquait de se défendre.

— Tout le monde se calme, leur enjoignit-elle. Essayons de nous expliquer.

— C'est plus facile à dire qu'à faire, dans ma position, rétorqua l'homme.

Il leva les mains de chaque côté de sa tête, paumes ouvertes, en signe de reddition. Mais le regard qu'il lança à Dare inquiéta Molly.

Dare ne bougea pas.

Molly resserra sur elle les pans de sa couette.

— Dare, je te présente ma sœur, Natalie.

— Ne lui faites pas de mal, avertit Natalie en s'adressant à Dare.

Puis elle se tourna vers Molly.

— Qu'est-ce qui se passe, ici?

— Dare est là, pour... me protéger. Vous n'avez pas à vous inquiéter.

Une expression incrédule passa sur le visage de Natalie, puis elle parut retrouver son aplomb.

— Dans ce cas, demande-lui de lâcher Jett.

Elle paraissait sur le point de bondir au moindre geste déplacé de Dare. Molly s'approcha pour parer ses coups, au cas où.

Elle espéra tout de même ne pas être obligée d'en venir aux mains avec sa sœur — et ce d'autant plus qu'elle était nue sous sa couverture.

— Dare, murmura-t-elle prudemment.

Il paraissait vraiment furieux.

— Natalie est ma sœur, je te le rappelle.

— Oui, j'ai pigé.

Visiblement indécis, il recula, mais sans cesser de pointer son arme sur le compagnon de Natalie.

— Jett Sutter, annonça ce dernier, qui ne paraissait nullement déstabilisé en dépit de sa position délicate. Oui, je sais, ça fait un peu jet-set. Mes parents ont un sens de l'humour très développé.

Il inclina la tête pour mieux voir Molly. Des yeux noirs et sombres, ourlés de très longs cils, qui auraient donné un côté efféminé à un autre homme que lui, la jaugèrent posément.

— Ravi de constater que vous allez bien, Molly.

Elle battit des paupières.

— Vous me connaissez?

— Uniquement à travers ce que Natalie m'a dit de vous.

Que du bien. Sauf qu'elle avait oublié de mentionner qu'on risquait de se faire tirer dessus en entrant chez vous.

Son humour surprit Molly. Il était extrêmement séduisant, et, même allongé par terre, avec un pistolet pointé sur lui, il ne perdait pas son sang-froid.

— Comment avez-vous rencontré ma sœur?

Il fixa Molly d'un œil amusé et haussa un sourcil.

— Demandez-le-lui.

Le visage de Natalie passa par toutes les nuances du rouge.

— Oh! Molly, j'ai tant de choses à te raconter...

Puis, comme si elle avait oublié que leur sujet de conversation était l'homme qui l'accompagnait, elle explosa.

— Je me suis fait un sang d'encre à cause de toi. Mais où donc étais-tu passée?

Elle se jeta sur elle pour la serrer dans ses bras — si vivement que Molly faillit lâcher la couette. Elle aurait voulu rassurer sa sœur, mais il y avait plus urgent à faire.

— Je vais bien, Natalie. Ne t'inquiète pas.

Par-dessus l'épaule de Natalie, elle put constater que Dare couvait toujours Jett d'un regard mauvais.

— Je vous conseille de cesser de la reluquer comme ça, lui dit-il soudain entre ses dents.

Jett sourit.

— D'accord. Désolé. Rien de lubrique dans ma curiosité, je vous le jure. J'étais simplement en train de remarquer la ressemblance entre les deux sœurs.

— C'est ça, grommela Dare en se penchant sur lui. Et maintenant, dites-moi plutôt ce que vous faites ici tous les deux.

Jett glissa une main sous sa tête et posa l'autre sur sa poitrine, comme quelqu'un qui se met à l'aise.

— Nous venons de rentrer de voyage et Natalie tenait à savoir si sa sœur était enfin de retour. Elle n'a pas voulu appeler pour ne pas la réveiller, mais elle avait hâte d'être rassurée et ne voulait pas attendre demain matin. C'est pour ça...

Il haussa les épaules, comme pour excuser l'erreur de Natalie, puis doucement, il repoussa le revolver du revers de la main.

— Elle voulait juste jeter un œil pour voir si sa sœur était là, rien de plus.

Dare ne parut pas le moins du monde satisfait de cette explication.

— Vous vous foutez de moi ? Vous voulez me faire croire que vous êtes entrés tous les deux pour vérifier que Molly dormait dans son lit ?

— Je suis venu pour assurer la protection de Natalie, au cas où. Je n'avais pas l'intention d'aller jusqu'à la chambre.

Natalie s'écarta de sa sœur, les mains toujours posées sur ses épaules.

— As-tu la moindre idée du souci que je me suis fait ? reprocha-t-elle.

— Je t'ai appelée il y a quelques heures, mais tu n'as pas répondu, s'excusa Molly.

Surprise, Natalie battit des paupières.

— Tu m'as appelée ? Quand exactement ?

— Quand je suis arrivée ici avec Dare. Il y a plusieurs heures.

— Oh ! Molly... Je... Je suis désolée...

Elle jeta un regard en coin du côté de Jett.

— Nous... Nous...

— Nous étions occupés, acheva Jett en venant à son secours. Dernièrement, votre sœur a été tellement occupée qu'elle en a oublié de recharger son portable.

Il se redressa en position assise, parfaitement indifférent au revolver, les coudes posés sur les genoux, comme si la situation était on ne peut plus normale.

— Ce n'est peut-être pas le moment d'annoncer une grande nouvelle, mais après tout, quelle importance... Alors voilà : nous allons nous marier.

Molly en resta bouche bée.

— Vous marier ?

Natalie hocha la tête à plusieurs reprises, les larmes aux yeux.

— Je l'aime plus que tout, murmura-t-elle.

Jett sourit.

— J'espère que vous lui pardonnez de ne pas avoir répondu à votre appel. Vous comprenez maintenant pourquoi elle était occupée.

— Bien sûr, répondit Molly, tout en essayant de digérer l'information.

Sa sœur, si indépendante, décidait de se marier sur un coup de tête avec un homme qu'elle ne lui avait même pas présenté ? C'était à n'y rien comprendre !

— Où étais-tu passée ? demanda Natalie.

— On l'avait enlevée et séquestrée, articula posément Dare. Votre sœur était à Tijuana. Prisonnière d'un réseau de traite des Blanches.

Molly fut choquée. Il aurait tout de même pu se montrer plus délicat !

Jett se leva d'un bond. Au mauvais regard qu'il lança à Dare, Molly comprit qu'il était choqué, lui aussi. Il s'empressa de prendre Natalie dans ses bras. Cette dernière était déjà en larmes.

— Mon Dieu…, murmura-t-elle. A Tijuana ?

Elle se couvrit la bouche à deux mains.

— Calme-toi, Natalie. Je vais bien à présent, c'est fini.

Elle ne trouva rien d'autre à dire.

— Elle dit toujours que ça va bien, fit remarquer Dare d'un ton morne.

Sans doute regrettait-il sa brusquerie, à présent. Il alla sans un mot fermer la porte d'entrée, qu'il prit la précaution de verrouiller à double tour.

— Mais qui êtes-vous ? s'exclama Jett. Son garde du corps ?

Dare haussa les épaules.

— Je suis celui qui l'a sortie de là.

Molly ne put s'empêcher de remarquer que Jett avait passé son bras autour des épaules de Natalie, qu'il la serrait tendrement, et que celle-ci se laissait aller contre lui.

— Natalie avait reçu un message, soi-disant de vous, mais elle a toujours eu des doutes à ce sujet, marmonna Jett.

— Molly n'a jamais envoyé ce message, confirma Dare.

— Je le savais! s'exclama Natalie.

Elle se remit à pleurer. Molly lui tapota gentiment l'épaule.

— C'était affreux, c'est vrai, mais à présent ça va, je te le jure.

— Mais comment peux-tu dire ça? protesta Natalie en caressant du bout des doigts le visage de sa sœur. Tu as encore des bleus!

Elle tourna vers Dare un œil méfiant.

— D'où viennent-ils? demanda-t-elle.

— Ceux qui l'ont séquestrée avaient la main lourde, riposta-t-il.

Gênée par sa franchise, Molly lui lança un regard réprobateur, puis se força à sourire, pour Natalie.

— Ce n'est pas Dare, assura-t-elle. Il ne lèverait jamais la main sur moi.

— Certainement pas, confirma-t-il.

— Tu vois? murmura Molly en caressant les cheveux de sa sœur. C'est grâce à lui que je suis libre. Et il me protège.

— Ah, vous assurez sa protection, commenta Jett. C'est pour ça que vous vous êtes jeté sur moi quand nous sommes entrés!

Il s'adressait à Dare, mais comme celui-ci ne daignait pas répondre, Molly le fit à sa place.

— C'est exactement ça, dit-elle.

Jett pressa doucement les épaules de Natalie.

— Il ne savait pas qui nous étions, mais il t'a simplement poussée dans un fauteuil, et c'est moi qu'il a plaqué au sol. Je suppose que c'est parce que tu es une femme que tu as eu droit à ce traitement de faveur.

— Tout dépend de la femme à qui j'ai affaire, rectifia l'intéressé.

Molly le fusilla du regard. Il cherchait le conflit ou quoi?

— Tu ne fais rien pour arranger les choses, lança-t-elle.

Il haussa les épaules.

Elle comprit qu'il en voulait encore à Natalie et à Jett de leur intrusion. Sans doute ne comprenait-il pas à quel point sa sœur et elle étaient proches. Il ne tarderait pas à le savoir. Et Natalie saurait, elle aussi, qui était vraiment Dare et tout ce qu'il avait fait pour elle.

Jett scruta Dare d'un regard perçant et sans concession.

— Nous étions dans le noir. Pourtant, vous n'avez pas hésité entre Natalie et moi. Vous devez être bien entraîné !

— On peut dire ça, répondit-il en lui rendant son regard. Et vous, que savez-vous de ce genre d'entraînement ?

Jett le toisa posément.

— Suffisamment, on dirait.

Leur agressivité réciproque, bien que latente, crevait les yeux. Exaspérée, Molly repoussa ses cheveux en arrière tout en maintenant d'une main la couette en place.

— Dare... Sois aimable, je t'en prie.

Natalie et Jett la fixèrent d'un air ahuri, comme s'ils considéraient que c'était de la folie de s'opposer à un homme pareil.

— Tu crois que c'est judicieux de s'adresser sur ce ton à ton garde du corps ? murmura Natalie.

Molly leva les yeux au ciel.

— Ce n'est pas vraiment mon garde du corps. Enfin, si... mais pas seulement.

— Pas seulement ? répéta Natalie en haussant un sourcil.

Molly quêta de l'aide auprès de Dare.

— Je ne sais pas trop quoi lui répondre...

— Je vois ça, ironisa-t-il, abandonnant enfin son air bougon. Et puisque tu ne veux pas que je leur tire dessus, nous pourrions aussi bien parler posément et leur donner quelques explications, ajouta-t-il en rangeant son arme.

— Vous portez votre étui dans le dos ? demanda Jett.

— En effet, et mon arme ne me quitte jamais.

Natalie n'aurait pas pu ouvrir des yeux plus grands sans que les globes lui tombent des orbites.

— Il est tard, dit-il. Et Molly et moi, nous n'avons même pas mangé.

Molly devint écarlate en se souvenant de la raison pour

laquelle ils s'étaient passés de dîner. Heureusement, Natalie ne remarqua rien. Dare accaparait toute son attention.

— Elle a été sous-alimentée pendant sa séquestration. Il faut qu'elle mange régulièrement pour se remettre d'aplomb, insista Dare. Mais elle n'a rien dans ses placards...

Il jeta un regard accusateur du côté de Molly.

— On entre dans cet immeuble et dans cet appartement comme dans un moulin ! Les fenêtres ne sont pas sécurisées et ce fichu escalier de secours est pratiquement une invitation à monter.

— Dare est doué pour la cuisine, annonça Molly, soucieuse de souligner ses qualités. D'ailleurs, il est doué pour tout.

— Pour tout ? demanda Natalie d'une voix étranglée.

Jett toussa.

Dare ne put retenir un demi-sourire.

— Ravi de te savoir satisfaite, ironisa-t-il.

Le commentaire était sans équivoque. Il fallut tout de même quelques secondes à Natalie pour le décrypter. Fascinée, elle balaya Dare du regard.

Oh ! mon Dieu, articula-t-elle silencieusement à l'intention de Molly qui se contenta de lever les yeux au ciel.

Jett fronça les sourcils, et la serra contre lui.

Dare, qui n'avait rien perdu de cet échange, fit mine de ne rien remarquer.

— Nous pourrions peut-être nous faire livrer une pizza et des sodas, proposa-t-il. Ce serait le plus simple.

— A cette heure de la nuit, on ne peut plus se faire livrer, fit remarquer Jett. Mais j'ai repéré au coin de la rue une petite échoppe ouverte 24 heures sur 24. Ils vous prépareront une pizza, je n'en doute pas.

— J'y suis déjà allée, confirma Molly, qui venait de se rendre compte qu'elle mourait de faim. Et c'est délicieux.

— Ne vous inquiétez pas, je veillerai sur elles pendant que vous irez chercher la pizza, proposa prudemment Jett, pour tâter le terrain.

Dare ne bougea pas d'un millimètre, mais il parut soudain

plus grand et plus fort. Comment arrivait-il à faire un truc pareil?

— N'y songez même pas, répondit-il avec un calme inquiétant.

Jett lui adressa un sourire sarcastique.

— Vous vous méfiez toujours de moi, c'est ça?

— En effet.

Natalie échangea un regard avec Molly.

— Il se méfie vraiment de Jett?

Dare répondit à sa place.

— Depuis combien de temps le connaissez-vous?

Comme Natalie en restait sans voix, Jett la serra contre lui et vint à son secours.

— Tout dépend du sens que vous donnez au mot connaître, dit-il.

— Arrête-toi, là, murmura Natalie entre ses dents. Je ne plaisante pas. Je t'interdis de raconter notre vie privée.

Ne sachant pas de quoi il s'agissait exactement, mais consciente de l'embarras de sa sœur, Molly intervint.

— Dare, détends-toi un peu. Si Natalie dit qu'on peut lui faire confiance, c'est que c'est vrai.

Dare lui jeta un regard circonspect.

— Il est encore un peu tôt pour lui faire confiance, tu ne crois pas?

Jett ne mesurait que quelques centimètres de moins que lui. Il était large d'épaules, mince, musclé, et dégageait un charisme impressionnant. Il était calme et détendu.

Un peu piqué au vif, tout de même, il vint se poster devant Dare.

— Je ne laisserai pas Natalie seule avec vous dans cet appartement. Après tout, qui me dit que ce n'est pas vous qui avez organisé l'enlèvement de Molly?

— Merde, murmura-t-il avec une expression résignée. Vous êtes flic?

Surpris par la question, Jett baissa un peu la garde.

— Je l'ai été, oui. Pourquoi?

Dare leva les yeux au ciel.

— Je t'avais dit que pour un flic je serais le premier suspect ! commenta-t-il à l'intention de Molly.

— C'est vrai, il me l'avait dit, confirma Molly, espérant ainsi mettre fin aux hostilités. Nous n'avons pas appelé la police parce que Dare m'a convaincue que les flics s'acharneraient sur lui au lieu de rechercher le vrai coupable.

— Ça peut arriver, concéda Jett.

— Mais vous pouvez me croire si je vous dis que Dare est un homme formidable ! Je lui dois ma liberté, et sans doute aussi la vie.

Elle avait hâte que l'atmosphère se détende. Hâte de s'habiller et de parler tranquillement avec sa sœur qu'elle n'avait pas vue depuis une éternité.

— S'il n'était pas allé au Mexique pour...

— Molly ! grommela Dare.

Elle se mordit la lèvre, consciente d'en avoir déjà trop dit.

— Il m'a sauvée quand il a compris que j'étais retenue prisonnière contre mon gré, acheva-t-elle.

Trop vague, son explication ne fit qu'exciter la curiosité de Jett.

— Qu'alliez-vous faire à Tijuana ?

— Ça ne vous regarde pas, rétorqua Dare sans prendre la peine de dissimuler son agacement. Et vous, si vous n'êtes plus flic, vous faites quoi, dans la vie ?

Jett n'était pas aussi secret que Dare : il ne se fit pas prier pour répondre.

— Plusieurs choses. J'assure la sécurité des personnes qui me le demandent. Il m'arrive aussi de mener des enquêtes privées.

— Vous êtes détective privé ?

— C'est ça, répondit Jett en lui tendant une main amicale. Vous pouvez vérifier. Je me doute que vous êtes du genre prudent. Un peu comme moi.

— Ah oui ?

Refusant la main qu'il lui tendait, Dare demeura immobile comme une statue de pierre.

— C'est-à-dire?

— Je suis ancien militaire et ancien du FBI, expliqua Jett.

Il haussa les épaules.

— Mais les vieilles habitudes ont la vie dure… J'ai conservé quelques réflexes.

Dare encaissa l'information sans broncher.

Jett tapota sa cuisse droite en faisant la grimace.

— Je souffre malheureusement des séquelles d'une blessure par balle. Sans quoi vous ne m'auriez pas mis à terre aussi aisément.

Il sourit.

— Voulez-vous que je baisse mon pantalon pour vous prouver que je ne raconte pas d'histoire?

Dare ne répondit pas. Molly le foudroya du regard. Pourquoi se montrait-il aussi grossier avec Jett?

— Natalie ne se fierait pas à un homme qui ne le mérite pas, assura-t-elle.

— Je confirme, renchérit Natalie. Et de même, si Molly me dit qu'on ne risque rien avec vous, Dare, je la crois, en dépit des apparences.

Elle se tourna vers Jett.

— Tu peux me laisser avec lui.

— Très bien, répondit-il d'un ton conciliant. Je n'avais pas l'intention d'offenser qui que ce soit. Je suis prêt à m'amender, d'ailleurs!

Dare l'examina des pieds à la tête, et accepta enfin la main qu'il lui tendait.

— Etes-vous prêt à aller chercher une pizza? bougonna-t-il.

— Bien sûr, fit Jett en jetant un coup d'œil à sa montre. Puisque vous ne voulez pas quitter Molly, il faut bien que je fasse un effort…

Dare lui répondit par un regard éloquent.

— Je vais donc me dévouer pour aller chercher à manger. Je pense que je n'en ai pas pour plus d'une demi-heure. Soyez gentil d'attendre que je revienne pour parler de l'essentiel. J'avoue que je suis curieux de savoir de quoi il retourne !

Il se dirigea vers la porte.

— Jett ? appela Molly.

Les yeux noirs du détective plongèrent dans les siens.

— Oui ?

— C'est un plaisir pour moi de vous rencontrer.

Jett lui adressa un sourire éclatant.

— Tout le plaisir est pour moi, Molly. Et je suis ravi que vous soyez de retour chez vous, saine et sauve.

Il revint vers Natalie, glissa tendrement une de ses longues mèches bouclées derrière son oreille, et déposa un baiser sur ses lèvres.

— Je ne serai pas long, promit-il.

— Sois prudent.

— En ce qui te concerne, je suis tranquille, répondit-il en jetant un coup d'œil à Dare. Avec lui, il ne peut rien t'arriver !

Dès qu'il fut sorti, Natalie prit Molly dans ses bras.

— Seigneur, ce que je suis contente de te voir !

— Je regrette que tu te sois fait tant de soucis, murmura Molly.

— Je n'arrive pas à croire que tu sortes avec ce type, glissa discrètement Natalie à son oreille. Qu'est-ce qui te prend ?

Un peu vexée, Molly s'écarta.

— Pourquoi tu me dis ça ?

— Mais regarde-le, il est… très impressionnant. Presque effrayant.

— Molly n'a pas peur de moi, intervint Dare, montrant par là qu'il avait l'oreille fine.

Natalie fit les yeux ronds. Molly retint un sourire. Son compagnon pouvait être effrayant, c'est vrai, mais elle le trouvait surtout incroyablement sexy.

— Détends-toi, Natalie. Il est irréprochable, déclara-t-elle d'un ton solennel.

— Est-ce que vous deux, vous… ?

Elle risqua de nouveau un regard vers Dare, qui s'éloigna pour leur laisser un peu d'intimité.

— Il ne te fait vraiment pas peur ? murmura-t-elle.

— Bien sûr que non !

— Mais il est...

— Il est très doux, insista Molly.

Dare laissa échapper un petit rire.

— Et il entend tout ce que vous dites.

Mortifiée, Natalie ferma les yeux. Molly la prit par le bras pour l'entraîner à l'autre bout de la pièce.

— J'aurais dû t'appeler dès que Dare m'a libérée, mais... Elle allait avoir du mal à se justifier.

— Je ne sais pas qui m'a fait ça, reprit-elle en soupirant.

— Que veux-tu dire par là ? s'étonna Natalie. Tu penses que quelqu'un te visait, toi ? Tu n'as pas été embarquée au hasard ?

— Je ne pense pas, non.

Molly avait des cheveux raides et épais, Natalie des boucles ébouriffées. Molly lissa l'une d'elles, particulièrement rebelle.

— Tu sais à quel point j'ai confiance en toi...

— J'espère bien !

— Mais je craignais que tu remues ciel et terre si je t'expliquais ce qui s'est passé et...

— Bien sûr que je l'aurais fait. Tu es ma sœur !

Elle prit le temps de réfléchir.

— Mais qui aurait pu organiser ton enlèvement, Molly ? Qui ?

— Je n'en ai aucune idée, et c'est bien ce qui m'inquiète.

— Tu veux dire que tu ne te sens pas à l'abri tant que le coupable ne sera pas démasqué ?

— Exactement.

Comprenant que leur discussion n'avait plus un caractère privé, Dare les rejoignit.

— Molly craignait que votre intervention n'alerte le coupable et nous empêche de le coincer, dit-il.

Natalie fit volte-face. Il était si près d'elle qu'elle dut reculer pour l'observer.

— Je suis capable de me montrer raisonnable, assura-t-elle.

— Vous en êtes certaine ?

Elle ouvrit la bouche, puis la referma, puis soupira.

— Pas tout à fait, admit-elle. Mais je serai au moins capable d'écouter toute l'histoire sans me mettre en colère.

Dare prit Molly par la taille et l'attira à lui.

— Vous avez le droit de manifester votre colère. Ce que je vous demande, c'est de ne vous mêler de rien et de me faire confiance pour l'enquête.

Natalie fronça les sourcils.

— Je vous ferais peut-être plus facilement confiance si vous me disiez ce qui vous permet de vous sentir si qualifié pour ce travail.

Dare la dévisagea intensément.

— Tout ce que vous avez besoin de savoir, c'est que je ne laisserai personne s'en prendre à votre sœur.

Natalie planta les poings sur ses hanches.

— Pourquoi vous impliquez-vous autant dans cette affaire ? Est-ce parce que...

Elle agita la main.

— Parce que vous sortez ensemble ?

Elle s'était exprimée avec ironie, comme si elle trouvait leur couple totalement improbable.

— J'ai engagé Dare pour me protéger, intervint Molly. Je le rémunère pour ça.

Il y eut un lourd silence, puis Dare la prit par le menton pour l'obliger à lever la tête vers lui.

— Non, tu ne me rémunères pas, déclara-t-il calmement. Je n'accepterai pas ton argent.

19

— Qu'est-ce que tu racontes ? protesta Molly.

Elle se tourna vers Natalie, comme pour la prendre à témoin.

— Je l'ai engagé. Il était d'accord, assura-t-elle.

— Tu insistais tant que je n'ai pas voulu te contrarier, expliqua Dare.

— Attends une minute ! protesta Molly en se libérant d'un geste si vif qu'elle faillit en perdre la couette.

Il la rattrapa de justesse — et elle lui fut reconnaissante de protéger sa pudeur — mais il profita de ce qu'il tenait maintenant la couette pour la serrer plus fort contre lui. Et, tant qu'il y était, pour l'embrasser sur le bout du nez.

— Je refuse d'accepter de l'argent de ta part, affirma-t-il.

Elle n'en crut pas ses oreilles.

— Depuis quand ?

Elle posait la question, mais elle connaissait la réponse, bien entendu.

Dare poussa un soupir agacé.

— Natalie, il va falloir nous excuser quelques minutes. Molly doit s'habiller, sinon elle ne va pas tarder à nous éblouir par sa nudité.

— Ah... Oui...

Sidéré par le sans-gêne de Dare, Molly prit un air boudeur et ne bougea pas. Puis elle se rendit à l'évidence. Il avait raison. Elle ne pouvait pas rester dans cette tenue.

— Je me dépêche, dit-elle à sa sœur.

— Je peux venir avec toi, tenta Natalie d'un ton hésitant.

— Non, pas cette fois, répondit Dare tout en lui adressant un sourire contrit et en entraînant Molly avec lui. Nous n'attendions pas votre visite et nous avons quelques petits problèmes à régler. Je ne la retiendrai pas longtemps.

Natalie lui jeta un regard acerbe. Il ne lui laissait pas le choix ! Elle se tourna vers Molly.

— Si tu as besoin de moi, je suis là, assura-t-elle, visiblement inquiète.

— C'est gentil, mais tout se passera bien, ne t'en fais pas !

A peine avait-elle prononcé ces mots que Dare la poussait dans le couloir, l'entraînant vers la chambre. Il referma la porte derrière eux. Molly lui fit face, bien décidée à lui réclamer des explications.

Elle n'en eut pas le temps : déjà, Dare posait sa bouche sur la sienne.

Ah… Bien… Elle céda. Un petit baiser, ça n'engageait à rien.

Tandis que Dare lui frôlait lentement ses lèvres de la pointe de sa langue, son cœur se mit à battre et son corps à trembler de désir. Elle entrouvrit les lèvres pour l'accueillir.

Dare inclina la tête pour mieux ajuster leurs bouches. Ils avaient fait l'amour quelques heures auparavant, mais elle avait de nouveau envie de lui. Dare la plaqua contre le battant de la porte sans rien déguiser de son propre désir.

Elle en oublia complètement sa sœur qui attendait de l'autre côté.

Elle ne sentit pas bouger la couette, mais prit conscience qu'elle était nue quand Dare s'écarta pour l'admirer. Tout en tenant les pans à bout de bras, il la détaillait avec un plaisir évident.

— Je ne me sens pas très à l'aise, murmura-t-elle.

Jamais encore on ne l'avait passée en revue de manière si appuyée.

Il laissa échapper un soupir.

— Tu me plais tant !

Il déposa quelques baisers humides sur son cou et ses épaules, puis recula d'un pas.

Il la contemplait à loisir, tandis qu'il portait encore son jean... Elle voulut rabattre la couette sur elle, mais il l'en empêcha.

Son regard, aussi présent qu'une caresse, détailla de nouveau son buste, son ventre. Puis s'arrêta entre ses jambes.

— Tu es à croquer. J'ai faim de toi.

— Je...

Prise de court par son audace, elle ne savait comment y répondre.

— Merci, soupira-t-elle, tout en regrettant de ne pas être à la hauteur.

Dare fit glisser ses mains de ses épaules vers ses seins, en s'attardant un peu sur leurs pointes dressées, avant de poursuivre vers les hanches. Puis il laissa échapper une sorte de halètement rauque.

— Tourne-toi.

— Pardon ?

Dare ne lui donna aucune explication et la fit pivoter sur elle-même.

La situation était à la fois terriblement gênante et incroyablement excitante.

— J'adore tes fesses, ma chérie.

Il posa ses mains sur ses joues et s'approcha pour embrasser le point sensible entre le cou et la clavicule.

Elle était ravie qu'il apprécie ses fesses, mais...

— On ne peut pas, se plaignit-elle. Ma sœur attend dans le salon.

— Je sais.

Il lui prit les mains et lui fit lever les bras, paumes à plat contre la porte.

— Laisse-moi juste te caresser quelques minutes.

Il glissa son pied entre ses jambes pour les écarter. Elle se laissa faire, partagée entre le désir de lui plaire et sa réserve naturelle.

Il se plaqua contre elle et se mit à promener lentement ses mains sur son ventre, puis ses seins. Dans la position où elle se trouvait, bras levés, offerte, à sa merci, la sensualité de ces caresses se trouvait décuplée.

Il soupesa ses seins, puis titilla ses tétons avec ses pouces. C'était à la limite du supportable.

— Dare...

Elle renversa la tête en arrière, s'abandonnant à cette sensation qui se propageait au creux de ses reins. Elle se mordit la lèvre pour ne pas gémir, mais un son rauque s'échappa tout de même de sa gorge.

Il se pressa contre elle, puis recula. Elle se retourna lentement pour lui faire face.

Il la fixait avec un tel désir qu'elle en oublia sa gêne. Jamais elle n'aurait cru qu'elle lui faisait tant d'effet.

Il recula lentement. Ses mains tremblaient.

— Tu devrais t'habiller tout de suite avant que je ne puisse plus me retenir, murmura-t-il d'une voix éraillée.

Devinant qu'elle était en position de force, elle décida d'en profiter.

— Je m'habillerai quand nous aurons réglé la question de l'argent, dit-elle fermement.

Elle vit sa mâchoire se crisper.

— Tu sais très bien que je ne parviendrai pas à te résister... Je te ferai rouler sur le lit — et tant pis si ta sœur nous entend !

Elle le connaissait assez pour savoir qu'il mettait toujours ses menaces à exécution. Mieux valait ne pas prendre de risques.

— Très bien, soupira-t-elle.

Elle avança vers une pile de vêtements et en sortit un T-shirt, une culotte et un jean.

C'était étrange de s'habiller devant un homme qui suivait ses moindres mouvements avec une attention sans faille. Elle aurait apprécié un peu d'intimité, mais, d'un autre côté, le regard intense qu'il posait sur elle l'émouvait.

Quand elle eut fini, il parut se détendre et s'installa sur le bord du lit.

— Viens, dit-il.

Il l'attira sur ses genoux et veilla à ce qu'elle s'installe confortablement.

— Maintenant, nous pouvons parler.

— Tu es toujours en érection, fit-elle remarquer.

Il haussa les épaules, comme si ça n'avait aucune importance.

— J'ai envie de toi, que veux-tu!

Il lui embrassa le front.

— Mais nous avons un problème à régler et Jett ne va pas tarder à revenir. De plus, ta sœur doit s'impatienter.

Molly s'efforça de ne pas trop le regarder. Il ne portait qu'un jean et son torse nu était aussi troublant qu'une caresse.

— Tu es fin psychologue, confia-t-elle. Il est vrai que Natalie n'a pas la réputation d'être patiente.

Il sourit.

— Je l'aime bien. Même si elle n'arrive pas au bon moment.

Il lui prit le menton et le caressa tendrement avec son pouce.

— Vous êtes différentes, toutes les deux, mais vous avez les mêmes yeux noirs, la même bouche...

— Et la même poitrine « généreuse », comme tu dis!

Il ne put s'empêcher de rire.

— J'avais remarqué!

— Dare?

Elle appuya son front au sien. La conversation s'annonçait difficile... Comment trouver les mots justes? Elle opta pour la franchise.

— Ce n'est pas parce que nous avons couché ensemble que ça change quoi que ce soit à notre accord, pour l'argent.

— Tu te trompes. Pour moi, ça change tout. Inutile de perdre du temps à discuter : je n'accepterai pas un centime de ta part.

Elle fronça les sourcils. Il avait du culot, tout de même! Non seulement il avait modifié les règles du jeu sans l'en avertir, mais il refusait d'en discuter.

— C'est de la tyrannie! murmura-t-elle.

Il esquissa un sourire.

— Je ne t'ai jamais dit que je n'étais pas un tyran.

Il lissa ses cheveux et le dos de sa main frôla sa poitrine.

— Mais tu apprendras à vivre avec, ajouta-t-il tout bas.

A vivre avec? Devait-elle en déduire qu'il envisageait avec elle une relation à long terme? Ou était-ce juste une façon de parler?

Elle n'osa pas lui demander de préciser.

— Je ne veux pas avoir une dette de plus. Je te dois déjà suffisamment comme ça.

— Tu ne me dois rien. Je suis là parce que j'en ai envie.

Que pouvait-elle répondre?

Il effleura sa lèvre.

— Accepte sans te poser de questions, ma chérie. Ça fait longtemps que j'ai décidé de t'aider gratuitement, bien avant que nous fassions l'amour. Tu n'as pas à te sentir gênée, ni coupable, d'accord?

Elle en eut la gorge nouée d'émotion.

— Depuis que je t'ai rencontré, je suis assaillie de nouvelles sensations, mais je peux t'assurer que la culpabilité n'en fait pas partie. Même le jour où je t'ai envoyé mon talon dans le nez, je ne me suis pas sentie coupable.

Il sourit.

— Heureux de l'apprendre. Et maintenant, si on allait voir ce que devient ta sœur? Quelque chose me dit qu'elle est derrière la porte, l'oreille collée au battant.

— Vous avez raison! fit la voix de Natalie. Et je vous demande de bien vouloir libérer ma sœur, à présent.

Molly avait fini de raconter son aventure à Natalie, qui l'avait écoutée avec effroi. Elle semblait aussi ulcérée qu'horrifiée par ce qu'elle venait d'apprendre.

En l'observant, Dare l'avait définitivement écartée de la liste des suspects. La jeune femme était franche et directe. Et jamais elle n'aurait cherché à faire souffrir Molly.

Elle leur avait avoué, avec une certaine réticence, qu'elle

connaissait Jett depuis un an, mais qu'ils venaient de s'avouer leurs sentiments respectifs.

Dare ne s'était pas encore forgé une opinion à son sujet. L'intérêt que le détective avait récemment témoigné à Natalie pouvait très bien dissimuler des intentions malhonnêtes — comme celle de s'introduire dans la famille Alexander pour se rapprocher de Molly.

C'était peu probable, mais plausible.

Justement, Jett frappait à la porte. Dare alla lui ouvrir, résolu à en avoir le cœur net. Plus vite il serait fixé sur ce type, mieux cela vaudrait pour tout le monde.

Jett entra sans un mot, posa la pizza sur la table et souleva un coin du rideau pour scruter la rue.

— Que se passe-t-il ? demanda Natalie d'un ton alarmé. Qu'est-ce que tu regardes ?

Jett dévisagea posément les deux femmes.

— Pourriez-vous laisser les hommes s'entretenir en privé quelques minutes, mesdames ? dit-il.

Dare ne put s'empêcher de sourire. Il savait déjà ce que Molly allait répondre. Il s'était déjà résigné à ce qu'elle refuse de suivre les consignes. Il écouta donc sans broncher les protestations des deux sœurs, tout en se dirigeant lui aussi vers la fenêtre, pour voir ce qui intéressait tant Jett. Mais il ne remarqua rien.

— On ne peut pas la voir d'ici. Elle est garée de l'autre côté de la rue, à un pâté de maisons de l'immeuble. Une vieille camionnette blanche, ça vous dit quelque chose ?

Molly poussa un cri étouffé.

Dare laissa retomber le rideau.

— Rouillée ?

— Je crois que oui, répondit Jett d'un air sombre. J'ai repéré un conducteur et un passager à l'avant. Derrière, je ne sais pas : les vitres sont teintées.

Molly se laissa tomber dans un fauteuil. Elle était si pâle que Dare en eut la gorge nouée.

— Je l'ai remarquée, parce qu'elle est arrêtée, feux éteints, mais le moteur tourne. En m'approchant, j'ai vu que les deux hommes installés à l'avant surveillaient cet immeuble.

Dare fut tout de même surpris que celui qui avait organisé l'enlèvement de Molly se montre si maladroit. Le même véhicule…

Il se dirigea vers la porte, il voulait vérifier ça de plus près.

— Dare, attends! cria Molly en bondissant de son fauteuil pour l'empêcher de sortir. Ça ne peut pas être les mêmes!

Il préféra ne pas l'inquiéter.

— Probablement pas, mais je préfère aller m'en assurer, répondit-il en souriant.

— Bon sang, Dare! protesta-t-elle en lui courant après. Appelons la police, cette fois.

— Besoin d'un coup de main? demanda Jett, sans tenir compte de Molly.

— Oui, grommela-t-il en soupirant d'impatience. Empêchez-la de sortir d'ici, compris?

Jett parut accablé par l'énormité de la mission.

— Je vais essayer.

Essayer? Ça ne suffisait pas.

— Vous le faites, un point c'est tout. En employant la force, s'il le faut.

Il jeta un regard sévère à Molly.

— Tu ne bouges pas d'ici, compris?

Elle le toisa d'un air de défi.

— Je ne suis pas complètement stupide.

Est-ce qu'elle sous-entendait que *lui* l'était? Il eut un doute, puis il lut la peur dans ses yeux et comprit qu'elle tremblait pour lui.

Et merde!

Il franchit tout de même le seuil de la porte sans prendre le temps de la rassurer.

— Fermez à clé derrière moi, ordonna-t-il à Jett.

Molly recula lentement. Lèvres pincées, pâle et raide. Le battant claqua derrière Dare, et il entendit le déclic de la serrure.

La peur à fleur de peau

La culpabilité lui serra le cœur.

Mais il ne pouvait pas se laisser fléchir chaque fois que cette femme se mordillait les lèvres! Il savait ce qu'il faisait. Si elle avait eu confiance en lui, elle ne se serait pas torturée d'angoisse pour rien.

Il aurait bien voulu s'ôter Molly de l'esprit pour se concentrer sur la camionnette blanche, mais il en était incapable. Depuis qu'il l'avait rencontrée, elle occupait toutes ses pensées. Et de plus d'une manière.

Il apprenait à vivre avec cette nouvelle donnée et, tout bien réfléchi, ça ne lui déplaisait pas. L'avoir toujours en tête, là, quelque part, c'était plutôt réconfortant.

Il descendit les marches quatre à quatre. Il ne croisa personne, ni dans l'escalier ni dans l'entrée de l'immeuble — rien de surprenant à une heure si tardive.

Il passa la tête au-dehors. Il y avait bien une camionnette au coin de la rue, à l'arrêt. Le véhicule se trouvait dans l'ombre, sous un arbre, à l'abri des réverbères comme de la faible lueur de la lune.

Les hommes qui s'y trouvaient espéraient-ils enlever Molly, ou étaient-ils seulement là pour s'assurer de sa présence dans l'appartement?

Il décida de s'approcher. Peut-être remarquerait-il un détail important.

Il revint dans l'entrée, le temps de réfléchir à une stratégie. S'il sortait par-devant, il était certain d'être vu. Il regretta de ne pas avoir vérifié plus tôt s'il y avait d'autres issues. Décidément, Molly lui faisait oublier les réflexes de prudence les plus élémentaires.

Avec elle, il perdait vraiment la boule.

Il jeta un coup d'œil autour de lui, cherchant une porte donnant sur un sous-sol — et il la trouva. Par chance, elle s'ouvrit sans grincer. Le sous-sol était humide, les murs et le sol recouverts de béton. L'air sentait le moisi et il régnait un froid glacial.

Il ne pouvait pas se permettre d'allumer la lumière, mais la

319

petite ouverture qui donnait sur la rue laissait passer quelques rayons de lune. Elle était encombrée de toiles d'araignées et d'insectes morts. Le loquet rouillé qui bloquait la fenêtre n'opposa pratiquement aucune résistance. Le cadre était à peine assez large pour qu'il puisse se glisser au travers et il s'écorcha le dos au passage, tandis que son visage rencontrait à l'extérieur des herbes folles et humides.

Mais il ne s'arrêta pas à ce détail.

Une fois dehors, il se redressa et contourna le bâtiment en rasant les murs. Au loin, un chien aboya. Le vent froid qui charriait des feuilles mortes se glissait sous sa chemise, le faisant frissonner.

Les sens en alerte, il continua d'avancer.

Il perçut bientôt le ronronnement du moteur de la camionnette et le murmure d'une conversation à l'intérieur.

Quelques mots lui parvinrent — *fille, paiement* — mots qui confirmèrent ses pires soupçons.

Il s'approcha, suffisamment pour lire la plaque d'immatriculation du véhicule, qu'il apprit par cœur.

Un portable sonna à l'intérieur de la camionnette et le conducteur poussa un juron.

— Oui ? répondit-il sèchement.

Il y eut un temps de silence, puis l'homme reprit :

— Elle est là. On ne l'a pas vue, mais c'est éclairé chez elle.

Encore quelques secondes de silence.

— Non, personne ne va nous repérer. Je sais comment... Très bien. C'est sûr ? Comme vous voudrez.

Il raccrocha, en jurant de nouveau.

— On en reste là pour ce soir, annonça-t-il à son passager.

Puis il démarra.

Dare fut tenté de se lancer à leur poursuite pour leur faire avouer qui les avait envoyés là et pourquoi. Il aurait eu le temps de rattraper la camionnette avant qu'elle n'accélère et de saisir le conducteur par la vitre de la portière. Le passager, il en aurait fait son affaire, mais s'il y en avait d'autres à l'arrière...

Il prit une profonde inspiration.

La peur à fleur de peau

La seule chose intelligente à faire était d'attendre. S'il était blessé, qui veillerait sur Molly?

Il avait relevé le numéro d'immatriculation du véhicule. Le mieux était de contacter Trace pour lui demander d'identifier le propriétaire.

Il s'adossa au mur de brique d'un immeuble et prit le temps de se calmer. Il ne pouvait pas retourner vers Molly dans cet état. Le seul fait d'entendre parler de la camionnette l'avait perturbée. Elle avait besoin qu'il la rassure, qu'il la réconforte.

Mais le mot *fille*, qui ne cessait de résonner dans son crâne, lui donnait des envies de meurtre.

Il allait devoir annoncer à Molly que son père était probablement à l'origine de son enlèvement. Elle voudrait savoir pourquoi, et ce serait à lui de le découvrir. Le plus dur restait à venir.

Il regagna l'immeuble de Molly — par la porte du rez-de-chaussée, cette fois. On pouvait décidément aller et venir à sa guise dans ce fichu bâtiment! Quant à la porte d'entrée de l'appartement, n'importe quel voleur un peu expérimenté aurait été capable de la forcer. Et il y avait cet escalier de secours qui donnait accès aux fenêtres... Comment pouvait-on vivre en s'exposant à de tels risques? Voilà qui dépassait son entendement.

La porte d'entrée de l'appartement s'ouvrit avant même qu'il ne l'atteigne. Jett s'encadra sur le seuil, une part de pizza entamée à la main.

— Vous ne les avez pas suivis?

Dare secoua la tête et sortit son portable de sa poche. Du coin de l'œil, il aperçut Molly assise sur le canapé, recroquevillée, les genoux contre la poitrine.

Penchée sur elle, Natalie cherchait visiblement à la réconforter.

Tout en allant s'asseoir sur le canapé, il composa le numéro de Trace. Quand il s'installa à côté de Molly, le canapé s'enfonça un peu et elle glissa contre lui. Il l'entoura de son bras libre.

Elle demeura figée, mais il ne s'inquiéta pas. La connaissant, elle aurait vite fait de reprendre le dessus!

Trace répondit presque aussitôt.

— Désolé de te réveiller, dit-il, mais j'ai besoin que tu vérifies pour moi une plaque d'immatriculation.

Jett se servit une part de pizza. Il paraissait toujours aussi détendu et nullement surpris par la teneur du coup de fil. Dare remarqua que les événements de la soirée n'entamaient pas son appétit. Sans doute était-il habitué au danger.

Dare entendit Trace se déplacer, puis un froissement de papier, signe qu'il prenait de quoi noter.

— Je t'écoute, dit-il.

Dare lui dicta le numéro de la plaque.

— Préviens-moi dès que tu auras trouvé. J'aimerais aussi savoir si le propriétaire a des contacts avec l'entourage de Molly.

— Je ferai de mon mieux, assura Trace.

— Merci, dit-il avant de raccrocher.

Il rencontra le regard de Jett qui le fixait intensément.

— Vous n'êtes pas du genre à perdre votre temps en bavardages inutiles, n'est-ce pas? demanda Jett.

Dare ignora la question et rangea sans un mot le téléphone dans sa poche. Puis il se tourna vers Molly et la prit par le menton pour l'embrasser.

Depuis le début, depuis qu'il l'avait sortie de cette caravane, il n'avait trouvé que ce moyen pour l'atteindre quand elle s'enfermait dans son angoisse.

Son intention était de déposer sur sa bouche un petit baiser rapide et discret, mais comme elle demeurait tendue, il s'attarda sur ses lèvres jusqu'à ce qu'elle cède et se détende.

Alors seulement, il s'écarta d'elle et suivit lentement le pourtour de sa bouche du revers du pouce.

— Tu te sens bien? demanda-t-il.

— Bien sûr, que je me sens bien! répliqua-t-elle avec une ironie manifeste. Quelles raisons aurais-je de me sentir mal?

Dare n'insista pas.

— Tant mieux, dit-il. Dans ce cas, mangeons.

Elle s'agrippa à sa chemise.

— Je n'ai pas faim, protesta-t-elle.

— Bien sûr que si, tu as faim.

Il se leva et la prit d'autorité par les poignets pour la hisser sur ses pieds.

— Tu es furieuse. Et effrayée. Je le comprends. Mais te priver de manger n'arrangera rien.

Ses yeux s'emplirent de larmes. Elle était visiblement à bout de nerfs.

— Ne t'inquiète pas, tout ira bien, murmura-t-il plus doucement.

— Que s'est-il passé ?

— Tu m'as entendu dicter à Trace le numéro de la plaque d'immatriculation de la camionnette ? Il va vérifier à qui elle appartient, et nous partirons de là.

— Tu... Tu n'as pas... ?

— Non, je n'ai pas parlé avec eux. Le conducteur a reçu un appel et il est parti avant que je me décide à intervenir.

— Oh...

Elle en fut si soulagée qu'elle en chancela. Mais elle évita son regard.

— Molly ?

— Quoi ?

— Nous avons une longue journée devant nous demain. Si tu cessais de bouder, nous pourrions en parler, ce serait utile.

Elle lui lança un regard noir.

— Parce que pour toi, je boude ? C'est ça ? Comme une gamine capricieuse ?

Dare plissa les yeux.

— Le petit sourire de Jett commence à m'agacer prodigieusement, dit-il.

Jett éclata de rire et leva une main conciliante.

— Désolé, s'excusa-t-il.

Natalie murmura quelques mots et ils s'éloignèrent tous les deux.

Molly planta ses mains sur ses hanches.

— Tu es sorti pour courir après des hommes dont nous

savons qu'ils sont extrêmement dangereux, je me suis fait un sang d'encre, et tu appelles ça bouder?

Il la prit par les épaules pour l'attirer à lui.

— Oui, tu t'es fait un sang d'encre. C'est ce qui me vexe, justement. On dirait que tu me considères comme un gamin sans cervelle et sans entraînement. De plus, tu es en train de prendre conscience que ta vie a changé pour toujours, et ça perturberait n'importe qui. Et comme si ça ne suffisait pas, tu n'as même pas le droit de me payer, ce qui t'aurait donné un semblant de contrôle sur la situation.

Elle en resta bouche bée.

— J'ai vu juste, non? dit-il.

Elle s'humecta la lèvre inférieure.

— A un détail près : je ne te considère pas comme un gamin écervelé.

Il la prit par la taille.

— Sans doute, mais je me suis senti insulté, parce que je sais me protéger. Je vais te mettre hors de danger, et le fait que tu me payes ou non est un détail. Il y a quelque chose entre nous — c'est ça le plus important.

— Tu as peut-être raison, murmura-t-elle. Mais quelque chose, ça ne veut rien dire... Tu ne peux pas être plus précis?

Non, il ne pouvait pas. D'abord parce qu'il n'en savait rien, ensuite parce qu'ils n'étaient pas seuls.

— Nous aurons tout le temps de le découvrir, répondit-il en lui embrassant le front. Mais en attendant, tu dois me laisser agir.

— Je sais bien, mais... je supporte mal que tu prennes des risques pour me protéger.

— C'est dommage, parce que je n'ai pas l'intention de laisser un autre homme assurer ta protection. Pour des milliers de raisons.

Il jeta un coup d'œil du côté de Jett.

— Sauf pendant quelques minutes, évidemment.

Jett le salua en élevant sa canette de soda.

— Ça n'a pas été difficile. Molly est une femme raisonnable, comme sa sœur.

— Heureux de l'entendre, répondit Dare.

Il était réellement rassuré de savoir que Molly n'avait pas tenté de le suivre à l'extérieur. C'était de bon augure pour la suite.

Comme Molly ne disait rien, Natalie la taquina gentiment.

— Pour l'amour du ciel, Molly, les hommes aussi ont besoin d'être réconfortés. Pourrais-tu dire quelque chose de gentil à celui qui se donne tant de mal pour toi ?

Jett éclata de rire.

— Je confirme. Il fait vraiment peine à voir, je vous assure.

Dare ne leur accorda pas la moindre attention.

— Molly ?

Cette fois, elle affronta son regard.

— Moi aussi, je suis possessive et je tiens à toi, murmurat-elle. Et c'est normal que je m'inquiète quand tu sors à l'aveugle pour aller à la rencontre de malfaiteurs sans scrupule.

C'était déjà mieux. Dare se tourna vers la table où attendait la pizza.

— Vous me comprenez, Jett, quand je dis que je me sens insulté ?

— Oui, tout à fait. Vous pensez qu'elle n'a toujours pas compris ?

Natalie lui donna un coup de coude.

— Qu'est-ce que tu racontes ? Elle ne l'a pas insulté !

Jett s'étira sur son fauteuil.

— Bien sûr que si. Sous-entendre qu'il ne serait pas capable de se débrouiller face à des types même pas foutus de ne pas se faire remarquer, c'est une sacrée insulte ! Regarde-le, Natalie. Tu vois bien qu'il sait ce qu'il fait.

Dare accepta l'hommage d'un simple hochement de tête.

Mais Jett n'en avait pas terminé.

— Il m'a plaqué à terre sans la moindre difficulté. Je préfère dire qu'il est doué, et non me réfugier derrière le fait qu'il a eu l'avantage de l'effet de surprise.

— Disons qu'il y avait un peu des deux, concéda Dare. Mais merci tout de même de votre soutien.

Il proposa une chaise à Molly.

— Si j'avais voulu faire sortir ces idiots de leur camionnette, je l'aurais fait. Sans aucune difficulté.

Natalie fit la grimace.

— Est-ce que tous les hommes sont aussi modestes que lui ? demanda-t-elle à Jett.

— Sans doute, répliqua-t-il avec un grand sourire.

— Mais si j'avais fait ça, il y aurait eu une échauffourée, peut-être des coups de feu, et les voisins auraient appelé les flics. Ils auraient posé des tas de questions et le commanditaire de l'enlèvement se serait planqué en attendant que ça se tasse.

— Je confirme, intervint Jett en se penchant, les coudes sur la table. Alors, comme ça, vous travaillez avec quelqu'un qui peut retrouver le propriétaire d'une voiture à partir de sa plaque d'immatriculation ?

Dare mit une part de pizza dans une assiette qu'il posa devant Molly.

— Je regrette que vous m'ayez entendu, parce que je n'ai pas la moindre intention de vous renseigner sur le sujet.

— Je comprends, répondit Jett. Il est dans la légalité, votre protecteur ? ajouta-t-il à l'intention de Molly.

Elle haussa les épaules.

— Ça m'est égal qu'il le soit ou pas. Ce que je sais, c'est qu'un autre que lui ne m'aurait pas sortie du Mexique.

La réponse arracha un sourire à Dare.

— Disons qu'il m'arrive de contourner la loi quand c'est nécessaire, mais je suis généralement amnistié.

— Ah ! fit Jett en le contemplant fixement. Vous avez le bras long ?

— Assez.

— Tout ça excite ma curiosité, commenta le détective en attirant Natalie sur ses genoux. Quand je t'ai demandé de m'épouser, je ne me doutais pas que les membres de ta famille étaient si intéressants !

Dare se servit à son tour une part de pizza.

— On voit que vous n'avez pas encore rencontré son père !

Natalie et Molly ponctuèrent la remarque d'une grimace.

Dare regretta aussitôt d'avoir trop parlé. Molly avait sans doute de l'affection pour son père, en dépit de tous ses défauts.

Il décida de ne pas lui raconter tout de suite ce qu'il avait entendu en approchant la camionnette. Elle avait eu son compte d'émotions pour la soirée. Et puis, il préférait lui annoncer la mauvaise nouvelle quand ils seraient seuls — juste avant qu'ils ne rencontrent Bishop, par exemple.

— En effet, je n'ai pas eu ce plaisir, ironisa Jett. Je dois me préparer à un choc ?

— Si vous êtes solide, vous y survivrez.

— C'est si terrible que ça ?

— Est-ce que tu pourrais cesser de lui faire peur ? demanda Molly à Dare. Après tout, tu n'as vu mon père qu'une seule fois !

Une seule fois suffisait largement à se faire une opinion sur Bishop Alexander, mais Dare préféra garder cette réflexion pour lui.

— Nous ne sommes pas en sécurité ici, dit-il pour changer de conversation.

Molly s'affaissa sur sa chaise.

— Je sais, murmura-t-elle.

Il détestait la voir comme ça. Elle aurait mérité la paix, la tranquillité, un monde doux et paisible.

— Où allons-nous dormir ? demanda-t-elle.

— J'ai une chambre d'amis chez moi, proposa Natalie.

Jett s'insurgea aussitôt contre cette idée.

— Chez toi, on la retrouverait aisément, et tu serais en danger, toi aussi.

Natalie allait protester, mais Dare lui coupa la parole.

— Il a raison.

Molly posa sa main sur celle de sa sœur.

— Je ne voudrais surtout pas qu'il t'arrive quoi que ce soit. La situation est déjà assez catastrophique comme ça.

Dare poussa la pizza vers Molly pour qu'elle se resserve. Elle avait intérêt à reprendre des forces pour affronter la tempête qui l'attendait.

— A quelle heure faut-il se présenter chez votre père pour y trouver aussi votre belle-mère?

— Pourquoi cette question? demanda Molly, la bouche pleine.

— Parce qu'il serait temps qu'on leur rende visite. Et le plus tôt sera le mieux.

20

Dare observait Molly du coin de l'œil : la perspective de revoir son père ne la réjouissait pas — loin de là. Elle paraissait profondément abattue.

On l'aurait été à moins : Bishop n'était guère sympathique, même en temps normal. Et Molly commençait sans doute à comprendre qu'il avait trempé dans son enlèvement...

Il lui pressa la cuisse sous la table. Dès qu'ils seraient seuls, il la réconforterait du mieux possible. Nue de préférence. Et dans un lit.

Cette idée le troubla au point qu'il dut se concentrer pour repousser les images qui lui venaient à l'esprit.

— J'aimerais les rencontrer ensemble, si possible, insista-t-il.

Natalie haussa les épaules.

— Pour les voir tous les deux, il faut arriver très tôt. Après le petit déjeuner, papa file à sa séance de gym et Kathi a toujours quelque chose de prévu à l'extérieur.

— Bishop fait de la gym tous les jours ?

Molly eut un petit sourire en coin.

— Il attache beaucoup d'importance à son apparence physique.

— Il faut dire que Kathi l'y encourage, intervint Natalie. Elle veut qu'il soit en forme.

Elle plissa le nez d'un air dégoûté.

— Ils sont tous les deux très attachés à leur image.

Molly se tassa un peu plus sur sa chaise.

— Kathi est animée de bonnes intentions, mais elle ne

cesse de nous répéter que nous devrions faire un peu plus d'exercice... C'est agaçant, à la fin !

Jett réagit comme si on l'avait insulté personnellement.

— Plus d'exercice ? Et pour quoi faire ?

— Elle nous trouve un peu trop molles.

— Elle nous voudrait plus musclées et plus toniques, renchérit Molly.

Dare échangea un regard incrédule avec Jett.

— Je pense que les hommes préfèrent les femmes moelleuses à celles qui ont des muscles durs comme de la pierre, commenta-t-il.

Jett caressa la hanche ronde de Natalie.

— C'est aussi mon avis, renchérit-il.

Natalie éclata de rire en repoussant la main de Jett.

— Ne t'en fais pas. On la laisse dire. Ça fait longtemps que nous avons appris à ne pas faire attention aux critiques déplacées.

— Tant mieux, répondit Jett en la prenant par le cou. Parce que tu es parfaite telle que tu es, je te le jure.

Ils échangèrent un baiser et Molly les regarda d'un air rêveur, puis elle tourna vers Dare un sourire mélancolique. Il comprit qu'elle se réjouissait pour sa sœur, qui s'engageait pour la vie. Souhaitait-elle en faire autant, elle aussi ? Difficile de le savoir.

Voyant qu'il ne lui rendait pas son sourire, elle secoua la tête, comme pour signifier qu'il était irrécupérable.

Etait-ce là ce qu'elle pensait de lui ?

Il se massa la nuque, sans parvenir à dénouer les tensions qui la crispaient.

— Et votre belle-mère ? reprit-il. Vous dites qu'elle part très tôt le matin, elle aussi, mais pour aller où ?

Molly prit du bout des doigts un morceau de pepperoni sur sa part de pizza.

— Kathi s'investit dans un tas d'activités : elle joue au tennis, elle nage, elle fait de l'aérobic et du yoga, elle organise des collectes de fonds pour des projets d'intérêt public. Elle est toujours occupée, mais elle cale son emploi du temps sur celui de papa.

— Ah oui, parce que lui, il s'en fiche! Il fait passer ses affaires avant tout le reste, approuva Natalie.

— La plupart du temps, il l'ignore, ajouta Molly. Je me demande comment elle fait pour le supporter.

— Moi, à sa place, j'aurais craqué depuis longtemps, assura Natalie. Mais je suppose que, pour elle, il s'agit d'une sorte de compromis. Elle aime le prestige de l'argent, et papa en a beaucoup. Elle apprécie les soirées huppées avec le gratin. Elle aime qu'on lui manifeste du respect et...

Elle chercha le mot juste.

— Elle aime le pouvoir, compléta Molly à sa place. Or papa a du prestige et de l'autorité.

Dare se retourna pour jeter un coup d'œil à la pendule de la cuisine.

— Quand vous dites tôt, vous parlez de quelle heure?

Natalie suivit son regard et fit la grimace.

— Vous n'avez que trois ou quatre heures pour vous reposer, soupira-t-elle. Ils se lèvent à 6 heures, et à 7 h 30, ils sont déjà partis. Ensuite, ça devient quasiment impossible de les joindre, même au téléphone.

— Merci, répondit Dare.

Il observa Molly qui se contentait pour l'instant de picorer le pepperoni de sa pizza, mais n'avait pas encore mordu dedans. Elle avait des mains délicates et féminines, en dépit de ses ongles coupés court. Elle lécha d'une langue gourmande un peu de sauce sur ses doigts, et ce simple geste suffit à le troubler.

Il la désirait de nouveau. Terriblement. Il était temps que Natalie et Jett s'en aillent.

— Si vous avez fini de manger..., dit-il en échangeant avec Jett un regard entendu.

— Dare! protesta Molly. Ce n'est pas très poli.

— Pas de problème, répondit Jett en se levant. De toute façon, nous devons y aller. Et vous devez parler, pour demain.

— Je ne comprends toujours pas pourquoi vous tenez tant à rendre visite à papa et à Kathi, fit remarquer Natalie.

— Tu l'as dit toi-même : ton père est un homme très influent, intervint Jett en la prenant par la taille. Il pourra sûrement leur indiquer des gens qui les aideront dans leur enquête.

Il adressa un discret signe de tête à Dare, par-dessus Natalie. Dare et Molly comprirent aussitôt. Natalie n'avait pas besoin de savoir que son père était peut-être à l'origine de l'enlèvement de Molly. Elle venait de se fiancer avec Jett. Il n'y avait aucune raison de lui gâcher sa joie pour l'instant.

— Je suppose que oui, approuva Natalie. Mais...

Elle paraissait inquiète et épuisée, à présent.

— Je déteste l'idée de m'éloigner de toi, Molly. J'ai trop peur que tu ne disparaisses de nouveau.

— Je te promets que non, répondit l'intéressée en la prenant dans ses bras. Rentre chez toi et tâche de dormir à présent. Je suis en sécurité.

— Nous avons tant à nous dire ! gémit Natalie comme si elle prenait brusquement conscience du changement à venir dans sa propre vie.

— Je sais..., murmura Molly d'un ton rassurant, manifestant une fois de plus cette force intérieure que Dare admirait tant. Je t'appellerai plus tard. Dès que je pourrai.

Elle baissa la voix.

— Figure-toi que j'ai hâte de connaître tous les détails de ton histoire. Apparemment, vous avez été emportés par une tornade, toi et Jett.

— Tu sauras tout, promis, répondit Natalie.

Elle jeta un regard insistant du côté de Dare.

— Mais j'ai l'impression que ton histoire à toi sera encore plus captivante que la mienne.

— N'oublie pas que son métier consiste à raconter des histoires, intervint Jett.

Jett arborait l'air nonchalant d'un homme conscient de

ses qualités, et donc plutôt sûr de lui. Dare espéra que c'était justifié.

— Blague à part, dit-il. Soyez prudents, tous les deux. Je ne pense pas que Natalie soit menacée, mais ceux qui surveillaient l'appartement vous ont vus entrer. Donc, on ne sait jamais.

— Ne vous inquiétez pas : je suis prudent de nature, et je ne tiens rien pour acquis, assura Jett en serrant Natalie contre lui.

Il sortit son portefeuille et en tira une carte de visite qu'il tendit à Dare.

— S'il se passe quoi que ce soit, appelez-moi. J'aurai mon téléphone à portée de main.

Il le regarda droit dans les yeux.

— Vous pouvez me donner votre numéro, pour les mêmes raisons, si vous le souhaitez.

— Oui, fit Natalie. J'aimerais bien pouvoir appeler Molly.

Cette dernière secoua la tête.

— Mon sac à main a disparu et mon téléphone était dedans.

— Ce n'est pas grave, commenta Dare. Nous t'achèterons un téléphone, mais en attendant...

Il alla chercher un crayon et un papier sur la petite table où ils avaient trouvé le mot au feutre rouge et y griffonna son numéro, qu'il donna à Jett. Ils seraient peut-être obligés de rentrer chez lui dès le lendemain, selon ce qui se passerait chez le père de Molly. Les deux sœurs ne se reverraient peut-être pas avant plusieurs jours.

Et ils ne reviendraient dans cet appartement que lorsque Molly serait définitivement hors de danger.

Jett jeta un coup d'œil autour de lui.

— C'est sécurisé, ici ?

— J'ai installé quelques alarmes. Si quelqu'un entre, on le saura.

— Mais quand les as-tu installées ? demanda Molly.

— Pendant que tu dormais, répondit-il.

Elle se frotta le menton d'un air songeur.

— J'ai le sommeil léger... Pourtant, je n'ai rien entendu.

Il en conclut qu'elle avait dormi profondément, parce qu'elle se sentait en sécurité avec lui. Et aussi parce que faire l'amour l'avait détendue.

— Tu avais dépensé beaucoup d'énergie, répondit-il d'un ton plein de sous-entendus.

— Oh! murmura-t-elle en rougissant.

— Au fait, j'ai aussi ramassé ton courrier, que j'ai rassemblé sur la petite table près de l'entrée. Il me semble que tu as des lettres importantes. Venant de ta maison d'édition et peut-être de ton agent.

Elle déposa aussitôt sa serviette en papier et se leva pour aller vérifier. Natalie la suivit.

Dare fit signe à Jett de s'approcher.

— Bien joué, le félicita Jett. Vous saviez qu'elle irait aussitôt voir son courrier.

— Je voulais vous parler une minute en privé, répondit Dare à voix basse, pour ne pas être entendu des deux femmes. Vous avez toujours des amis au FBI ?

— Bien sûr. Qu'est-ce que je peux faire pour vous ?

— Pour commencer, veiller sur Natalie. Aucune des deux sœurs ne doit se déplacer sans surveillance.

— J'avais déjà décidé de ne pas la lâcher d'une semelle, répondit Jett en se passant la main dans les cheveux. Ça ne va pas être facile — d'autant qu'elle reprend les cours cette semaine.

— Trouvez un moyen, trancha Dare.

— Je trouverai, soupira Jett.

Il parut réfléchir quelques minutes, puis il eut un haussement d'épaules résigné.

— Je peux l'accompagner en voiture, ou la suivre. Je verrai.

— Je voudrais aussi que vous vous occupiez de la voiture de Molly, reprit Dare.

— C'est-à-dire ?

— Elle est restée garée sur le parking pendant que Molly était séquestrée à Tijuana et…

— Vous voulez que j'envoie quelqu'un pour vérifier qu'on n'a rien trafiqué?

— Discrètement, acquiesça Dare. Je ne voudrais pas que le FBI commence à s'intéresser à moi. Donc, il faudrait demander ça à quelqu'un qui vous doit un service...

— J'ai un copain à l'ATF, la section des alcools, tabacs et armes à feu. Ne vous inquiétez pas pour ça. Je le préviens et je vous tiens au courant.

— Si la voiture est saine, vous pourriez la stationner en lieu sûr?

— Pas de problème.

— Merci, fit Dare. Sachez que j'apprécie votre aide.

Molly revenait dans la cuisine. Elle leur jeta un regard méfiant en les surprenant en grand conciliabule, mais décida de ne pas poser de questions.

— Je dois passer à la banque déposer des chèques, annonça-t-elle. Et ensuite poster un contrat.

— C'est d'accord, répondit Dare.

Il était normal qu'elle songe à régler les affaires courantes. La vie continuait. De toute façon, il la suivrait partout.

— On s'en occupera dès qu'on sera passé voir ton père, ajouta-t-il.

Elle acquiesça, tout en scrutant les deux hommes.

— Tout va bien? demanda-t-elle.

— Il me faut tes clés de voiture, ordonna Dare.

Elle allait demander pourquoi, mais il ne lui en laissa pas le temps.

— Jett va la déplacer pour la mettre en lieu sûr, expliqua-t-il.

Dare n'aurait pas su dire ce qu'elle pensait de cette version simplifiée, mais elle s'exécuta sans un mot et se dirigea vers un tiroir de la cuisine dont elle sortit un double des clés.

— Merci, dit Jett en prenant le trousseau qu'il glissa dans sa poche.

Natalie les avait rejoints. Elle fixa Dare, les larmes aux yeux, et lui sourit. Puis elle ouvrit les bras et le serra contre elle.

— Merci, Dare. Je suis contente de savoir que vous êtes là pour la protéger.

Dare lui rendit son étreinte. Molly pouvait compter sur sa sœur. Il n'en doutait plus. En s'écartant, Natalie se tourna silencieusement vers Molly, pour articuler silencieusement, *Oh, mon Dieu*, avec encore plus d'exagération que la première fois.

Dare se demanda ce que signifiaient ces simagrées, mais Molly eut l'air de comprendre, parce qu'elle acquiesça d'un air entendu.

— S'il y a du nouveau, tenez-nous au courant, dit Jett à Dare.

— Je n'y manquerai pas. Et merci pour tout.

Jett embrassa Molly sur la joue. Puis, enfin, il entraîna Natalie avec lui, et ils sortirent.

Dare cessa aussitôt de refréner le désir qui le dévorait. Plus que quelques instants, et il entraînerait Molly dans la chambre... Il ferma la porte à clé et appuya un fauteuil contre le battant.

— Tu es certain que les hommes de la camionnette sont partis ? s'enquit-elle, visiblement alarmée.

— Oui, affirma Dare en s'avançant vers elle. Mais je préfère être prudent. Et même s'ils revenaient, je ne les laisserais pas t'approcher, je te le promets.

Elle le remercia d'un sourire attristé.

— Je sais que si quelqu'un peut tenir cette promesse, c'est bien toi.

Il décida de changer de sujet. Mieux valait qu'elle pense à autre chose.

— Qu'est-ce qu'elle avait, ta sœur, à répéter « Oh, mon Dieu ? » toutes les cinq minutes ?

Cette fois, le sourire de Molly fut presque joyeux.

— Je crois qu'elle était impressionnée par tes muscles, répondit-elle.

Elle se moquait de lui, ou quoi ?

— Comment ça impressionnée ? Et Jett, alors, il n'est pas musclé, peut-être ?

Elle éclata de rire.

— Si. Lui aussi, il est musclé.

Agacé de l'entendre complimenter la musculature d'un autre homme, il répondit par un grognement.

Molly ne fut pas dupe.

— Ah, tu ne peux pas dire le contraire! C'est un sacré morceau.

Elle se tourna vers la fenêtre, pour observer Natalie et Jett qui quittaient l'immeuble.

— Mais toi, c'est autre chose..., ajouta-t-elle. Tu es hors norme.

Elle posa une main sur le carreau.

— Peu d'hommes oseraient se comparer à toi.

Il était conscient de ses capacités, mais le compliment le fit tout de même rougir jusqu'aux oreilles.

— N'exagère pas, tout de même... Je ne suis pas un surhomme!

Elle secoua la tête.

— Tu n'es pas un surhomme, mais tu es un être exceptionnel et Natalie voulait juste me le faire comprendre.

Il se tenait derrière elle, suffisamment près pour sentir sa chaleur et respirer son odeur. Il se retenait de poser les mains sur elle, mais c'était un véritable défi. Elle resta là, les yeux tournés vers la fenêtre, même après que Natalie et Jet eurent disparu.

— Ça va, ma chérie? demanda-t-il.

Elle acquiesça.

— Oui, c'est juste que...

Elle lui fit de nouveau face.

— Je me demandais quand je reverrai ma sœur.

Il comprit qu'elle se demandait surtout quand sa vie reprendrait son cours normal. Il aurait voulu pouvoir lui promettre que ce sinistre épisode serait bientôt terminé, mais il se sentait incapable de lui mentir.

— Je ne sais pas, murmura-t-il. Mais je ferai de mon mieux pour que ça aille vite.

Elle poussa un soupir de lassitude et ferma brièvement les yeux. Quand elle les rouvrit, il lut dans son regard qu'elle avait accepté son sort.

— Je suis désolée, dit-elle.

— Cesse de t'excuser.

— Tu fais déjà tant pour moi… Je n'ai pas le droit de passer mon temps à me plaindre. Et puis, je sais que ça finira par s'arranger.

— Tu ne passes pas ton temps à te plaindre, loin de là.

Elle possédait au contraire une étonnante capacité à encaisser les coups sans broncher.

— C'est le fait de me retrouver ici… Chez moi…

Elle agita la main, comme si elle avait du mal à trouver les mots justes.

— J'ai l'impression d'être totalement coincée.

Il lui caressa tendrement le menton.

— As-tu l'intention de raconter à ton éditrice et à ton agent ce qui t'est arrivé ? demanda-t-il.

— Absolument pas ! s'écria-t-elle. Moins il y aura de gens au courant, mieux je me sentirai. Mais si l'information venait à circuler, j'assumerais. Sans honte.

— Tu n'as aucune raison d'avoir honte.

— Je sais… Mais c'est une question de fierté. Je n'ai pas envie d'évoquer certains détails. Après tout, ça ne regarde personne.

Il comprenait tout à fait. La plupart des gens lui manifesteraient de la pitié ou imagineraient le pire — qui ne s'était pas produit. Et de ça, elle ne voulait pas.

Mais elle n'était pas non plus totalement naïve : elle savait que la vérité risquait d'éclater.

— Tu te passerais bien de ce genre de publicité, n'est-ce pas ?

— Oh oui…

Elle se blottit contre lui.

— Je me sens déjà suffisamment exposée comme ça, avec mes livres. Je n'ai pas besoin qu'on en rajoute !

Leurs corps s'ajustaient parfaitement et Dare eut de nouveau envie d'elle. Emu, il la serra contre son torse pour lui offrir le réconfort dont elle avait tant besoin.

Dehors, la pénombre virait lentement du noir au gris. Le soleil n'allait pas tarder à se lever.

Molly renversa la tête en arrière pour chercher son regard.

— Je crois que je vais prendre un bain, annonça-t-elle.

La déception lui noua le ventre, mais il se garda bien de le lui montrer.

— Excellente idée, approuva-t-il.

Il était épuisé, mais il n'aurait pas pu dormir. Pas maintenant. Pas dans cet appartement où il devait veiller sur elle.

— Vas-y. Pendant ce temps je finirai de ranger cette pagaille.

Molly posa ses deux mains à plat sur son torse.

— C'est-à-dire que... J'espérais vaguement que tu le prendrais avec moi.

L'invitation était irrésistible. La fatigue de Dare s'envola aussitôt.

— Ah oui ?

Elle eut un sourire coquin.

— Remarque... Je ne sais pas si c'est vraiment possible. La baignoire n'est pas très grande. Et toi, tu es immense.

Il réprima un sourire.

— On peut s'arranger. Ça dépendra de notre position.

Il déposa un rapide baiser sur ses lèvres, la fit pivoter vers la salle de bains, et gratifia ses adorables fesses d'une petite tape amicale.

— Tu prépares le bain pendant que je range ?

Elle lui répondit par un rire indulgent.

— Chris a raison : tu es vraiment un maniaque de l'ordre !

Le fait qu'elle mentionne Chris rappela à Dare qu'il avait laissé ses *filles* sous sa responsabilité. Il était encore un peu tôt pour l'appeler, mais il se promit de prendre de leurs nouvelles dès que possible.

Molly disparut dans le couloir. Quelques secondes plus tard, il entendit l'eau couler dans la salle de bains. Il commença par mettre à la poubelle les canettes vides et le carton de la pizza.

Puis, après avoir rincé les quelques couverts qu'ils avaient utilisés, il les rangea dans la machine à laver, où il trouva des assiettes qui attendaient depuis le jour de l'enlèvement de Molly... Il lança donc un cycle de lavage.

L'appartement était resté vide quelque temps et méritait un bon coup de propre. Ils s'en occuperaient dans la journée s'ils décidaient de rester. Mais pour l'instant, l'endroit n'était pas sûr, et Dare avait hâte de mettre Molly à l'abri de ses ravisseurs.

Il vérifia de nouveau que les fenêtres étaient bien fermées et rejoignit sa compagne dans la salle de bains.

Elle ne l'entendit pas arriver, et il demeura un instant sur le pas de la porte. Elle était déjà nue et elle avait relevé ses cheveux au-dessus de sa tête. Elle se pencha par-dessus la baignoire pour tester la température de l'eau. Le spectacle était ravissant.

Il avança vers elle et glissa sa main entre ses cuisses. Elle sursauta et fit volte-face.

— Tu te déplaces vraiment à pas de loup, murmura-t-elle.

Il baissa les yeux vers ses seins qu'il ne put s'empêcher de soupeser. Puis il se retint. Elle voulait un bain. Il allait lui donner un bain. Il avait l'intention cette fois de prendre le temps d'explorer son corps, centimètre par centimètre.

Il la lâcha et ferma le robinet.

— C'est prêt, dit-il. Tu peux entrer dans l'eau.

Elle se mordit la lèvre et sa respiration s'accéléra, mais elle ne bougea pas. Il attendit, patiemment, profitant de l'occasion pour apprécier la beauté de son corps nu et déjà prêt pour l'amour, de toute évidence. Finalement, elle lui tendit la main pour qu'il l'aide à enjamber la baignoire et se plongea dans l'eau chaude en soupirant d'aise. Dieu qu'elle était belle ainsi... Enveloppée de vapeur, avec ses seins qui émergeaient à demi !

Toujours en jean et torse nu, Dare s'agenouilla devant la baignoire.

— Allonge-toi, intima-t-il d'une voix éraillée.

— Je croyais que tu viendrais avec moi !

— Je vais te rejoindre. Après.

— Après quoi ?

— Après t'avoir donné du plaisir.

Elle ouvrit des yeux ronds, prête à protester de nouveau. Mais il se pencha et prit l'un de ses seins dans sa bouche, ce qui la fit taire et lui arracha un soupir de contentement, tandis qu'elle glissait ses doigts dans ses cheveux pour l'attirer vers elle.

Il plongea la main dans l'eau pour lui écarter les jambes.

— Plie tes genoux, ordonna-t-il tout en l'aidant à s'allonger.

Elle se laissa lentement glisser, avec une légère hésitation, jusqu'à ce que son corps soit totalement submergé. Dare saisit l'un de ses pieds qu'il posa sur le rebord de la baignoire.

— Comme ça, c'est parfait.

— Je…

— Chut.

Il attrapa le savon et le fit mousser dans ses mains.

— Laisse-moi profiter de toi.

— Seigneur, gémit-elle en fermant les yeux.

Il sourit, tout en utilisant le savon pour titiller ses seins, en s'aidant de ses doigts qui caressaient et pinçaient en alternance.

Molly se mit à gémir, puis elle se mordit la langue pour ne pas crier et n'émit plus aucun son.

Quand il vit ses jambes se crisper, il saisit celle qui se trouvait de son côté et l'immobilisa.

— Détends-toi, murmura-t-il.

Il voyait nettement son petit clitoris : déjà dressé, il appelait son attention. Dare aurait voulu le prendre dans sa bouche, mais la position ne s'y prêtait pas. Plus tard. Bientôt.

— Tu es si belle !

— Tu exagères ! Je ne suis pas un laideron, je sais. Je regrette de devoir me montrer à toi avec toutes ces horribles ecchymoses, mais… Il n'y a pas que ça… Ce n'est pas pour t'inciter à me complimenter, mais je…

Elle se tut parce qu'il lui rinçait les seins, pour les exciter de nouveau, mais cette fois sans savon et plus franchement.

Elle ferma les poings sous l'eau et les muscles si bien dessinés de ses cuisses se crispèrent. Elle était vraiment très fine et il se demanda à quoi elle ressemblerait quand elle aurait repris les deux ou trois kilos qu'elle avait dû perdre durant sa séquestration. Sans doute la trouverait-il encore plus appétissante.

Il se pencha sur elle et souffla doucement sur ses seins. Ils étaient à présent tendus à l'extrême, et il ne put s'empêcher de les lécher et de les mordiller. Il aurait pu passer une heure rien qu'à les honorer, en l'écoutant haleter — signe qu'elle appréciait ce traitement.

Mais il avait décidé de lui donner du plaisir — beaucoup de plaisir. Et ils n'avaient pas des heures devant eux.

Il plongea ses mains dans l'eau.

Elle émit un gémissement étouffé tandis qu'il entrouvrait légèrement ses lèvres d'un doigt, lequel entra dans un conduit doux et soyeux. Il l'observa avant de continuer. Pas de protestations ? Très bien. Il approfondit sa caresse, allant et venant en elle tout en jouant avec son clitoris à l'aide de son pouce.

Elle se cambra.

— Dare...

Elle gémit de nouveau et lui saisit le poignet pour l'immobiliser. L'eau fit un clapotis quand le plaisir la traversa tout entière.

Il la contempla avec fascination. Il doutait de pouvoir résister encore longtemps. Pas en la voyant ainsi. Si sensuelle. Si offerte.

Elle se détendit lentement, les jambes ouvertes, les bras arrondis le long de ses hanches.

Il se redressa pour se dévêtir, puis il la rejoignit dans la baignoire en s'installant derrière elle. Elle laissa aller son dos contre son torse avec un soupir de contentement.

Il savait qu'elle était encore sous le choc de son premier orgasme, mais il ne résista pas au plaisir de lui caresser les seins — en s'efforçant d'oublier son érection, pourtant presque douloureuse.

— Dare ?

— Oui ?

Il fut lui-même surpris par le son éraillé de sa voix.

— Je n'ai jamais…

Elle se tut, puis haussa les épaules, et se tourna vers lui. Elle le contempla, remarqua son sexe dressé, eut un sourire triomphal, suivi d'un rire gêné.

— Je me sens un peu… coupable.

— Coupable de quoi? Tu es une femme saine et capable de jouir, grâce à Dieu!

Elle secoua la tête.

— Tu ne comprends pas. Si quelqu'un m'avait dit que je ferais un jour ce que nous venons de faire, je… Je crois que j'aurais péri de honte rien que d'y penser.

— Pourquoi? demanda-t-il en jouant avec une mèche humide qui tombait sur son épaule.

Il était subjugué par sa peau couverte de gouttelettes. Elle paraissait comme mouillée de rosée. Un spasme lui noua le ventre.

— Parce que ça ne me ressemble pas. Bien sûr, j'ai eu d'autres expériences et…

Il lui coupa la parole.

— Je ne veux rien savoir de tes expériences avec les autres, fit-il sèchement.

Elle demeura interdite, puis se rebiffa.

— Qu'est-ce que tu crois? Je n'avais pas l'intention de te donner des détails!

Il l'attira contre lui et l'embrassa, tout en laissant glisser ses mains vers ses fesses, prêt à l'action.

— Tu n'es pourtant pas du genre inhibée, fit-il remarquer.

— Non… Pas avec toi, en tout cas.

Elle tressaillit quand il glissa un doigt en elle.

— Dare!

— Hmmm? murmura-t-il contre sa bouche.

Il avait hâte de l'entendre encore crier de plaisir. Il se remit à l'embrasser, à la caresser. Comme elle remuait, son ventre vint taper contre son sexe en érection et ses seins moelleux contre son torse. C'était délicieux.

— Soulève-toi un peu, murmura-t-il.

— Dare, je ne sais pas si…

— Soulève-toi un peu, insista-t-il. Je veux prendre tes seins dans ma bouche.

Elle gémit et les parois de son vagin se crispèrent autour des doigts qui la mettaient au supplice — mais elle obéit et se souleva, en prenant appui sur ses épaules. Il referma sa bouche sur son sein droit, qu'il aspira goulument.

Elle laissa échapper un son vibrant et guttural, si érotique qu'il faillit perdre la tête, lui aussi.

— Seigneur… Comme c'est bon ! murmura-t-elle.

Elle se laissa retomber contre lui et ferma aussitôt les yeux.

— Ne t'endors pas sur moi, tout de même ! dit-il en riant.

— Non, non, je ne dors pas, protesta-t-elle.

Il attrapa le savon pour se laver, tout en admirant les longs cils qui ourlaient ses yeux mi-clos et son visage encore rosi de plaisir.

Bon sang, ce qu'il avait envie d'elle !

Après s'être rincé, il la savonna consciencieusement, sans oublier un seul carré de peau. Il s'attarda un peu plus que nécessaire entre ses jambes, et ne s'arrêta que pour son propre salut. S'il continuait à la torturer ainsi, il ne pourrait se retenir.

Il sortit de la baignoire et l'aida à en faire autant.

Molly contempla son sexe dressé en s'humectant les lèvres.

— On aurait pu rester encore un peu dans ce bain, fit-elle remarquer en avançant la main.

Il lui saisit le poignet juste à temps.

— Pas encore.

Il voulait d'abord lui redonner du plaisir. Tout apprendre de ce qu'elle aimait. Il avait l'impression qu'une vie entière n'y suffirait pas.

21

Molly observait en silence Dare qui nettoyait la baignoire, puis l'essuyait avec une serviette. Il l'agaçait un peu. Elle était là, encore vibrante de ses caresses, et lui, il faisait le ménage dans la salle de bains ! Il était complètement maniaque ou quoi ? Il était si beau qu'elle ne se lassait pas de l'admirer. Mais surtout... Avec lui, elle se sentait plus forte et indépendante que jamais.

Et en plus, il avait su lui donner un plaisir inouï et lui faire oublier toute retenue pendant l'amour.

Il était incroyable.

S'il ne l'accompagnait immédiatement dans la chambre, elle l'y emmènerait manu militari.

— Ça te dérange que je ne sois pas une femme d'intérieur accomplie ? demanda-t-elle d'un ton sec.

Il plia soigneusement la serviette et la suspendit, puis il se tourna vers elle et la détailla d'un regard appuyé.

— Si tu voyais le pavillon de Chris, commenta-t-il tranquillement. C'est un bordel invraisemblable. Et ça ne m'empêche pas de l'aimer.

Elle en resta bouche bée. Elle n'avait jamais rencontré un homme qui parlait si posément de son affection pour un autre homme.

Elle se racla la gorge.

— Je demande ça parce que...

Elle fit un large geste de la main en direction de son corps nu.

— Je veux dire...

Elle se montra du doigt.

— Le récurage de la baignoire, ça aurait pu attendre, non ?

— Tu crois vraiment que je me soucie de la propreté de ta salle de bains ?

Il lui jeta un regard oblique, tout en ramassant ses vêtements.

— Je me retiens de te sauter dessus. Je m'occupe, le temps de me calmer.

Il passa devant elle à grands pas pour quitter la salle de bains.

— Oh…

Elle se précipita derrière lui.

— C'est que je ne suis pas habituée à ce que les hommes…

Il était arrivé dans la chambre. Il lâcha les vêtements, fit volte-face, et posa un doigt sur sa bouche.

— Je t'ai déjà dit que je ne voulais rien savoir de ce que tu as connu avec d'autres hommes.

Il la prit par les épaules et l'attira vers lui.

— Aucune femme ne m'a rendu aussi jaloux et possessif, avoua-t-il.

Elle allait s'exclamer de nouveau, mais il la fit taire d'un baiser ardent… et très possessif, en effet.

Tout en continuant à l'embrasser, il avait dû défaire ses cheveux sans qu'elle s'en aperçoive, car ils roulèrent sur ses épaules.

Il les prit à deux mains.

— Quand je pense que tu voulais les couper !

Elle lui effleura la gorge du bout des lèvres.

— Quand je pense que tu y accordes de l'importance…

— Bien sûr, que j'y accorde de l'importance !

Il déposa un baiser dans son cou, puis sur son oreille.

— Je n'en reviens pas de la patience avec laquelle tu les as démêlés, murmura-t-elle.

Elle se demanda si elle n'était pas tombée amoureuse de lui pendant qu'il la coiffait avec soin, s'attardant sur chaque nœud. Après neuf jours à vivre dans l'angoisse, la privation, et la violence, elle n'avait pu résister à sa douceur.

— J'y ai pris du plaisir, figure-toi! assura-t-il en passant un bras sous ses fesses pour la soulever.

Il l'emporta sur le lit, avec une facilité déconcertante. Elle ne cessait de s'étonner de sa force. Et de la tendresse qu'il lui manifestait... Avec lui, elle se sentait comblée.

Il l'allongea sur les draps, puis se lova contre elle et se hissa sur un coude pour la regarder. Puis il lissa tendrement ses cheveux en arrière et embrassa ses lèvres encore humides et enflées.

Elle lui caressa le visage du bout des doigts.

— Qu'est-ce qui ne va pas? demanda-t-il en remarquant qu'elle avait les larmes aux yeux.

Elle secoua la tête.

— Quand tu me regardes, je me sens belle.

Il glissa une main entre eux pour la caresser et son visage devint écarlate. De désir, sans doute.

— Belle, c'est peu dire!

— Ah bon?

Il avait pris possession de son intimité, et elle avait du mal à parler.

— Tu dirais quoi? insista-t-elle d'une voix rauque.

Il glissait ses doigts soyeux en elle, allant et venant, toujours plus avant.

— Super-sexy...

Il haletait.

— Totalement irrésistible...

Son regard était si intense qu'il la troublait autant que ses caresses.

— Et tu es mienne!

Elle en resta saisie. Elle ne savait que dire. Ni comment interpréter cette déclaration.

— Dare...

Il se leva pour aller chercher un préservatif qu'il enfila en un temps record. Quand il revint, il la prit par les hanches et la fit pivoter sur le ventre. Elle se laissa faire, tout en songeant à ce qu'il venait de dire — jusqu'à ce qu'il la pénètre d'un coup de rein.

Elle cria de plaisir. De surprise, aussi. Car les sensations qu'il provoquait en elle à chaque mouvement lui étaient inconnues. Jamais elle ne s'était donnée ainsi. C'était enivrant, bien sûr... mais n'était-ce pas aussi terriblement impudique ?

— Dare, je ne peux pas...

— Mais si, tu peux.

Il glissa une main entre ses jambes et saisit son clitoris entre deux doigts. Puis il le titilla en tirant dessus, chaque fois qu'il entrait, avec une synchronisation parfaite et irrésistible.

Elle ne put s'empêcher de gémir.

— Ecarte un peu plus les genoux, bébé...

Le plaisir l'envahissait au point qu'elle ne pouvait plus réfléchir. Tout entière livrée à ses sens, elle devenait lourde, si lourde que ses bras fléchirent et qu'elle se retrouva en appui sur ses poignets.

Dare approuva la position d'un halètement saccadé.

Une spirale montait en elle. Tout son corps se tendait vers lui, cambré, offert.

Il accéléra la cadence. Lui aussi était près de la délivrance. Ses cuisses venaient cogner en rythme contre les siennes. Ils étaient aussi brûlants l'un que l'autre.

Les yeux fermés, elle agrippa les draps et se laissa emporter dans un long cri guttural.

Celui de Dare lui répondit, signe qu'il s'était retenu jusque-là pour l'attendre.

Elle se laissa tomber sur le lit, et lui sur elle. Il voulut s'écarter, mais elle protesta.

— Non, reste. Je t'en prie.

Elle voulait le garder encore en elle. C'était si bon !

— D'accord, murmura-t-il en lui embrassant l'oreille.

Elle se sentait bien. En sécurité.

Dans une sorte de paradis.

Sans doute était-ce cela, l'amour.

La peur à fleur de peau

*
* *

Des mains agressives la pinçaient pour lui faire mal. Elle protestait avec véhémence, révoltée par tant de cruauté. Elle leur lançait des insultes qui lui donnaient la force d'endurer ce qu'on lui infligeait.

Une silhouette apparut dans son champ de vision, puis avança le bras vers l'un de ses seins. Un homme. Devinant sa panique, il éclata de rire et lui envoya son poing dans les côtes. Elle en eut le souffle coupé et faillit vomir de douleur. Elle tomba à genoux — réaction catastrophique, car la position la rendait encore plus vulnérable. Le sol était couvert d'insectes, de boue et d'urine. Elle tenta de lutter pour se redresser. Lutter, lutter, lutter...

Elle se réveilla en hurlant. Dare entra en courant dans la chambre.

— Calme-toi. Tu as fait un cauchemar, ma chérie.

Il alluma le plafonnier. Aveuglée, encore désorientée, elle ferma les yeux. Le matelas se creusa quand il s'allongea près d'elle pour la prendre dans ses bras.

Elle avait la gorge si serrée qu'elle suffoquait presque. Et elle avait envie de pleurer... Mortifiée, elle sentit rouler des larmes sur sa joue.

Furieuse contre elle-même et contre les salauds qui l'avaient mise dans cet état, elle se débattit pour se libérer de l'étreinte de Dare.

Mais il ne la laissa pas s'échapper.

— Molly, je comprends ce que tu ressens, murmura-t-il. Je sais par quoi tu passes. Ne me repousse pas.

Il lui embrassa les cheveux et referma un peu plus autour d'elle ses bras puissants.

— Je les hais, gémit-elle d'une voix brisée qui augmenta sa honte.

— Moi aussi, je les hais, répondit-il en se redressant pour la prendre sur ses genoux. Tu sais, quand j'étais plus jeune, le jour où j'ai reçu le coup de couteau qui m'a laissé cette cicatrice sur le torse...

Elle acquiesça. Elle n'avait pas encore osé lui demander d'où lui venait cette balafre — mais elle brûlait de le savoir.

— J'étais furieux contre moi-même parce que je n'arrivais pas à me calmer, et furieux contre l'homme qui m'avait fait ça. Physiquement, il m'a fallu quelques semaines pour m'en remettre, parce que la plaie s'était infectée.

Il avait enfilé une chemise et elle essuya discrètement ses yeux au tissu de coton.

Il attrapa un coin du drap et le lui tendit.

— Tu veux un mouchoir ? demanda-t-il.

— Non.

Elle s'exprimait toujours d'une voix étranglée, comme si des mains lui enserraient la gorge. Elle enfouit son visage contre son épaule.

— Que faisais-tu, quand tu as reçu ce coup de couteau ? demanda-t-elle.

— Tu n'en parleras à personne si je te le raconte ?

— Bien sûr que non.

— On m'avait engagé pour délivrer un fils de sénateur dont les ravisseurs réclamaient une rançon. Parce que j'étais bien entraîné et encore inconnu au bataillon, donc invisible. Tu vois ce que je veux dire ?

Tout en parlant, il lui caressait tendrement le dos, de haut en bas.

Elle ravala ses larmes pour lui répondre.

— Non, pas vraiment.

— C'était ma première mission. Et elle a failli mal se terminer.

Elle humecta ses lèvres desséchées. Elle sentait s'éloigner peu à peu les visions cauchemardesques qui avaient envahi son sommeil.

— Mais elle s'est bien terminée ?

— Oui. Heureusement, d'ailleurs, parce que si j'avais

échoué, le gamin ne s'en serait pas sorti vivant. Et là, des cauchemars, j'en aurais fait aussi, tu peux me croire !

Il secoua la tête, puis il reprit, après une profonde inspiration :

— Il avait douze ans. Il était retenu prisonnier dans la propriété d'un homme d'affaires au-dessus de tout soupçon. Personne n'avait eu l'idée d'aller le chercher là-bas, mais j'ai toujours eu un instinct très sûr... et j'ai réussi à le localiser.

— Comment ?

— Ce serait trop long à raconter, mais disons que je ne me suis pas laissé berner par l'apparente normalité que ce salaud présentait au monde. On devrait toujours juger les gens d'après leurs fréquentations. Or, cet homme d'affaires fréquentait des types louches...

— Un peu comme mon père, interrompit-elle avec un soupir angoissé.

— Un peu comme ton père, en effet.

— Qu'est-ce qui t'est arrivé ?

— Je me suis laissé emporter par mes émotions. Je pensais sans cesse au gamin. Je me demandais dans quel état il était physiquement et moralement, et j'avais peur qu'il soit blessé pendant mon intervention. Ça m'a perturbé.

Son visage se crispa.

— Je suis intervenu trop tôt, tout en sachant que j'aurais dû attendre.

Elle leva les yeux vers lui et contempla son beau visage, sa mâchoire volontaire, son nez droit, ses yeux si bleus. Il paraissait bouleversé. Elle en fut si attendrie qu'elle en oublia tout à fait son cauchemar.

— Et ensuite ? demanda-t-elle.

— J'ai trouvé le garçon. Ils l'avaient malmené et terrifié, mais il était solide.

Apercevant une larme sur sa joue, il l'essuya gentiment.

— Il était terrorisé, mais pas paniqué. Il tenait le coup. J'étais fier de lui. Comme je suis fier de toi.

— Et tu l'as sauvé ?

— Oui, je l'ai sorti de là, mais j'ai dû me battre avec l'un de ses geôliers pour y parvenir.

Sa bouche se tordit en un rictus.

— Ce salaud m'a attaqué par-derrière. Il a plaqué une main sur mes yeux, et il s'apprêtait à me trancher la gorge. Heureusement, le gamin est intervenu : il s'est jeté sur son dos et s'est agrippé à ses omoplates, ce qui m'a donné le temps de réagir.

— Comment as-tu fait ?

Le regard de Dare s'assombrit.

— J'ai retiré le couteau qu'il m'avait planté dans la poitrine et je m'en suis servi pour le tuer.

Seigneur.

— Tu as retiré un couteau planté dans ta poitrine ?

— Il n'avait pas atteint d'organes vitaux. Ça faisait un mal de chien, mais ce n'était pas très grave.

Il se gratta l'oreille.

— Si le gamin n'avait pas eu le réflexe et le courage de l'attaquer, nous serions morts tous les deux. Ça m'a donné une bonne leçon d'humilité. Et j'ai appris à réfléchir avant d'agir.

— Tu l'as sauvé, tout de même ! fit remarquer Molly.

Il fit la grimace.

— Si tu m'avais vu… Je n'avais rien d'un héros… Je perdais tellement de sang que j'arrivais à peine à marcher. Heureusement que des hommes m'attendaient aux abords de la propriété, parce que je n'aurais pas pu aller beaucoup plus loin.

Molly cala sa tête contre son épaule.

— Je suis heureuse que tu aies réussi, dit-elle.

— Moi aussi.

Ils demeurèrent silencieux un long moment.

— Mais le souvenir de cette demi-victoire m'a obsédé pendant des mois, reprit-il enfin. Je ne pouvais pas fermer les yeux sans penser à tout ce qui aurait pu se passer. C'est propre au genre humain, je crois… Cette capacité à se torturer en ressassant nos erreurs !

— Comment l'as-tu surmontée?

— Le temps. La vengeance.

Il soupira.

— Une fois guéri, je me suis arrangé pour faire boucler tous ceux qui avaient trempé dans l'enlèvement du petit, mais sans que les médias s'en mêlent. Savoir ces ordures en prison m'a aidé à aller de l'avant.

Elle se demanda si le fait de démasquer le coupable de son propre enlèvement lui permettrait de se délester des souvenirs et des images qui encombraient sa mémoire. Seigneur, elle espérait que oui…

Elle aurait tout donné pour rester dans les bras de Dare, mais elle savait qu'ils devraient bientôt partir.

— Depuis combien de temps es-tu réveillé? demanda-t-elle en inclinant la tête de côté.

— Je n'ai pas dormi.

Elle se sentit coupable.

— Je suis désolée de m'être effondrée comme ça, tout à l'heure.

— Tu avais besoin de te reposer.

Il la prit par le menton et se pencha pour l'embrasser.

— Tu te sens capable de sortir, à présent? Je ne voudrais pas rater ton père.

De son côté, c'était tout le contraire : elle aurait préféré le rater! Il était si glaçant, si désagréable… Et vu ce qu'ils avaient à lui demander, ils ne seraient pas bien reçus. La discussion ne serait pas une partie de plaisir.

Mais elle n'avait pas le choix. Elle redoutait cette confrontation, certes. Mais elle ne pouvait pas l'éviter indéfiniment.

— Bien sûr, acquiesça-t-elle.

Elle prit brusquement conscience qu'elle était nue et rougit.

— Est-ce que tu peux me laisser seule, le temps de m'habiller?

Il la contempla une longue minute, puis eut une petite moue amusée.

— D'accord.

Il se leva d'un bond.

— Prépare aussi un sac. Prends tout ce dont tu pourrais avoir besoin.

Ne sachant que répondre, elle balaya la pièce du regard.

— Je suis censée m'absenter combien de temps?

Il la fixa de nouveau.

— Emporte de quoi tenir quelques semaines, par précaution.

Et sur ce, il quitta la pièce.

Quelques semaines...

Elle aurait voulu prendre le temps de se remettre de cette nouvelle — car c'en était une —, mais un coup d'œil au réveil lui rappela qu'elle devait se hâter. Après s'être douchée et brossé les dents, elle enfila un jean, un pull rouge et des bottes. Une fois coiffée et légèrement maquillée, elle se contempla dans le miroir. Voilà qui était mieux! Elle avait enfin l'air normal.

Pour commencer, elle avait réellement meilleure mine. Et pas seulement à cause du maquillage...

Elle songea à leurs ébats et s'empourpra aussitôt. Ses joues la brûlèrent tant qu'elle dut y poser ses mains fraîches. Non, elle n'était pas redevenue « normale ».

Pas sexuellement, en tout cas.

En l'espace d'une seule nuit, Dare avait fait d'elle une autre femme. Très différente de la Molly d'avant. Mais tellement plus épanouie!

Elle commença par remplir son attaché-case. Elle y fourra le début de son manuscrit, son disque dur, et tout ce dont elle aurait besoin pour travailler. Se souvenant que Chris et Dare souhaitaient lire ses précédents romans, elle trouva quelques exemplaires dans son placard, et les glissa dans la mallette. Elle dénicha un sac à main pour remplacer celui qui avait disparu. Elle n'avait pas récupéré son portefeuille, mais avec un sac à main, elle se sentirait moins nue. Elle y glissa un peigne, un brillant à lèvres, un petit miroir, des pastilles de menthe... Quand ils seraient passés à la banque, elle y mettrait aussi de l'argent.

Elle n'avait pas envie de dépendre de Dare pour tout.

C'était déjà suffisamment embarrassant qu'il refuse d'être payé pour la protéger.

Restait maintenant à préparer sa valise. Elle la tira de sous son lit et y lança les articles de toilette qu'elle utilisait régulièrement. En ouvrant son armoire à pharmacie, elle tomba sur sa boîte de pilules et décida qu'il devenait urgent de la reprendre. Une femme qui avait des rapports sexuels réguliers n'était jamais trop prudente.

Elle en avala donc une, sur-le-champ, et mit la boîte dans son sac à main. Quant aux vêtements, elle opta pour le plus simple : jeans, pulls, sweat-shirts, sous-vêtements, chaussettes, une paire de chaussures de rechange, ses baskets, et deux pyjamas.

Dare passa la tête par la porte au moment où elle pliait ces derniers.

— Tu n'as pas besoin de ça, fit-il remarquer.

— Ce sont des pyjamas ! protesta-t-elle comme s'il n'était pas capable d'en comprendre l'usage.

Il lui jeta un regard courroucé, puis s'approcha lentement.

— Nous allons dormir dans le même lit, insista-t-il sans la quitter du regard.

Elle s'en était un peu doutée, mais fut heureuse qu'il le lui confirme.

— Mais Chris...

— Chris dort dans son pavillon, coupa-t-il. Il ne circule pas dans la maison la nuit. Je serai seul avec toi. Je ne veux pas que tu te caches sous des pyjamas.

Il baissa les yeux vers sa poitrine.

— J'aime trop te voir nue.

— Mais... il fait encore frais, murmura-t-elle, aussi gênée que ravie du compliment.

Il posa un doigt sur sa joue.

— Je te tiendrai chaud, promit-il.

Pour ça, elle lui faisait confiance... Près de lui, elle avait plus souvent chaud que froid !

— Au bout de quelques jours, tu auras peut-être envie de dormir seul, fit-elle valoir.

— Aucun risque.

Il paraissait si sûr de lui !

— Et si tu dois t'absenter pour ton travail ?

— Je ne te quitterai pas.

Il commençait à l'agacer, avec son assurance. Il voulait toujours avoir raison. Il ne lui demandait même pas son avis !

— Et si moi, j'ai besoin d'un peu de solitude ? rétorqua-t-elle. Je prends ces pyjamas, on ne sait jamais.

Il la contempla fixement, puis ses lèvres s'étirèrent en un sourire.

— C'est diablement sexy, une femme qui se révolte.

Une fois de plus, elle ne sut que répondre. Il avait toujours le dernier mot, avec sa drôle de manière d'interpréter les choses.

Et il continuait à la dévisager.

— Qu'est-ce qu'il y a ? demanda-t-elle.

— Désolé, marmonna-t-il en secouant la tête. C'est de te voir maquillée. Je ne m'y attendais pas.

— J'espère que tu es agréablement surpris, et non le contraire.

— Tu as une classe folle, répondit-il en se penchant pour l'embrasser. Mais je t'aimais tout autant sans maquillage.

Elle fronça les sourcils. La préférait-il avec ou sans maquillage ?

— Merci, répondit-elle en se promettant d'élucider la question plus tard.

Il plissa les yeux.

— Une question tout de même... C'est pour ton père, que tu t'es mise en frais, ou juste parce que ça te faisait plaisir ?

Elle ne put s'empêcher de rire.

— Pour mon père ? Même si j'arrivais peinte en bleue, papa ne remarquerait rien. Kathi voit tout, en revanche. Et pour elle, avoir été enlevée et emmenée jusqu'au Mexique n'est certainement pas une excuse pour se présenter débraillée.

Dare eut une moue de dégoût.

— Elle m'a l'air vraiment insupportable, cette Kathi !

Il désigna la valise.

— Tu as terminé ?

Elle acquiesça, soulagée qu'il ne fasse pas de réflexions sur le fait qu'elle emportait trop de choses... Elle n'avait nullement l'intention de s'installer chez lui ou d'abuser de son hospitalité, bien sûr. Simplement, elle ne voulait manquer de rien une fois sur place.

— Oui, merci, dit-elle. Je suis prête à partir.

— Qu'est-ce que c'est que ce ton poli ? Je ne suis pas ta belle-mère !

Elle pouffa.

— En effet. Et on ne pourrait pas vous confondre, crois-moi !

Il referma la valise et la souleva comme si elle ne pesait pas plus lourd qu'un fétu de paille.

— Tu as préparé ce qu'il te fallait pour la banque et la poste ? demanda-t-il. Je ne veux pas descendre deux fois.

Elle devina qu'il ne voulait pas la quitter pour aller porter la valise dans sa voiture.

— Je le fais tout de suite.

Elle alla chercher un sac en plastique dans la cuisine. Et constata qu'il avait fait du ménage et rempli une poubelle avec le carton de pizza, les canettes vides de la veille, et le contenu de son réfrigérateur.

Il avait donc une fois de plus jugé utile de jouer les fées du logis chez elle... Elle était contente de laisser une cuisine propre, mais elle en avait un peu assez de passer pour une souillon.

— Tu as rangé ? fit-elle d'un ton réprobateur, les mains sur les hanches.

— Il fallait bien que je m'occupe ! Je n'aime pas rester les bras croisés.

Il l'aida à mettre ses affaires dans le sac et elle prit les chèques qu'elle devait déposer à la banque.

— Tu as tes numéros de comptes ? demanda-t-il.

— Je les connais par cœur.

Il se figea, dressant manifestement la liste de ce qu'ils avaient à faire.

— Viens. Nous avons du pain sur la planche, commenta-t-il.

— Je voudrais passer à la banque avant d'aller à la poste. Il me faut de l'argent pour affranchir mes lettres.

Et tant qu'ils y étaient, ils s'arrêteraient en chemin pour acheter un portefeuille dans lequel elle pourrait mettre l'argent. Mais elle le lui demanderait plus tard.

Dare ouvrit la bouche, puis se ravisa.

— Comme tu voudras, dit-il d'un ton résigné.

Elle s'arrêta pour le regarder.

— Je peux tout de même payer mes affaires ! Tu as peut-être eu l'impression que j'étais le genre de femme à...

— Mais non... Je sais bien que tu es indépendante financièrement.

Il désigna sa bibliothèque, qu'il avait remise à peu près en ordre.

— C'est impressionnant, dit-il.

Il y avait là ses livres préférés, mais aussi ceux qu'elle avait publiés, sous divers formats.

— J'ai pris quelques exemplaires de mes romans pour toi et Chris, annonça-t-elle. Mais rien ne vous oblige à les lire, s'empressa-t-elle d'ajouter.

— Merci.

Il l'obligea à lever le menton.

— J'ai bien compris que tu gagnais ta vie, mais il me semble que tu ne devrais pas t'inquiéter de l'argent en ce moment.

— Je me sentirais mieux avec un peu d'argent sur moi.

Il lui caressa les lèvres, tout en réfléchissant, puis acquiesça.

— C'est d'accord. Je crois que je réagirais comme toi...

Il la prit par la nuque et l'embrassa.

— Autre chose ?

Comme chaque fois qu'il l'embrassait, elle eut le sentiment qu'il lui offrait bien plus qu'un baiser — un baume sur ses blessures. De plus, elle commençait à espérer qu'il tenait à elle. Autant qu'elle tenait à lui.

— Molly ? Je t'ai posé une question.

Elle fit un effort pour revenir à la réalité.

— Eh bien… si tu es d'accord, j'aimerais appeler mon éditrice et mon agent.

Elle était dévorée de honte et d'angoisse à l'idée de ce que les deux femmes devaient penser de son silence.

— Il faut absolument que je leur donne de mes nouvelles. Elles doivent se demander ce qui m'est arrivé.

— Tu peux attendre qu'on ait vu ton père ?

— Bien sûr. De toute façon, il est trop tôt pour les appeler.

Dare rassembla ce qu'ils emportaient, tandis que Molly éteignait les lumières. Ils sortirent en verrouillant la porte derrière eux.

Plus ils s'approchaient de la propriété de son père, plus l'angoisse de Molly augmentait. Quand ils franchirent les grilles d'entrée, elle commença à se mordiller fébrilement les lèvres. Dare lui pressa la cuisse.

— Détends-toi, d'accord ?

Elle fut surprise qu'il ne fasse aucun commentaire sur la luxueuse propriété. Soit il n'avait rien remarqué, soit il s'en fichait totalement. Quant à elle, elle n'en fit pas non plus. Pour elle, cet endroit respirait la tristesse. Il ne lui rappelait que de mauvais souvenirs.

Elle se sentait beaucoup mieux dans la maison de Dare, même si elle ne faisait que la moitié de celle de son père.

Elle savait à quel point les richesses matérielles comptaient pour Bishop Alexander. Mais jusqu'où pouvait-il aller pour les préserver ? Elle commençait à se poser sérieusement la question.

Dare était riche, lui aussi, mais il ne mettait pas l'argent sur un piédestal. Et il gagnait sa vie en venant au secours de personnes en danger — ce qui était loin d'être le cas de Bishop !

— Quand Adrian a vu ça, il en bavait presque, dit-elle en désignant la vaste demeure de style européen qui se dressait au bout d'une longue allée.

Dare ôta ses lunettes de soleil et se pencha en avant pour

regarder par le pare-brise, tout en ralentissant. Mais il n'était pas en train de s'extasier sur la maison.

— C'est mal sécurisé, ici, commenta-t-il. Franchement, quand on peut se payer une maison comme celle-ci, on devrait au moins installer des caméras !

Molly haussa les épaules.

— Il y a des capteurs de mouvements sur le terrain. Mais les chevreuils et les mulots ne cessaient de déclencher l'alarme. Papa a demandé à ce qu'on débranche tout il y a des années, et il a préféré engager des vigiles. Il prétend que les êtres humains sont plus fiables que la technologie.

— Ces types sont là en permanence ?

— Oui. Natalie et moi, on les surnomme les sentinelles.

Elle sourit.

— Il y en a toujours un qui surveille le devant de la maison et l'autre, l'arrière.

Elle plissa le nez.

— Ils sont froids et distants, toujours prêts à mordre. Impossible de leur arracher un sourire ou un mot. Je ne les aime pas beaucoup.

— Et ta belle-mère, elle les apprécie ?

— Kathi est toujours d'accord avec papa. Le grand but de sa vie est de le rendre heureux.

Comme ils arrivaient devant la maison, un garde s'avança, tout en parlant dans un talkie-walkie.

— Il se montre pour nous impressionner, fit-elle remarquer.

— Il y a combien de chambres, dans cette maison ?

Elle savait qu'il ne lui posait pas la question par curiosité, mais pour se faire une idée des lieux.

— Six chambres, sept salles de bains et une salle d'eau.

— Quoi d'autre ?

— Attends…

Elle prit le temps de réfléchir, pour chercher ce qui pouvait lui être utile.

— Cinq salons, quatre places de garage, une bibliothèque,

un grand balcon. Une cuisine et une salle à manger, bien entendu. Et un salon extérieur, mais abrité d'un toit.

— La chambre de maître se trouve en haut ou en bas ? Et le sous-sol ?

— Il y a deux chambres de maîtres, une en haut et une en bas, mais, à moins qu'ils n'aient récemment changé, papa et Kathi prennent celle du bas. Au sous-sol, il y a une cave à vin et aussi un petit atelier avec des outils de bricolage, que papa n'utilise presque plus.

Le garde était venu à leur rencontre et observait Dare d'un air mauvais.

Dare ne se gêna pas pour en faire autant.

— Tu le connais, celui-là ? demanda-t-il à Molly.

— Oui. Je l'ai déjà vu, murmura Molly. Je crois qu'il s'appelle George Wallace, mais je n'en suis pas sûre. Ça fait un moment que je ne suis pas venue.

Ignorant l'homme qui le couvait toujours d'un air menaçant, Dare sortit de la voiture et la contourna pour aller ouvrir à Molly. Il l'aida à sortir et verrouilla les portières à l'aide de la commande à distance.

L'homme vint se mettre en travers de leur chemin pour les empêcher de grimper les marches du porche.

— Vous êtes attendus ? demanda-t-il.

Molly voulut faire un pas en avant, mais Dare l'en empêcha.

— George ?

Le garde demeura impassible.

— Je vous connais ?

— Dites à Bishop que je suis là et que je souhaite lui parler, répondit Dare. Mais sachez que j'entrerai de toute façon. Il lui appartient donc de décider s'il souhaite que notre conversation se déroule dans le calme… ou pas.

— Et qui dois-je annoncer ? demanda George d'un ton toujours aussi égal.

Dare lui répondit par son étrange sourire, si impressionnant.

— Il saura.

George reporta son attention sur Molly.

— Vous êtes l'une de ses filles, n'est-ce pas ? dit-il.

— Ça ne vous regarde pas, coupa Dare sans laisser à Molly le temps d'ouvrir la bouche.

Tout en plissant ses yeux verts, l'homme recula de quelques pas pour passer un appel depuis son téléphone. Une légère brise dérangeait ses cheveux. Il portait une chemise d'un blanc éclatant, une cravate, et l'étui de son revolver en bandoulière. Il parlait trop bas pour que Molly puisse l'entendre, mais elle eut la sensation qu'il ne disait pas du bien de Dare.

Au bout d'une minute, il rangea son téléphone et revint vers eux.

— Entrez, dit-il. Quelqu'un va vous accueillir à l'intérieur.

Angoissée par tant de tension et pressée d'y échapper, Molly entreprit aussitôt de grimper les marches. De nouveau, Dare l'arrêta en la retenant par le poignet. Il échangea avec Georgeun regard appuyé. George, après avoir acquiescé d'un signe de tête, les précéda et sonna, puis s'écarta.

— Tu avais peur de quoi ? murmura Molly à Dare.

— De rien. Mais je préférais le savoir devant moi plutôt que derrière, répondit Dare d'un ton laconique.

Une jeune domestique hispano-américaine vêtue d'un uniforme bleu pâle vint leur ouvrir et leur fit signe d'entrer dans le grand hall sombre. Dare la suivit, tout en regardant autour de lui. Molly comprit qu'il repérait les portes, et se demanda s'il avait emporté son revolver et son couteau. A en juger par la légère bosse qui déformait sa chemise, au bas de son dos, elle supposa que oui.

Etrangement, le fait de le savoir armé la soulagea, cette fois.

Il surprit son regard et devina ce qu'elle pensait.

— Avec ou sans arme, je ne laisserai personne te faire du mal, assura-t-il.

Il paraissait sûr de lui. Oui, il la protégerait. Des agressions physiques, du moins. Car avec son père, elle craignait une agressivité verbale contre laquelle Dare ne pourrait rien.

22

Ce ne fut pas Bishop qu'ils rencontrèrent en premier, mais Kathi : elle apparut au détour du couloir, tout sourire, en faisant claquer ses talons sur le sol de marbre. Elle avait les cheveux coupés au carré, comme toujours — une coupe stricte mais qu'elle portait avec aisance et naturel. Elle était habillée d'un jean noir, de grande marque évidemment, avec des bottines pointues et un pull en cachemire qui semblait à la fois doux et confortable.

— Molly! s'exclama-t-elle. Je ne savais pas que tu passerais ce matin.

Le message était clair, bien que formulé avec délicatesse : Molly n'était pas la bienvenue. Elle n'en fut pas surprise. Avec ou sans rendez-vous, c'était toujours le même accueil.

— Je n'ai pas pu prévenir, dit-elle simplement.

Kathi vint l'embrasser, puis recula en la tenant à bout de bras.

— Eh bien! murmura-t-elle en effleurant ses cheveux. On dirait que ça fait un moment que tu n'as pas franchi le seuil d'un salon de coiffure.

— En effet, ça fait un petit moment.

Kathi sourit.

— Oh! je te connais. Quand tu te mets à écrire, tu oublies tout le reste. Tu n'aurais pas maigri, par hasard ? C'est une bonne chose, mais j'espère que tu n'as pas fait un régime stupide.

Molly songea à Dare qui devait bouillir de rage.

— J'ai dû perdre deux ou trois kilos, en effet.

Kathi ne se doutait donc de rien, pour l'enlèvement ? Molly n'aurait pas été surprise que son père n'ait pas jugé la nouvelle suffisamment digne d'intérêt pour la partager avec son épouse. Pourtant, elle eut la sensation que Kathi jouait les innocentes, mais qu'elle était au courant, ce qui rendait ses menus propos étrangement pervers.

— Tu as les yeux cernés, insista-t-elle en la dévisageant d'un air préoccupé. Tu dors bien ?

— Je dors très bien, oui.

Depuis peu. Depuis qu'elle pouvait se pelotonner contre Dare.

— Ce ne sont pas des cernes, mais des traces d'ecchymoses, expliqua-t-elle.

Kathi s'approcha pour mieux voir, et fit claquer sa langue.

— Qu'est-ce qui t'est encore arrivé ? Tu as toujours des accidents. Tu es si maladroite ! Je ne cesse pourtant de te répéter que tu devrais essayer le yoga, ça te donnerait un peu plus d'aisance et…

Kathi commençant à l'agacer sérieusement, Molly décida de lui couper la parole.

— Kathi, je te présente Dare Macintosh. Dare, voici ma belle-mère, Kathi Berry-Alexander.

Kathi n'avait jusque-là pas prêté la moindre attention à Dare. Elle le fixa d'un air abasourdi.

— Mon Dieu ! murmura-t-elle.

Dare ne répondit rien.

Kathi lui tendit une main délicate, aux ongles parfaitement manucurés.

— Ravie de vous rencontrer, monsieur Macintosh, dit-elle. Vous êtes un ami de Molly ?

Dare effleura sa main, juste assez pour ne pas passer pour un grossier personnage.

— Madame Alexander, dit-il sèchement.

— Berry-Alexander, corrigea-t-elle.

Il n'avait toujours pas répondu à sa question concernant ses relations avec Molly. Elle en semblait un peu désarçonnée, mais elle n'osa pas la reposer.

— Je... Je suis désolée, mais je suis en ce moment accaparée par les préparatifs d'une soirée. Je venais de terminer mon petit déjeuner et je m'apprêtais à partir. Nous posons ce soir la première pierre d'une nouvelle maison pour la jeunesse.

Voilà qui expliquait sa tenue décontractée d'aujourd'hui. Molly eut envie de rire.

— Nous ne vous retiendrons pas, répondit Dare. Je suis venu pour parler à Bishop.

Le sourire forcé de Kathi n'aurait trompé personne.

— Je suis désolée, dit-elle en s'adressant à Molly. Bien sûr, il serait ravi de te voir, tu le sais. D'autant plus que ça fait longtemps que tu ne nous as pas fait l'honneur d'une visite.

Elle soupira et se tourna vers Dare.

— Mais, voyez-vous, mon mari aussi est très pressé ce matin. Il doit se rendre à une réunion d'affaires.

Molly se retint de gémir d'exaspération. Elle avait hâte d'en finir.

— Annoncez-lui mon arrivée, fit Dare en regardant Kathi droit dans les yeux. Je suis sûr que pour moi il trouvera cinq minutes.

— Oh! murmura Kathi avec une moue désapprobatrice. Vous vous connaissez?

Dare ne daigna pas répondre et attendit. Son mépris affiché pour Kathi était tellement gênant que Molly fut tentée d'intervenir, mais elle décida de s'en abstenir.

Kathi essaya de tenir tête à Dare en employant la tactique du silence, mais elle n'était pas de taille.

— D'accord, céda-t-elle. Je vais lui demander s'il peut vous recevoir.

Elle se détourna et sortit de la pièce, très digne.

— Respire, ma chérie, murmura Dare en posant une main entre ses omoplates.

Elle inspira.

— Seigneur, ce que c'était pénible, gémit-elle.

Dare haussa les épaules.

— Ce n'était rien à côté de ce qui nous attend, dit-il. J'entends Bishop approcher, et à en juger par le rythme de son pas, je crois que le pire est à venir.

Elle entendait elle aussi le pas furieux de son père, qui ne tarda pas à apparaître au détour du hall. Il n'était pas seul, mais accompagné de George et de Kathi.

L'espace d'une seconde, il balaya Molly d'un regard troublé — celui d'un père qui s'inquiétait pour sa fille kidnappée et maltraitée? Elle se posa la question.

Puis, voyant qu'elle paraissait en bonne santé, il se concentra sur Dare, son véritable adversaire.

— Bonjour, papa, dit Molly sur un ton de reproche.

Cette fois, les yeux du trio convergèrent sur elle. A eux trois, ils formaient un groupe franchement hostile.

Dare ne put s'empêcher de rire.

— Bishop, vous êtes venu avec du renfort?

Le garde n'eut pas l'air d'apprécier et montra ostensiblement son arme.

— Essayez, pour voir, ricana Dare.

Il fixa le garde droit dans les yeux.

— Si vous tirez, je riposte. Et je vous garantis que la première balle sera pour Bishop.

Kathi poussa un petit cri effrayé, et regarda de tous côtés, comme pour quêter de l'aide.

Bishop ne bougea pas d'un millimètre.

Le garde baissa lentement son arme. Une fois de plus, Molly constata qu'il suffisait à Dare de menacer pour obtenir ce qu'il voulait. Décidément, il intimidait tout le monde.

Bishop ouvrit la bouche pour parler, mais Dare le fit taire d'un regard.

— Si vous voulez avoir cette discussion devant témoin, Bishop, ça ne me pose pas de problème. Vous pouvez même ouvrir les fenêtres pour être sûr que tout le monde entende. Mais il me semble que vous ne souhaitez pas éventer cette histoire, au contraire.

Une expression de rage impuissante se peignit sur le visage de Bishop, qui congédia le vigile d'un geste de la main.

L'homme hésita.

— Voulez-vous que je reste à l'intérieur, monsieur ?

Bishop secoua la tête.

— Vous pouvez prendre votre journée, répondit-il d'un ton agacé.

Le garde afficha un air désapprobateur, mais n'osa pas discuter.

Comme il s'éloignait, Kathi le rattrapa pour échanger quelques mots avec lui, puis elle revint se placer aux côtés de son mari.

— Tu es de retour, fit Bishop en s'adressant à Molly.

— En effet.

Il parut hésiter, puis il se décida.

— Tu n'as rien ?

Kathi lui pressa le bras.

— Tu vois bien que non, Bishop. Elle se porte comme un charme.

Le regard de Bishop ne quitta pas Molly.

— Ce n'est pas à toi que je pose la question, dit-il sèchement, mais à Molly.

— Oui, dit Molly. Grâce à Dare, je vais bien.

Bishop acquiesça. Molly eut l'impression qu'il était sincèrement soulagé.

— Je n'arrive pas à croire que tu sois venue jusqu'ici, Molly ! Qu'est-ce qui te prend ?

— C'est moi qui ai insisté, intervint Dare.

Bishop les couva d'un regard dédaigneux, puis, de nouveau, il s'adressa à Molly.

— Tu n'as donc pas honte ?

Molly adopta sa tactique habituelle face à l'agressivité de son père. Elle se redressa et prit un air nonchalant.

— Je n'ai aucune raison d'avoir honte.

— Ce n'est pas...

Bishop s'interrompit pour inspirer profondément.

— Tu vas attirer le scandale sur nous…, dit-il enfin.

Molly fit la moue.

— Et c'est tout ce qui compte pour vous, n'est-ce pas ?

— Mais qu'est-ce que tu racontes ? s'énerva Bishop.

Il se dégagea de la main de Kathi et fit un pas vers Molly. Aussitôt, Dare réagit et vint se placer devant elle. Elle n'eut même pas le temps de le voir bouger. Il ne sortit pas son arme, mais son téléphone.

— Si vous tenez à jouer les crétins, Bishop, libre à vous. Je suis certain que le FBI ne se fera pas prier pour enquêter sur l'enlèvement de Molly et sur sa séquestration au Mexique. Ils sont efficaces, au FBI. Ils ne tarderont pas à découvrir que vous avez trempé là-dedans.

— Au Mexique ? s'écria Kathi d'un ton exagérément surpris.

Bishop eut un rictus mauvais en la repoussant pour lui intimer le silence.

— Non ! gronda-t-il.

A l'intérieur de son beau costume, il commençait à transpirer, Molly l'aurait juré.

— Bien sûr que non, je ne veux pas mêler le FBI à ça. Mais ce n'est pas parce que j'ai trempé là-dedans, comme vous dites. C'est à cause…

— Du scandale, oui, on a compris, ricana Dare en rangeant son téléphone et en faisant un pas vers Bishop. Mais je vous préviens, si vous l'agressez encore, si vous lui jetez, ne serait-ce qu'un mauvais regard, je donnerai ce coup de fil. C'est compris ?

— Comment osez-vous ? intervint Kathi d'un ton outragé. Vous n'avez pas le droit de…

— C'est compris, assura Bishop tout en reculant d'un pas.

Il se tourna vers Kathi.

— Va chercher du café et apporte-le dans la bibliothèque.

Kathi posa sa main sur son bras.

— Bishop, je ne sais pas… Je n'ai pas envie de te laisser seul avec lui…

— Ne t'en fais pas pour moi, répondit-il en repoussant sa main.

Puis il s'adressa de nouveau à Dare.

— Venez. Autant régler ça une bonne fois pour toutes.

Dare prit Molly par la taille.

— Ça va ? lui murmura-t-il à l'oreille. Tu tiens le coup ?

Elle acquiesça d'un air morne.

— Oui. Pour moi, rien de nouveau sous le soleil. C'est toujours comme ça, avec papa.

Elle avait dit ça d'un ton égal, mais elle prit soudain conscience qu'elle en souffrait. Son père ne l'aimait pas. Il ne l'avait jamais aimée. Pour lui, elle n'était qu'un fardeau, la fille qui l'avait toujours déçu.

Et à présent, elle allait devoir accepter le fait qu'il avait envisagé de se débarrasser de ce fardeau.

Elle tenait le coup parce qu'elle avait depuis longtemps accepté d'être le vilain petit canard de la famille. Mais elle était mortifiée que Dare soit témoin de l'indifférence que lui manifestait son père.

Ils entrèrent ensemble dans la bibliothèque, une vaste pièce qui sentait le citron, le cuir, les livres. Enfant, Molly n'avait pas la permission d'y entrer, ce qui l'avait rendue encore plus intéressante à ses yeux.

Son amour de l'écriture était né quand elle avait désobéi à son père en se faufilant dans la pièce interdite.

La main de Dare chercha la sienne et leurs doigts s'enlacèrent. Elle leva les yeux vers lui et surprit son regard plein d'amour et d'admiration.

Il se pencha pour l'embrasser, devant son père.

Dare s'était installé sur le canapé en cuir, les jambes étirées devant lui, un bras autour du cou de Molly. Il détestait devoir lui imposer cette épreuve, mais c'était indispensable.

Déjà, il avait appris beaucoup.

Kathi n'était pas du tout la femme à laquelle il s'était attendu. A part son discours hypocrite et mielleux, elle paraissait plutôt à l'aise. Pas rigide et coincée comme il l'aurait cru.

Mais ça ne l'empêchait pas d'être une véritable peste.

Quant à Bishop, il attendait de voir. Il s'était trompé sur Kathi, il avait pu se tromper sur lui aussi. Pour l'instant, il gardait l'esprit ouvert.

Sur tout et sur tout le monde.

Bishop s'était réfugié derrière un grand bureau où il devait se sentir à l'abri, tandis que Kathi servait un café odorant et probablement délicieux, dans un service en porcelaine de Chine.

Mais Molly et lui déclinèrent la tasse qu'elle leur tendait. Dare se méfiait. Ces gens-là étaient capables du pire — y compris de les empoisonner. Il ne voulait rien boire chez eux.

Un petit appareil pendu à son porte-clés sonna et il y jeta un œil.

— Dites à vos hommes de ne pas s'approcher de ma voiture, fit-il.

Bishop tenta de nier.

— Je ne sais pas de quoi vous parlez.

— Dans ce cas, vous êtes encore plus naïf que je ne le pensais, riposta Dare en élevant l'appareil pour le lui montrer. Quelqu'un essaye d'ouvrir une portière arrière de ma SUV. Si ce n'est pas sur votre ordre, je me sens libre de descendre ce salaud pour cette initiative déplacée.

Il fit mine de se lever.

Bishop faillit s'étrangler de rage. Tout en faisant signe à Dare de se rasseoir, il échangea quelques mots à voix basse avec Kathi.

Cette dernière acquiesça et sortit de la pièce. Elle n'avait pas bronché quand il avait parlé de descendre l'un des gardes. Avait-elle l'habitude de ce genre de déclarations?

Proférées par Bishop, ou par ses sbires?

— Papa, intervint Molly, dis-moi que ce n'est pas vrai! Tu n'as quand même pas demandé à l'un de tes hommes de fouiller la voiture de Dare? Et ne fais pas l'innocent. Ici, tout le monde agit sur ton ordre.

Bishop haussa les épaules.

— Je suis sûr que ton garde du corps comprend le sens du mot précaution.

— Moi, j'appelle ça une intrusion dans la vie privée !

Dare posa une main apaisante sur sa cuisse — geste qui n'échappa pas à Bishop — et elle se tut.

Bishop avait parfaitement cerné la nature de leur relation et Dare s'en réjouissait. Il tenait à ce que ce fumier sache que sa fille était protégée par un homme solide, et qui tenait à elle. A moins d'être totalement stupide, il comprendrait que cet homme-là, étant amoureux, serait beaucoup plus dangereux qu'un simple garde du corps motivé uniquement par l'argent.

— Je comprends si bien le sens du mot précaution, ricana Dare, que vous n'avez aucune chance de me prendre par surprise… Je vous conseille donc de ne plus tenter votre chance.

Bishop but quelques gorgées de café et Dare attendit qu'il repose sa tasse.

— Apparemment, vous n'avez pas tenu compte de mes avertissements, n'est-ce pas ?

Kathi revint dans la pièce et s'installa dans un fauteuil de bois sculpté, près de son mari, comme un chien bien dressé qui attend les ordres de son maître.

— De quoi parlez-vous ? s'exclama Bishop en reposant bruyamment sa tasse.

— Vous avez envoyé quelqu'un pour fouiller l'appartement de Molly. Qu'est-ce que vous cherchiez ?

— Je n'ai envoyé personne !

— L'appartement sens dessus dessous, et c'est de vous que ça venait, affirma Dare posément.

Du coin de l'œil, il remarqua que Kathi baissait les yeux vers ses mains. Intéressant. Il évita de la regarder, mais il comprit qu'elle était sans doute au courant des derniers développements de l'affaire.

Est-ce que Bishop lui avait tout raconté ? Cela expliquerait son embarras. A moins que…

— Je n'ai rien fait du tout ! insista le père de Molly, visiblement furieux.

371

— Mais si. Vous cherchiez quelque chose. Dites-moi quoi et qu'on en finisse.

Bishop abattit son poing sur la table, ce qui fit sursauter Kathi.

— Je vous dis que je n'ai pas approché ce putain d'appartement !

— Vous ne l'avez pas approché, mais vous y avez envoyé quelqu'un, assura Dare.

— Mais non !

Il appuya ses deux mains à plat sur son bureau et se leva, indigné.

— J'ai en effet averti un détective privé de notre... conversation. Et je lui ai demandé d'enquêter sur vous. Mais je ne l'ai pas envoyé chez Molly.

— Je vous avais dit de n'en parler à personne.

— Vous m'aviez dit que ma fille était avec vous ! hurla Bishop. Vous m'aviez dit qu'elle avait été enlevée et séquestrée. J'avais le droit de me renseigner à votre sujet.

Cette fois, Dare le crut, mais il ne put s'empêcher de sourire à l'idée qu'il avait cherché à se renseigner sur lui.

— Vous n'avez rien trouvé, n'est-ce pas ?

Bishop prit sa fille à témoin.

— Et toi, que sais-tu de cet homme ? As-tu cherché à savoir qui il est vraiment ? Ce qu'il a fait ? Ce qu'il est capable de faire ? Es-tu sûre d'être en sécurité en restant sous sa coupe ?

— Je ne suis pas sous sa coupe. Je reste avec lui parce qu'il me protège. C'est avec lui que je suis le plus en sécurité en ce moment, tu peux me croire.

Sa réponse blessa Dare. Elle ne restait tout de même pas avec lui uniquement parce qu'il la protégeait ? Non... Certainement pas. Mais elle avait raison de présenter les choses de cette manière à son père.

— Il ne cesse de te tripoter ! fit Bishop d'un ton accusateur. Il couche avec toi pour ton argent et tu es suffisamment désespérée pour...

— Bishop..., intervint Dare d'une voix posée.

Le silence se fit. Bishop s'était assis, haletant et raide comme la justice. Kathi s'agita dans son fauteuil, visiblement mal à l'aise.

— C'est *mon* argent, qui l'intéresse, Molly, tu ne le vois donc pas ? grommela Bishop.

Elle secoua la tête.

— Tu lui prêtes des intentions qui pourraient être les tiennes, mais Dare n'est pas comme toi, papa. Et de toute façon, il n'a pas besoin de ton argent : il en a déjà beaucoup, crois-moi !

Elle prit un air mécontent pour ajouter :

— Il a même refusé que je lui paye ses services.

— Molly, ma chérie, intervint Kathi. Tu t'es déjà trompée par le passé, il me semble. Pense à Adrian.

Molly se tourna vers elle.

— Adrian ? Tu souhaitais que je l'épouse ! protesta-t-elle d'un ton incrédule. Tu as déjà oublié ?

— Tu n'avais personne d'autre. Et au moins il possédait quelques biens.

Elle risqua un regard vers Dare et se racla la gorge.

— Si tu avais suivi nos conseils au sujet d'Adrian, nous n'en serions pas là, à parler avec ce... A gérer ce nouveau problème.

— Elle a raison, renchérit Bishop. Tu as quitté Adrian et ensuite, tu as été enlevée, séquestrée... Et Dieu sait quoi d'autre...

— Je n'arrive pas à y croire, protesta Molly en se levant d'un bond, si brusquement que Dare n'eut pas le temps de la retenir.

Elle avança vers son père en pointant un doigt menaçant.

— Adrian était un profiteur. Il m'a encouragée à écrire davantage quand il a vu que ça commençait à me rapporter de l'argent. Et il en voulait probablement aussi à ton fric, papa. Ce pauvre idiot ne se doutait pas que tu nous avais déshéritées, Natalie et moi, depuis bien longtemps.

— Il ne vous a pas déshéritées, protesta Kathi avec un froncement de sourcils. Ton père tenait simplement à vous voir gagner votre vie, dans votre propre intérêt. Il voulait des filles indépendantes. C'est un excellent père.

Dare se demanda si cette crétine croyait vraiment à ce qu'elle disait.

Molly ricana, mais ne répondit pas à Kathi. Elle s'adressa de nouveau à son père.

— On dirait que tu me reproches d'avoir été enlevée. Ce serait tout de même un peu fort!

— Celui qui t'a enlevée avait forcément une raison de le faire, assura Kathi en se levant pour poser une main sur l'épaule de Bishop. Et à présent, tu voudrais que ton père paye pour te sortir de là.

— Sûrement pas! Je n'accepterai jamais rien de sa part, tu peux être tranquille.

Bishop leva la main pour intimer le silence à Kathi qui s'apprêtait à riposter.

— Si tu n'es pas venue me demander de l'argent, qu'est-ce que tu fais là?

Il se leva.

Dare les dévisagea tous trois. Ils étaient debout, comme si la discussion était terminée, alors qu'elle ne faisait que commencer.

Il se leva à son tour et tira de sa poche deux photographies qu'il alla déposer sur le bureau.

— Vous êtes un ami d'Ed Warwick et de Mark Sagan, n'est-ce pas?

Surpris, Bishop secoua la tête.

— Amis? Non. Nous faisons des affaires ensemble à l'occasion. Mais pourquoi cette question? Ce sont des hommes de bonne réputation.

— Sagan est ségrégationniste.

— N'importe quoi! protesta Bishop, visiblement désarçonné par cette accusation. Vous n'avez rien pour prouver ce que vous avancez.

— Vous croyez? répliqua Dare en lui montrant d'autres photos. Vous n'ignorez pas que Warwick a été mis en accusation pour avoir fait entrer des étrangers sur le territoire américain dans le but de les faire illégalement voter pour un sénateur, que par ailleurs vous avez soutenu, en échange de quelques faveurs.

— Warwick a été acquitté, marmonna Bishop, la mâchoire crispée.

— Acquitté ? Mais pas du tout. Les charges retenues contre lui ont été abandonnées, parce que votre autre copain, Sagan, s'est chargé de faire disparaître le témoin à charge le plus accablant. Et puis un cadavre, ça dissuade les autres témoins de se manifester.

— Cet homme est mort dans un accident de voiture.

Ah, Bishop était donc au courant de ça aussi. Dare secoua la tête. Le personnage commençait vraiment à le dégoûter.

— Sagan a des hommes de main. Cet accident n'était qu'une mise en scène savamment orchestrée. Et vous le savez.

Il poussa les photos sous le nez de Bishop.

— Les gens qui sont venus pour voter ont cru qu'ils pourraient rester sur le territoire américain. Mais après l'élection, on les a renvoyés d'où ils venaient.

Bishop eut l'air perplexe.

— Mais non, reprit-il en secouant la tête. En tout cas, je ne suis pas au courant. Je n'ai avec eux que des relations d'affaires. Ils m'ont donné quelques tuyaux pour acheter un restaurant, un hôtel…

— Biens que vous avez achetés en dessous de la valeur du marché, c'est ça ?

Bishop haussa les épaules.

— Ils me proposent de bonnes affaires qui me rapportent. Pourquoi me plaindrais-je ? J'ai d'autres contacts, avec d'autres gens, pour des transactions similaires.

Il paraissait tout de même déstabilisé et crut bon d'insister :

— Nous faisons des affaires, rien de plus.

Dare n'y crut pas une seconde.

— Vous pouvez vous mentir à vous-même si ça vous chante, mais il ne s'agit pas de simples affaires.

Il montra une photo où l'on voyait Bishop et Kathi avec les deux hommes dans une réception mondaine.

— Dis-moi qui tu fréquentes, je te dirai qui tu es, conclut-il.

Bishop redressa la tête et fusilla Dare d'un regard haineux.

— Pour vous, je suis coupable par ricochet?

— Exactement. D'autant plus que votre amitié avec ces deux truands vous donne certaines ouvertures…

Kathi devint toute blanche et se laissa tomber sur sa chaise.

— Des ouvertures pour quoi? demanda Bishop.

Dare attira Molly contre lui.

— Pour faire enlever votre fille et lui faire passer la frontière, vers Tijuana.

Son interlocuteur fit un effort visible pour ne pas exploser.

— Mais pourquoi aurais-je fait une chose pareille? C'est ma fille, tout de même!

Kathi vint se placer entre les deux hommes. Elle était toujours aussi pâle.

— C'est vrai, protesta-t-elle. Pour quelle raison aurait-il fait ça?

Elle se tourna vers Molly.

— Je n'arrive pas à y croire, cracha-t-elle d'un ton mauvais. Espèce de petite sotte! Tu oses venir ici accuser ton père?

— C'est moi qui accuse son père, rectifia Dare.

— Eh bien, vous allez trop loin.

Elle était maintenant rouge de colère.

— Bishop est un homme d'affaires respectable et respecté. Un modèle. Il est au-delà de tout soupçon.

— Mais oui, c'est ça…

Dare ricana.

— Moi, je dirais que c'est un arriviste qui n'hésite pas à frayer avec les pires crapules dans l'espoir que ça lui rapporte de l'argent.

Kathi se raidit.

— Vous parlez de lui comme d'un opportuniste!

— Exactement, conclut Dare.

Il soupira. Il commençait à en avoir marre de cette petite comédie de la respectabilité.

— Essayez de voir les choses en face, voulez-vous ? Votre mari passe le plus clair de ses loisirs avec un ségrégationniste qui cumule les activités illégales et qui est capable d'aller jusqu'au meurtre. Sagan est le pire des hypocrites. Sous ses beaux costumes, c'est un pourri.

Kathi secoua la tête avec véhémence. Elle espérait encore prouver à Dare qu'il se trompait.

— C'est faux. Mark est un homme sain et sportif qui joue au tennis, qui va régulièrement à la piscine...

Bishop se tourna vers sa femme.

— Tu vas la boucler ?

Elle se tut, interdite, haletante, et le contempla d'un air incrédule, tandis qu'il la fixait comme s'il la voyait pour la première fois, ou comme s'il venait de comprendre quelque chose.

Il se détourna et s'adressa de nouveau à Dare.

— Assez avec vos balivernes. Je ne comprends rien à ce que vous racontez. Je n'ai pas organisé l'enlèvement de ma fille. Je ne saurais même pas comment m'y prendre !

— C'est faux ! Avec les hommes de main de Sagan et les contacts de Warwick au Mexique, vous n'aviez qu'un ou deux coups de fil à passer...

— Jamais je n'aurais pris un tel risque ! coupa Bishop.

— Exactement, assura Kathi en posant ses mains sur les épaules de son mari. Il n'aurait pas voulu attirer l'attention sur Molly. Il a déjà suffisamment honte de ce qu'elle écrit !

— Justement, rétorqua Dare. Je me disais que la « honte » dont vous parlez pourrait constituer le mobile du crime.

Il fixa Bishop droit dans les yeux.

— Avec le film qui se prépare, on va parler d'elle. Tous vos amis sauront qu'elle écrit, et bientôt vous serez surtout connu comme le père de Molly Alexander.

Bishop dévisagea Molly d'un air méfiant.

— Un film ? C'est totalement absurde. J'espère que tu en es consciente, Molly.

Kathi tenta d'esquisser un sourire.

— A propos de ton travail, Molly, je suppose que tu n'as pas eu le temps d'écrire, récemment ?

Molly lui rendit son sourire.

— Mais si. Je me suis servi de l'ordinateur de Dare et j'ai presque rattrapé mon retard.

Kathi parut abasourdie.

— Tu t'es remise à écrire tout de suite après ton enlèvement ?

Molly haussa les épaules.

— Oui, ça m'a toujours fait du bien d'écrire. C'est mon échappatoire.

Elle jeta un regard de défi à son père.

— Ma façon de surmonter les aspects les plus noirs de ma vie.

Kathi ricana méchamment.

— On ne t'a donc pas si mal traitée, pendant ta séquestration ?

— On m'a maltraitée, crois-moi, mais j'ai tenu bon. Pas question de laisser ces salauds me laminer ! rétorqua Molly sans la quitter des yeux.

Elle soupira, puis ajouta sur le ton de l'évidence :

— J'ai des délais à respecter, figure-toi.

Dare fut tenté d'intervenir, mais l'échange était si intéressant qu'il préféra l'observer. Molly réglait ses comptes avec son père et sa belle-mère. C'était sans doute la première fois.

— Et les controverses au sujet de ton dernier livre ? lança Kathi du bout des lèvres, tout en triturant la manche de son pull.

— De quelles controverses parles-tu ?

Dare attribua quelques points à Molly en voyant se ratatiner le visage déjà crispé de Kathi. La pauvre avait du mal à ne pas craquer. Elle paraissait sur le point d'éclater en sanglots ou de se jeter sur Molly pour la frapper — tout ça pour défendre son crétin de mari.

Mais Bishop arrêta Kathi d'un simple regard.

— Pardonnez-moi, dit-elle. Bishop ne veut pas que je mentionne les livres de Molly en sa présence. Je me suis un peu oubliée.

Bishop serra les dents.

— Exactement, tu t'es oubliée. Le moment est mal choisi pour évoquer le choix de carrière honteux de ma fille.

Il la fixa encore quelques secondes d'un air réprobateur, puis se tourna vers Dare.

— Je vous le redis : jamais je n'aurais trempé dans un enlèvement.

— Je n'insisterai pas, puisque vous ne voulez pas en démordre, répondit Dare. Mais sachez que je vais désormais me charger de la sécurité de Molly, et aussi de celle de Natalie.

Kathi émit une sorte de grognement incrédule.

— Pourquoi s'en prendrait-on à Natalie, pour l'amour du ciel ?

— Et pourquoi pas ? On s'en est bien pris à Molly.

Kathi désigna Molly d'un geste vague.

— Vous avez dit que c'était après Molly qu'ils en avaient !

— Non, je n'ai jamais dit ça, répondit Dare d'une voix douce. Nous ne savons pas pourquoi elle a été enlevée. Si ça n'est pas venu de Bishop, n'importe lequel d'entre vous peut être menacé. Mais je vous assure que je finirai par tirer cette affaire au clair !

— Très bien, approuva Kathi d'un ton étrangement serein. Du moment que vous admettez que Bishop n'a rien à voir avec ça...

Elle voulait qu'il le lui confirme. Ah non ! Certainement pas.

Molly était pâle, à présent. Dare sentit qu'elle n'en pouvait plus, qu'il était temps pour elle de mettre fin à ce pénible entretien.

— Il faut maintenant s'en remettre à la justice, poursuivit-il. Cet enlèvement a nécessité un certain nombre de personnes et de complicité. Quelqu'un finira bien par craquer et par lâcher le morceau.

Il défia longuement Bishop du regard.

— Il y en a toujours un qui craque... Et à ce moment-là, nous saurons la vérité.

Bishop se prit la tête entre les mains.

— Je serai ridiculisé, murmura-t-il.

— Mais non! Vous aurez quelques potins de plus à supporter, voilà tout, rétorqua Dare en attirant Molly contre lui.

Elle était silencieuse depuis un moment et il commençait à s'en inquiéter. Mais quand il baissa les yeux, elle lui parut surtout songeuse.

— Le fait que Molly ait souffert ne vous tracasse pas plus que ça? ne put-il s'empêcher de demander.

Bishop dévisagea sa fille. Une lueur d'émotion passa dans son regard.

— Si, j'ai remarqué qu'elle avait encore des traces d'ecchymoses sur le visage, dit-il posément.

Il soupira.

— Ça va aller, Molly?

— Oui, répondit-elle, sur la défensive. Grâce à Dare, ça va aller.

— Elle était quasiment morte quand je l'ai trouvée, expliqua Dare. Droguée, maltraitée, déshydratée, affamée.

Molly lui jeta un regard en coin. Maltraitée, oui, mais son père et Kathi avaient sûrement compris autre chose. Pourquoi Dare s'amusait-il à faire des sous-entendus?

— Maltraitée comment? ne put s'empêcher de demander Kathi.

Molly secoua la tête.

— Pas comme tu crois. Ils m'ont épargné ça, au moins.

— Ah bon... C'est bizarre tout de même, qu'ils t'aient séquestrée et maltraitée, mais qu'ils n'aient pas eu envie de te violer!

— Bon sang, Kathi, tu vas la fermer?

Surprise par la colère de Bishop, Kathi chercha aussitôt à se rattraper.

— Je suis contente de savoir que tu as échappé au pire.

Bishop s'adossa à son fauteuil et se passa la main dans les cheveux. Il prit le temps d'inspirer, puis chercha le regard de Molly.

— Tu ne me croiras peut-être pas, mais je suis sincèrement désolé pour toi et je veux que tu saches que je ne suis vraiment pour rien dans ton enlèvement.

Molly ne répondit pas.

— Si l'affaire s'ébruite, personne ne voudra croire que tu n'as pas été violée, reprit Bishop. Tu y as pensé, n'est-ce pas ? Il secoua la tête.

— Ta vie sera examinée à la loupe, Molly. Et il y aura des dégâts collatéraux. Pour moi, pour ta sœur, dont la carrière d'enseignante sera en danger. Quant à toi, je n'en parle même pas !

— Natalie ne s'opposera pas à ce que je cherche à connaître la vérité, rétorqua sèchement Molly. Elle agira au mieux pour moi, comme toujours !

Dare admira son aplomb sous ce feu nourri. Et trouva le moment bien choisi pour assener un coup supplémentaire à leurs hôtes.

— A mon avis, il y a tout intérêt à révéler l'affaire aux journaux. Nous mettrons ainsi la pression sur le coupable, et le grand public se prendra de compassion pour toi… Je suis sûr que ça profitera à ta carrière d'écrivain ! conclut-il en souriant.

Bishop haussa les épaules.

— Je ne vois pas comment ce genre de publicité peut lui être profitable !

— Réfléchissez. Les journaux et les magazines ne parleront que de ça — et du fait qu'elle écrit des romans, bien sûr. La vente de ses livres allait déjà augmenter avec le film, mais avec ça, elle crèvera le plafond.

Kathi ouvrit des yeux incrédules.

— Espèce de monstre ! vociféra-t-elle. Vous seriez prêt à détruire mon mari et tout ce qu'il a construit pour qu'elle vende plus de livres ?

Dare affecta un air nonchalant. Molly, qui avait compris où il voulait en venir, entra dans le jeu.

— L'important, c'est de démasquer le coupable, assura-t-elle. Et si, en plus, ça me fait la publicité... pourquoi pas?

— Je ne peux pas vous en empêcher, de toute façon, déclara Bishop.

Kathi allait protester, mais il l'arrêta d'un geste.

— Toi, je ne veux plus t'entendre.

Elle n'insista pas.

Bishop contourna son bureau pour aller se placer face à Molly.

— J'ai toujours pensé que tu étais une fille intelligente, dit-il.

Elle lui lança un regard dubitatif.

— Je n'approuve pas tous tes choix, et surtout pas le fait que tu aies décidé d'écrire, mais tu as réussi à transformer cette folie en activité profitable. Tu as toujours su ce que tu voulais et tu n'as pas lâché prise. Tu as travaillé. Ce que tu as, tu ne le dois qu'à toi seule. Ce n'est pas comme tous ces jeunes gens qui...

— J'ai trente ans, papa! Je ne suis plus une gamine.

Le visage de Bishop s'adoucit. Dare crut même y discerner une certaine mélancolie.

— Pour quelqu'un qui va bientôt atteindre ses soixante ans, trente ans, c'est jeune, crois-moi! Ce que je voulais dire, c'est que tu as évité la drogue, l'alcool, la mollesse générale. Il me semble qu'avec ton talent, tu aurais pu faire beaucoup plus, quelque chose qui ait plus de valeur, mais...

— Distraire les gens et les faire rêver, ça a de la valeur, objecta Molly. Il n'y a pas que les sermons qui font avancer, dans la vie.

Bishop laissa échapper un long soupir douloureux.

— Ce n'est pas le moment de débattre de cette question. Ce que j'essaie de te dire, c'est que tu dois prendre le temps de réfléchir avant de rendre cette histoire publique. Ne le fais pas uniquement pour le plaisir de ternir ma réputation. Tu en subiras les retombées, toi aussi.

Molly le fixa d'un air ironique, presque indulgent. A sa place, Dare se serait emporté, mais elle conserva son calme.

— Papa, il n'y a pas que toi, tu sais. Tout ne tourne pas autour de toi. C'est moi qu'on a enlevée, et j'ai besoin de savoir qui et pourquoi.

Bishop demeura à distance. Il ne prit pas sa fille dans ses bras, pas même pour tenter de la convaincre. Molly ne fit pas un geste pour s'approcher de lui. Ils n'étaient qu'à quelques centimètres l'un de l'autre, mais une barrière infranchissable les séparait.

Bishop acquiesça, comme s'il voulait signifier qu'il ne chercherait plus à discuter la décision de sa fille, puis il s'adressa à Dare :

— Quand avez-vous l'intention de rendre l'affaire publique ?

— Bientôt, éluda-t-il.

Il ramassa les photos de Mark Sagan et d'Ed Warwick, et les remit dans sa poche.

— Je vais d'abord prendre contact avec vos amis et peut-être les secouer un peu, pour savoir ce qu'ils ont à dire.

— Tout ça grâce à vos connaissances, je suppose ?

— J'ai les moyens de leur extorquer la vérité, en effet. Ces deux-là ont des choses à cacher et ils feront ce que je leur demande si je les menace de parler. Et si vous avez participé à l'enlèvement de votre fille, ils ne vous protégeront pas — vous en êtes conscient, n'est-ce pas ?

Bishop eut un geste résigné.

— Allez-y, secouez-les. Ils ne pourront rien vous apprendre à mon sujet, parce que je n'ai jamais été complice d'aucun enlèvement et ne le serai jamais.

Kathi demeurait silencieuse, les yeux baissés vers ses mains, une expression pitoyable sur le visage. Dare eut presque pitié d'elle. Presque.

— Je vais emmener Molly chez moi, en sécurité, annonça Dare.

— Et peut-on savoir où ça se trouve, chez vous ?

— Dans le Kentucky, à une bonne heure d'ici. Suffisamment loin de chez vous.

Bishop acquiesça.

— Et vous êtes certain qu'elle y sera en sécurité ?

— Plus que chez elle ou que chez vous, en tout cas.

— Dans ce cas, je suppose que c'est une bonne idée qu'elle reste avec vous.

Kathi jeta un regard timide à son mari, avant d'intervenir :

— Et tes contrats, Molly ? Les négociations pour le film, ton agent, ton éditrice ?

Elle s'interrompit pour s'humecter les lèvres.

— Tu pourrais rester avec nous… Tu serais bien protégée. Et sur place pour gérer tes affaires.

Bishop fit les yeux ronds, comme s'il considérait qu'elle avait perdu la tête.

— Pas question, fit sèchement Dare avant que Bishop ou Molly n'aient eu le temps de répondre. Elle ne me quittera pas.

— Mais vous aussi, vous pouvez rester chez nous.

— Non. Je dois rentrer chez moi pour m'occuper de mes deux chiens.

— Vos chiens ? répéta Bishop d'un ton incrédule, tandis que Kathi battait des paupières, visiblement désarçonnée par cet argument inattendu.

— Oui, deux chiennes, qui sont un peu comme mes filles, insista Dare d'un ton provocateur. Je n'aime pas les abandonner trop longtemps.

Il imaginait sans mal ce qu'ils penseraient d'un homme qui considérait ses animaux de compagnie comme des membres de la famille.

— Vous plaisantez ! s'exclama Kathi. Vous faites passer ces animaux avant la sécurité de Molly ?

Molly posa une main sur son bras. Il comprit et la laissa gérer la situation.

— Je préfère aller chez Dare, affirma-t-elle. Je n'aurai aucun problème pour travailler là-bas et gérer à distance mes relations avec mon agent ou mon éditrice. J'ai l'intention de les contacter dès que possible. De toute façon, aujourd'hui, tout passe par internet. La maison de Dare est un lieu paisible, j'y écrirai dans d'excellentes conditions. Je ne vois aucune raison de le priver de la présence de ses filles.

— Ton agent et ton éditrice ne peuvent pas te contacter en passant par ton téléphone portable ? intervint Bishop d'un ton impatient.

— On m'a volé mon sac à main et mon téléphone portable après... après mon enlèvement, chez moi. Nous allons me procurer un nouveau téléphone aujourd'hui. Je te communiquerai mon numéro dès que je l'aurai, si tu le souhaites.

Kathi acquiesça.

— Mais oui, bien sûr que nous le souhaitons ! Ça nous ferait vraiment plaisir.

Dare aurait préféré que Molly ne leur communique pas son numéro. Pourquoi leur donner le moyen de continuer à la torturer ? Mais c'était à elle d'en juger.

— Nous devons y aller, à présent, dit-il en la prenant par la taille pour l'entraîner hors de la pièce.

— Attendez ! appela Bishop.

Dare jeta un coup d'œil par-dessus son épaule. Bishop demeura indécis quelques secondes, puis son visage afficha une expression résolue.

— Je voudrais parler avec vous. Seul à seul.

— Je ne veux pas laisser Molly sans surveillance, rétorqua Dare.

Kathi s'empressa de les rejoindre et prit Molly par la taille.

— Je reste avec elle. Nous vous attendrons derrière la porte.

— Non.

Bishop comprit que Dare ne se laisserait pas fléchir.

— Elles ne fermeront pas la porte et Molly restera à portée de vue, ça vous va ? suggéra-t-il.

Dare n'eut pas l'air satisfait, mais Molly intervint.

— Ne t'en fais pas, Dare. Que veux-tu qu'il m'arrive ?

Kathi leva les yeux au ciel.

— Pour l'amour de Dieu, elle est ici dans sa famille, tout de même !

Dare n'était pas convaincu. Famille ou pas, Kathi et Bishop ne lui inspiraient aucune confiance.

— Reste bien en face de la porte, ordonna-t-il à Molly.

Elle sourit.

Bishop se dirigea vers le fond de la pièce et attendit que Dare le rejoigne. Molly sortit dans le couloir avec Kathi. Dare l'entendit commenter un tableau que celle-ci venait d'acheter. Il sourit. Elle babillait pour empêcher sa belle-mère d'espionner ce qui se disait dans la pièce. Quelle fine mouche !

Elle était vraiment intelligente. Et rusée. Mais elle était surtout honnête. Franche et douce, en dépit de ce qu'elle venait de traverser. Ouverte aux autres. Généreuse dans la vie comme au lit…

En fait, comprit-il, il était en train de tomber amoureux d'elle. Carrément amoureux. Il ne lui restait plus qu'à l'accepter.

23

Molly attendait que Dare lui dévoile la teneur de l'entretien qu'il avait eu avec son père.

Mais il n'ouvrait pas la bouche.

Elle avait déjà compris qu'il était très secret, que c'était sa manière de fonctionner lorsqu'il était en mission. Bien. Mais là, c'était différent : il s'agissait de son père. Elle se sentit humiliée et s'enferma dans le silence.

Elle dut sortir de son mutisme pour le guider jusqu'à la banque, mais elle se borna au strict minimum, histoire de bien signifier son mécontentement.

Il fit mine de ne rien remarquer.

A la banque, elle déposa ses chèques et retira mille dollars en liquide. Elle rangea le tas de billets dans son sac à main. La bosse qu'il forma dans le compartiment à fermeture Eclair lui arracha un sourire de satisfaction. Elle n'oublia pas non plus de signer une opposition à ses deux cartes de crédit.

Ils se rendirent ensuite à la poste, où elle trouva une pile de courrier dans sa boîte aux lettres.

— Tu reçois du courrier poste restante ? s'étonna Dare.

Elle fit signe que oui, tout en passant en revue les enveloppes — une douzaine environ.

— Oui. Celui de mes lecteurs.

Elle leva les yeux vers lui.

— C'est plus prudent de ne pas leur communiquer mon adresse. La plupart d'entre eux sont des gens charmants et sans histoire, mais il y a quand même quelques fous dans le tas. Je préfère ne pas prendre de risques.

— Je comprends.

Elle s'arrêta sur une des lettres qui ne mentionnait pas l'adresse de l'expéditeur, puis la remit avec les autres. Il y avait peu de monde aux guichets à cette heure matinale. Elle n'eut guère à attendre pour affranchir et poster ses contrats. Dès qu'elle eut fini, ils rejoignirent la SUV. Dare la pressait et jetait des regards méfiants autour d'eux, comme s'il s'attendait à tout moment à être attaqué.

Il observa distraitement la vitrine d'un concessionnaire de voitures, de l'autre côté de la rue, puis tourna la tête… avant de reporter son regard sur la même vitrine. Il la fixa quelques secondes, puis s'en détacha de nouveau, comme si de rien n'était.

Molly se tourna discrètement vers la vitrine, pour tenter de voir ce que lui avait vu. Elle ne remarqua rien d'anormal. Des voitures. Neuves et d'occasion. Rien de spécial.

Mais Dare semblait cloué au sol.

— On n'est pas pressés de partir ? s'étonna-t-elle.

— Non, fit-il en la fixant d'un drôle d'air. Pourquoi serions-nous pressés ?

Il n'avait donc pas l'intention de lui dire ce qui le tracassait. Elle leva les yeux au ciel et lui tendit une lettre.

— Qu'est-ce que c'est ? demanda-t-il.

— Une lettre d'un de mes lecteurs les plus critiques. Le plus virulent, en fait.

Il haussa un sourcil, ouvrit l'enveloppe, et lut avec une attention soutenue.

— Intéressant, commenta-t-il quand il eut terminé.

— Mais répétitif.

— Tu n'en sais rien : tu ne l'as pas encore lue ! s'étonna-t-il.

Elle haussa les épaules et scruta de nouveau la vitrine du concessionnaire. Cette fois, elle remarqua une silhouette à l'avant d'une voiture noire stationnée sur le trottoir.

— Il ou elle m'écrit toujours la même chose, répondit-elle machinalement.

Toute son attention était à présent concentrée sur cette voiture.

Est-ce qu'on les suivait ? Etaient-ils menacés ?

— On y va, Dare ?

Elle se sentait mal à l'aise.

— Une minute, grommela-t-il en regardant au dos de l'enveloppe.

— Non, pas de mention de l'expéditeur, soupira-t-elle. Ne cherche pas.

Il prit tout de même le temps de chercher, comme s'il n'était pas pressé. Puis il plia soigneusement l'enveloppe et la mit dans sa poche avant de démarrer.

Molly attacha sa ceinture. Elle était si angoissée, à présent, qu'elle décida de lui parler, même si elle lui en voulait toujours de ses cachotteries.

— Que veux-tu faire de cette lettre ? demanda-t-elle.

— J'ai une bonne raison de la garder, répondit-il tout en jetant un coup d'œil dans le rétroviseur avant de s'engager dans le trafic. Tu veux t'arrêter encore quelque part ?

Très bien. S'il voulait jouer à ce petit jeu…

— J'aimerais bien m'acheter un portefeuille. Je suppose qu'on va passer dans un centre commercial pour le téléphone… J'en profiterai pour chercher un portefeuille.

— Pas de centre commercial, non. Pour le portefeuille, on trouvera une boutique en bord d'autoroute.

Il sortit son téléphone portable et composa un numéro.

— Je préfère filer dans le Kentucky, dit-il en attendant que l'on décroche. Tu feras tes achats là-bas, je serai plus tranquille.

— Pas de problème. Du moment que je peux appeler aujourd'hui mon agent et mon éditrice.

Il lui répondit d'un sourire.

— Comment vont les filles ? demanda-t-il en parlant dans le téléphone.

Ah. Il s'adressait donc à Chris. Elle suivit sa conversation d'une oreille distraite, tout en cherchant du regard la voiture noire dans le rétroviseur extérieur. Dare expliqua à Chris qu'ils seraient rentrés avant la nuit. Elle se sentit soulagée à l'idée de revenir chez lui. Dans sa grande propriété isolée, elle se sentirait plus calme, moins sur le qui-vive.

Mais Kathi avait raison. Il y avait un problème.

Pendant que Dare s'entretenait avec son père à l'autre bout de la bibliothèque, Kathi en avait profité pour la mettre en garde, au nom du souci qu'elle se faisait pour elle en tant que belle-mère. Molly ne l'avait écoutée que d'une oreille, mais elle avait tout de même enregistré un argument de taille.

Dare l'avait sauvée et il se sentait responsable d'elle, oui, mais jusqu'à quand ? Et puisque son intérêt pour elle était motivé en partie par le devoir, et Kathi avait bien insisté sur ce point, comment pouvait-elle juger de la force de ses sentiments amoureux ?

Elle glissa un regard vers Dare et le surprit en train de surveiller le rétroviseur. Son ventre se noua.

— Non… Je m'en occuperai à la maison, dit-il à Chris.

Il se tut pour écouter la réponse, puis reprit :

— Merci. Appelle Trace, et propose-lui d'organiser ce soir la rencontre entre Molly et Alani. Oui. N'importe où sur la I-75, à partir de Cincinnati, ça ira. Laisse-lui choisir l'endroit, mais rappelle-moi dès que tu sais.

Il acquiesça.

— Oui, merci. Dis aux filles que je serai bientôt de retour.

Il raccrocha. Elle le fixa avec indignation. Il ne lui demandait pas non plus son avis pour la rencontre avec Alani. Elle n'avait donc son mot à dire sur rien !

Mais pourquoi se serait-il soucié de son avis, après tout ? Elle était son invitée, et il lui offrait déjà beaucoup. Il avait une vie. Il ne pouvait pas tout réorganiser pour elle.

Il lui tendit le téléphone.

— Si tu dois passer un appel, c'est le moment.

Elle hésita, puis décida qu'elle aussi devait s'occuper de ses affaires. De plus, tout ce qui la rattachait à sa routine, à sa vie d'avant, ne pouvait que lui faire du bien.

— Merci, dit-elle en prenant l'appareil.

Elle commença par son agent et s'excusa en lui expliquant qu'elle avait été « retenue contre sa volonté, dans des circonstances particulières, avec impossibilité de téléphoner ». Celle-ci se montra compréhensive et proposa de joindre l'éditrice à sa place. Elle lui annonça également qu'elle avait plusieurs documents à lui faire signer d'urgence et qu'elle pouvait les lui envoyer par fax.

Molly en parla à Dare, lequel lui communiqua son numéro de fax, qu'elle dicta à son agent. Puis, prétextant qu'elle avait pris du retard dans son travail et qu'elle devait s'y remettre, elle mit fin à la conversation, en promettant de lui en dire plus dès que possible.

Elle rendit le téléphone à Dare.

— Tout va bien ? demanda-t-il.

Elle acquiesça. Au début, la proposition d'adaptation cinématographique l'avait emballée. Et même flattée. Mais comparé à ce qu'elle affrontait en ce moment, le film lui faisait l'effet d'un détail insignifiant. Ses priorités avaient basculé.

— Elle s'est montrée vraiment compréhensive. Beaucoup plus que je ne m'y attendais.

— Elle ne t'a pas harcelée de questions ?

— Non, Dieu merci. Elle m'a juste dit qu'elle espérait que j'allais bien, et que je pouvais compter sur elle si j'avais besoin de quoi que ce soit.

Dare sourit.

— Elle a raison de te ménager. Tu lui rapportes de l'argent.

Molly haussa les épaules.

— Peut-être. Mais c'est vraiment une femme honnête, gentille, dotée d'un grand sens des affaires.

Puisqu'ils avaient recommencé à parler, elle décida de lui faire part de ses inquiétudes.

— Tu crois que Natalie est en danger, elle aussi ?

— Je ne pense pas. De toute façon, Jett veille sur elle. Il

ne la lâchera pas d'une semelle. Sauf quand elle sera en cours, évidemment.

Il posa une main sur sa cuisse.

— Essaye de ne pas te faire trop de souci, d'accord?

Elle s'adossa à son siège tout en se demandant comment elle aurait pu ne pas se faire du souci. Surtout s'il continuait à jeter des regards inquiets dans le rétroviseur.

— A quoi penses-tu? demanda-t-il.

Elle préféra lui répondre franchement.

— J'étais en train de repenser à notre discussion avec mon père et ma belle-mère, dit-elle.

— A quoi, plus précisément?

— A Mark Sagan, entre autres...

Elle tourna la tête vers Dare.

— Ma belle-mère avait un drôle d'air en parlant de Mark Sagan. J'ai eu la sensation qu'elle le connaissait personnellement.

Dare lui jeta un regard en coin, puis se concentra de nouveau sur la route.

— Tu as remarqué ça?

Elle se demanda s'il se fichait d'elle.

— Pas toi?

— Si, moi aussi.

Il remua sur son siège, déplaça ses mains sur le volant.

— Moi aussi je l'avais remarqué, répéta-t-il machinalement, d'un air contrarié.

— Dare?

Elle commençait à en avoir assez de son attitude de macho protecteur.

— Dis donc! s'exclama-t-elle. Je ne suis pas en sucre, tout de même! Je ne vais pas me briser en morceaux. Tu peux parler.

Il soupira.

— Tu as déjà beaucoup encaissé, alors cette rencontre avec ton père et la mijaurée qui lui sert d'épouse...

Il secoua la tête.

— C'était pénible pour moi. Alors j'imagine ce que ça a dû être pour toi!

Il avait de la peine pour elle, d'accord. Elle pouvait le comprendre — à condition que ça s'arrête. Tout de suite.

— Le point positif, c'est que je me rends compte que je suis sacrément solide. Une autre aurait complètement craqué. Mais pas moi...

Elle secoua la tête.

— Je vais tenir le coup, je t'assure. Je le sais. Et ça me fait beaucoup de bien de le savoir.

— Tu as une grande force intérieure, approuva Dare d'une voix basse. C'est bien que tu en prennes conscience et que tu en sois fière.

Quel baratineur ! Chaque fois qu'il lui faisait un compliment sur sa force ou son courage, elle avait l'impression qu'il la draguait.

— Je vois que nous sommes d'accord sur le fait que je ne vais pas piquer une crise d'hystérie ni sombrer dans la dépression. Pourrais-tu donc cesser de me surprotéger ?

Elle se tourna vers lui.

— Est-ce que ton air sombre et ton silence ont un rapport avec la voiture qui nous suit ?

Une lueur étonnée passa dans le regard de Dare, mais il ne répondit pas.

Elle leva les yeux au ciel.

— Je ne suis pas complètement stupide, figure-toi !

— Je suis conscient de tes nombreuses qualités, Molly. Pas la peine de me les rappeler.

Il vérifia de nouveau son rétroviseur. Cette fois ostensiblement.

— Quant à la voiture qui nous suit... elle prouve que nous sommes sur la bonne piste.

— Tu penses que c'est papa qui a envoyé quelqu'un ?

— Je n'en sais rien. Je réfléchis.

Elle plissa les yeux.

— Et si tu réfléchissais tout haut ? Ça m'intéresse !

Leurs regards se croisèrent, puis il détourna le sien en souriant.

— C'est vrai que tu te sens bien, fit-il remarquer.
Elle se raidit.

— Qu'est-ce que ça veut dire?

— Rien d'insultant, je t'assure. Tu étais si polie et timide ces jours-ci que ça me rendait dingue.

Il lui jeta de nouveau un regard en coin.

— J'aime bien cette nouvelle...

Il chercha le mot juste, puis haussa les épaules.

— Confiance. Mais c'est plus que ça, en fait. Tu es sûre de toi, mais aussi plus ferme, plus combative.

Il lui tendit sa main et, comme elle la prenait, il attira la sienne à sa bouche pour embrasser sa paume.

— Je suis heureux de constater que tu redeviens toi-même.

Elle lui répondit par un regard sévère et appuyé.

— Vas-tu me dire maintenant ce que mon père te voulait? Depuis tout à l'heure, tu évites soigneusement de m'en parler.

— Faux.

Il lâcha sa main pour reprendre le volant.

— Je ne t'en ai pas parlé, parce que ça n'avait aucune importance. Ton père m'a simplement demandé un délai avant de lâcher l'histoire aux médias.

— Tu n'avais pas l'intention de le faire, de toute façon.

— Oui, mais ça, il ne le sait pas.

— Et pourquoi voulait-il un délai? demanda-t-elle avec anxiété.

Une idée affreuse venait de lui traverser l'esprit.

— Est-ce qu'il t'a offert quelque chose en échange de ton silence? insista-t-elle.

Ça ne l'aurait pas étonnée de la part de son père. Il redoutait le scandale comme la peste.

— Il m'a offert quelque chose, confirma posément Dare.

Il quitta la route pour prendre la I-75.

— Il m'a offert de s'occuper du coupable.

Elle eut l'impression de recevoir un coup de poing dans le ventre. Dire qu'elle s'était crue vaccinée, indifférente aux abjectes machinations de son père!

Elle s'était trompée, visiblement.

— Il connaît donc le coupable ? demanda-t-elle en tentant de dissimuler son émotion.

— Pas exactement. Mais il a sa petite idée sur la question. Je pense aussi qu'il tient à se disculper, et rien que pour ça, il va enquêter. Je doute que ses recherches empiètent sur les nôtres et lui ai donc donné le feu vert. Je le contacterai dans quelques jours pour savoir où il en est.

— Il croit vraiment que tu t'apprêtes à convoquer les médias pour tout raconter ?

— Je me suis montré convaincant, tu ne trouves pas ?

— Pas pour moi : je n'ai pas été dupe une seconde. Mais il ne te connaît pas aussi bien que moi.

Elle avala sa salive avant de poser la question qui lui brûlait les lèvres. Elle n'était pas sûre de vouloir entendre la réponse, mais elle refusait de faire l'autruche. Elle se lança :

— Il soupçonne qui ?

— Il ne me l'a pas dit, répondit Dare en tapotant le volant. Mais je le crois quand il assure qu'il sait dans quelle direction chercher. Par ailleurs...

Il lui jeta un regard en coin.

— J'ai changé d'avis à son sujet. Il semblait sincère. Je ne pense pas qu'il ait commandité ton enlèvement.

Elle eut l'impression qu'on lui ôtait un énorme poids des épaules.

— Vraiment ?

— Oui. Il ment très mal. S'il m'avait menti, je m'en serais aperçu.

— C'est un requin. En affaires comme dans la vie.

Dare acquiesça.

— Mais il semblait vraiment offusqué d'être soupçonné d'une chose pareille.

Un espoir stupide gonfla le cœur de Molly. Son père n'aurait jamais de véritable affection pour elle, mais elle préférait tout de même son indifférence polie à une haine féroce et déclarée.

— A moi aussi, il a paru sincère, reconnut-elle.

Dare lui jeta un regard intrigué.

— Mais tu ne le lui as pas dit.

Elle baissa les yeux vers ses mains.

— Je crois que je préférais m'en remettre à toi. Ma confiance en toi pèse plus lourd que l'affection que j'ai pour lui.

Comme il ne répondait pas, elle se risqua à jeter un coup d'œil dans sa direction. Il paraissait plongé dans ses pensées.

— Et je ne voulais pas perturber ton instinct avec mes remarques, ajouta-t-elle.

— J'ai confiance en ton instinct, figure-toi, dit-il doucement. Aussi, la prochaine fois, ne te gêne pas pour te manifester.

— Tu penses ce que tu viens de dire ?

Il fronça les sourcils.

— Bien sûr que je le pense.

— Très bien.

Elle prit le temps d'inspirer avant d'ajouter :

— Dans ce cas, pourquoi me caches-tu des choses ?

— Je te dis tout ce que tu as besoin de savoir.

Là, il devenait carrément vexant. Et même blessant.

— Donc, je fais partie de ceux qui doivent en savoir le moins possible ?

— Tu déformes mes propos.

— Je ne déforme rien, c'est toi qui viens de le dire.

Elle avait la gorge nouée et se demanda pourquoi elle se souciait d'une remarque anodine, après tout ce qu'elle venait de vivre. C'était absurde !

Dare soupira ostensiblement, comme s'il voulait lui montrer qu'elle mettait sa patience à rude épreuve. Puis, après un dernier coup d'œil dans le rétroviseur, il se dirigea vers une station-service.

Il ne fit pas de commentaires. Par conséquent, elle non plus. Mais elle n'aimait pas du tout la tension qui s'était instaurée entre eux.

Après s'être garé sur le parking, il attendit quelques minutes, toujours en surveillant le rétroviseur, puis, comme la voiture noire ne se montrait pas, il éteignit le moteur de la SUV, défit sa ceinture, et tendit le bras vers elle.

Elle tressaillit.

— Qu'est-ce que…?

Il l'attira vers lui pour l'embrasser. Elle tenta de résister, mais il insista et glissa sa langue dans sa bouche pour échanger avec elle un baiser passionné. Et vraiment troublant. Vraiment.

Molly s'écarta pour reprendre sa respiration.

— Si tu espères me faire taire de cette manière…

Il rit et se pencha de nouveau vers elle, lui volant cette fois un baiser taquin et sonore.

— Je n'espérais pas te faire taire. J'en avais envie, tout simplement.

Il lui caressa la joue.

— Depuis le début, je me sens irrésistiblement attiré vers toi. J'ai sans cesse envie de te toucher et de t'embrasser… C'est plus fort que moi!

Oh…

— Moi aussi, j'aime t'embrasser, avoua-t-elle à contrecœur.

— Je sais, assura-t-il en souriant.

Il posa ses mains sur le volant et contempla un point devant lui, l'air songeur.

— J'ai l'habitude de travailler seul, Molly, expliqua-t-il enfin. A part Trace, personne ne connaît le détail de mes missions. Et dans ce cas précis, comme je ne suis sûr de rien, je préfère me taire, plutôt que de t'inquiéter ou de te donner de faux espoirs.

Ses arguments lui parurent recevables.

— Mais c'est toujours comme ça, non? Tu ne comprends pas tout de suite ce qui se passe?

— Sans doute. Mais d'habitude, je cerne la situation un peu plus vite.

Elle se retint de sourire, amusée par ce manque de modestie.

— Je sais, acquiesça-t-elle. Et je comprends aussi pourquoi tu ne voulais pas m'approcher au début.

— Oh! Je n'ai pas résisté très longtemps…

Il se tourna vers elle pour la dévisager.

— Tu vas de mieux en mieux, c'est évident, mais la peur est toujours là, Molly. Je la lis dans tes yeux. Il n'y a pas cinq minutes, quand tu as compris qu'on nous suivait…

— On nous suit toujours ? demanda-t-elle en frémissant.

— Tu vois ? Il n'en faut pas beaucoup pour te déstabiliser. Tu crois vraiment que je me serais arrêté ici s'il y avait le moindre danger ?

— Non… Je ne pense pas, murmura-t-elle avec hésitation.

— Tu n'as pas l'air très sûre de toi ! Pourtant, je t'assure que je ne me serais pas arrêté s'il y avait eu le moindre risque. Nous sommes suivis, mais sans intentions malveillantes. Je parie qu'il s'agit d'un homme de ton père chargé de s'assurer que je ne te fais pas de mal.

Elle haussa les épaules.

— Ça m'étonnerait !

— Pas moi, insista-t-il.

— Tu veux que je l'appelle pour lui demander de cesser de m'espionner ?

— Non.

— Pourquoi ?

— Parce que cette surveillance n'est peut-être pas de son fait, et que je ne voudrais pas que le type qui nous suit soit averti que nous l'avons repéré, par un biais ou un autre.

Molly soupira.

— Bon… Quel est le scénario le plus probable ?

Il haussa les épaules.

— C'est sans doute quelqu'un qui veut savoir où je t'emmène, parce qu'il a l'intention de chercher de nouveau à t'atteindre.

Seigneur… Elle se mordit la lèvre. Puis elle acquiesça.

— Très bien. Je suppose que tu as un plan ?

— Oui, répondit-il.

Une étrange lueur brilla dans ses yeux bleus.

— Mon plan, c'est de tuer quiconque osera t'approcher.

— Oh…

Elle se massa les tempes, sans parvenir à soulager la pression qui comprimait son crâne.

— Je préférerais que tout s'arrange sans que tu aies à tuer qui que ce soit…

— Voilà pourquoi je ne te dis pas tout ! répliqua-t-il.

Il ouvrit sa portière et contourna la voiture pour aller ouvrir la sienne. Quand elle sortit, il prit son visage entre ses mains pour l'embrasser de nouveau.

— Ce n'est pas à toi de décider, Molly. Et tu n'as pas à te sentir coupable de quoi que ce soit. Compris ?

Elle acquiesça. Elle n'éprouvait aucune culpabilité, en fait. Mais l'idée qu'un homme pouvait mourir parce qu'il avait obéi aux ordres de son père…

Dare la prit par la taille et l'entraîna vers les commerces en regardant droit devant lui.

— Si c'est possible, j'éviterai de tuer nos agresseurs, concéda-t-il.

Son ton solennel lui arracha presque un sourire, ce qui l'étonna. Ils parlaient de meurtre et elle en souriait…

— Merci, Dare.

— N'en parlons plus, rétorqua-t-il sèchement.

Il poussa la porte d'une boutique qui vendait des téléphones. Pendant qu'elle choisissait le sien, il s'écarta discrètement pour passer un appel.

La petite boutique proposait aussi des étuis de téléphone et des portefeuilles assortis, ce qui permit à Molly de faire d'une pierre deux coups.

Elle s'empressa de régler le tout, avant qu'il intervienne. C'était tout de même bizarre qu'il fasse la tête sous prétexte qu'elle réglait elle-même ses achats… S'imaginait-il qu'un homme devait tout payer ? Dans ce cas, il était sacrément vieux jeu !

Elle le rejoignit devant la porte, juste à temps pour entendre la fin de sa conversation avec Trace.

Il referma son téléphone et le glissa dans sa poche.

— Ça y est ? demanda-t-il.

Elle acquiesça.

— Ils vendaient aussi des portefeuilles. Nous n'aurons donc pas besoin de nous arrêter ailleurs.

Il scruta le parking, avant de l'entraîner dehors.

— Est-ce que tu as faim ? Nous avons rendez-vous avec Trace et Alani tout près de chez moi, à trois heures de route d'ici. On peut grignoter quelque chose avant si tu veux.

— Et toi, tu as faim ?

Vu son gabarit, il avait besoin de se nourrir.

— Un peu, admit-il.

Il jeta un coup d'œil circulaire autour d'eux et ses yeux s'arrêtèrent sur une boulangerie, à quelques mètres.

— Un petit pain, ça te dirait ? proposa-t-il.

— Pas autant que quelques beignets !

Il acquiesça avec un sourire et commanda deux cafés à emporter avec un assortiment de beignets.

— C'est tout ? demanda-t-il.

Elle songea qu'il leur restait plus de trois heures de route.

— Je voudrais bien un jus de fruits.

Après le jus de fruits, elle réclama aussi un paquet de chips. Comme Dare le prenait sans commentaire, elle lui donna un coup de coude.

— Je sais que c'est nul, mais quand je suis stressée, j'ai besoin de manger.

— Je ne veux pas que tu sois stressée, répondit-il tout en payant.

Elle glissa son bras sous le sien et ils se dirigèrent vers la voiture.

— Je sais que je ne risque rien avec toi, mais c'est plus fort que moi : je m'angoisse. Et puis… Ça me pèse que tu sois obligé de me protéger…

— Molly…

— Ce n'est pas ce que tu crois… J'aimerais pouvoir me promener tranquillement, sans un garde du corps d'exception à mes côtés, tu vois ce que je veux dire ? Comme avant.

— Oui, je vois ce que tu veux dire.

Il ouvrit la portière du côté passager et lui tendit leurs achats.

— C'est désolant, mais à présent tu as compris que personne n'est totalement à l'abri, commenta-t-il. Le danger est partout, et parfois on ne peut pas l'éviter. Il est bon de le savoir.

Il l'embrassa et claqua la portière.

Elle demeura songeuse. Etait-ce ainsi qu'il vivait ? Toujours sur ses gardes ? C'était affreux !

Elle attendit qu'il s'installe derrière le volant.

— Dare ?

Comme il se tournait vers elle, elle se pencha pour l'embrasser à son tour, puis elle lui sourit.

— Moi aussi, ça me plaît, tous ces bisous.

Il ne lui rendit pas son sourire, mais la prit par la nuque pour l'embrasser de nouveau, avec une passion empreinte de gravité.

Quand il la lâcha, elle se passa la langue sur les lèvres.

— Ouah !

— Eh oui…

Il ôta le couvercle de son café et le lui tendit.

— Entre nous, le courant passe, dit-il en mettant le moteur en route. Un beignet ?

Il avait vraiment le chic pour lui embrouiller l'esprit. Elle prit un beignet qu'elle posa sur une serviette pour le lui donner.

— Tu es sérieux quand tu dis que mon père n'est pour rien dans mon enlèvement ? dit-elle.

— Je pense que nous ne devrions pas tirer de conclusions hâtives.

Cette réponse n'en était pas une. Elle mit le beignet hors de sa portée.

— Dare ?

Il ébaucha un sourire, puis redevint sérieux.

— Je le considère de moins en moins comme un coupable potentiel, assura-t-il.

Il prit le beignet.

— D'ici à ce soir, je te donnerai une réponse définitive. Ça te va ?

Elle acquiesça. Elle n'avait pas le choix, de toute façon. Et ce soir, s'il était en mesure de tirer l'affaire au clair, que se passerait-il ?

Elle jeta un coup d'œil dans le rétroviseur, mais ne remarqua rien.

— Il est toujours là, assura Dare. Mais ce n'est pas un problème. Détends-toi, savoure ton beignet, et fais-moi confiance.

24

Dare avait choisi un relais autoroutier dont il connaissait le propriétaire. On y servait une cuisine familiale, simple mais correcte. A cette heure-ci, les lieux étaient presque vides. Ils repérèrent tout de suite Trace et Alani, installés dans le fond, à une table isolée.

Ils les rejoignirent.

Dare ne put s'empêcher de comparer Molly et Alani. Elles étaient pratiquement de la même taille, mais Alani était plus fine et plus éthérée. Avec ses cheveux blonds et ses yeux dorés, elle avait tout d'une petite fée mutine.

Dare la trouvait très gracieuse, mais elle ne l'attirait pas du tout sexuellement.

Tandis que Molly... Il la trouvait si sensuelle qu'il se demandait comment elle avait pu rester célibataire jusqu'à trente ans. Ce n'était pas une créature éthérée, mais une beauté charnelle. Terriblement charnelle.

Trace et Alani se levèrent pour les accueillir.

— Alani, murmura Dare en la serrant dans ses bras. C'est bon de te revoir.

— Moi aussi, je suis contente de te voir, répondit-elle tout en jetant un regard curieux vers sa compagne.

Dare les poussa gentiment l'une vers l'autre.

— Molly, je ne sais pas si tu te souviens d'Alani, mais...

— Bien sûr que je me souviens d'elle...

Visiblement émue, Alani se mordillait nerveusement la lèvre supérieure et battait des paupières.

Molly, au contraire, paraissait calme. Elle prit les mains de la jeune fille entre les siennes.

— Comment vas-tu?

— Je vais bien, répondit Alani avec un signe de tête.

Molly éclata de rire, tout en jetant un coup d'œil à Dare par-dessus son épaule.

— Il ne faut pas dire ça devant lui, ça l'agace!

Elle dévisagea Alani avec tendresse et l'attira contre elle.

— Tu as été si courageuse! s'exclama-t-elle. J'espérais te revoir un jour, tu sais. Je suis contente de constater que tu as bonne mine.

Alani enfouit son visage contre l'épaule de Molly.

Trace haussa un sourcil.

Molly murmura à l'oreille d'Alani quelques mots qu'ils n'entendirent pas. Puis Alani acquiesça de nouveau, en silence, tandis que Molly la serrait un peu plus fort.

Dare entraîna son ami à l'écart.

— Laissons-les seules un instant.

Molly le poussa d'une main, sans se retourner, pour lui signifier qu'en effet il devait s'éloigner, puis elle fit asseoir Alani. Tout en lui tenant les mains, elle lui parla tout bas. Alani répondit par un petit rire gêné.

— Je ne m'attendais pas à ça! bougonna Trace en surveillant sa sœur avec une inquiétude grandissante. Elle semble bouleversée...

Dare, lui, n'était pas surpris. Alani n'avait que vingt-deux ans. Et elle avait mené une vie très protégée, contrairement à Molly qui avait dû s'endurcir depuis son plus jeune âge.

— Elle fait tout pour donner le change, mais elle est encore rudement secouée, reprit Trace en se massant la nuque.

— Il y a de quoi, répondit Dare en entraînant Trace un peu plus loin, mais sans quitter des yeux les deux femmes. Ecoute... Nous avons été suivis. Par une Charger noire, nouveau modèle. Je ne veux pas que tu prennes des risques avec Alani, mais...

— Pas de problème, coupa Trace en croisant les bras. Ils sont combien, dans la voiture ?

— Molly n'en a vu qu'un, mais ils sont trois.

Trace lui jeta un regard surpris.

— Tu lui as dit que vous étiez suivis ?

— Elle s'en est aperçue elle-même, avoua Dare en secouant la tête.

Et merde… En plus, il était fier de le dire. Fier d'elle.

— Sans blagues ?

Trace se tourna vers Molly d'un air admiratif.

— Elle ne te facilite pas la tâche, fit-il remarquer.

— J'en sais rien. Elle prend tout ça avec beaucoup de sang-froid.

Il sourit.

— Elle m'a tout de même demandé d'éviter de tuer si c'était possible.

— Ah, les femmes ! commenta Trace avec un petit rire.

— En fait, pour moi, cette femme n'est pas n'importe quelle femme, avoua Dare.

— Sérieux ?

— Je ne sais pas trop où j'en suis, mais je n'ai pas envie de la laisser partir.

Ils échangèrent un regard entendu, puis Trace lui tapota l'épaule en affectant un air compatissant.

— En tout cas, ne t'en fais pas pour la voiture noire. Je vais la surveiller. S'ils tentent quoi que ce soit, je serai là.

— Merci.

— Ne me remercie pas. Ce serait plutôt à moi de te remercier. Alani a besoin d'un peu de temps pour s'en remettre, mais sans toi, elle ne serait pas là.

— Je t'en prie… N'en parlons plus.

Comme les deux femmes paraissaient les attendre, ils se dirigèrent lentement vers elles.

— Alani va te demander pourquoi tu me suis. Qu'est-ce que tu vas lui raconter ?

— La vérité.

Dare en fut étonné. Presque choqué. Trace n'avait jamais parlé à sa sœur de ses activités.

— Tu crois qu'elle est prête à l'entendre?

— Oui, il me semble. Elle m'a dit que je devais cesser de la surprotéger et de la considérer comme une gamine parce que...

Il se tut et serra les poings. Puis il se racla la gorge.

— Parce que ça ne l'a pas aidée à assumer ce qu'elle a vécu, acheva-t-il d'une voix rauque.

— Tu n'as rien à te reprocher vis-à-vis d'elle, rétorqua Dare. Te voir malheureux ne fera qu'ajouter à sa culpabilité.

— C'est aussi ce qu'elle m'a dit.

Il secoua la tête et prit un air dégagé, puis, comme ils arrivaient près de la table des deux femmes, il se mêla à leur conversation.

— Alani est une merveilleuse décoratrice d'intérieur, affirma-t-il. Mais Dare n'a pas voulu qu'elle s'occupe de sa maison.

Dare s'installa sur une chaise, près de Molly.

— Vous savez bien que je suis spécial, protesta Dare.

— Et que personne ne te connaît mieux que toi-même! ironisa Alani en levant les yeux au ciel.

Elle se tourna vers Molly.

— Mais il a bon goût... D'ailleurs, je n'ai pas réussi à le prendre en défaut.

— Je suis d'accord, approuva Molly. Sa maison est superbe.

Alani la fixa d'un drôle d'air, visiblement surprise qu'elle connaisse la maison de Dare.

— Elle est chez moi en ce moment, expliqua Dare.

— Je vois, murmura Alani avec un petit sourire ironique.

Molly ne se laissa pas déstabiliser.

— C'est formidable, une maison, déclara-t-elle. Dès que ma vie sera rentrée dans l'ordre, je m'en achèterai une.

— Ah oui? grommela Dare. Et tu as décidé ça quand?

— Depuis que nous sommes retournés dans mon appartement. Je n'ai plus envie d'y vivre. Il n'est pas sûr.

Elle poursuivit en s'adressant à Alani :

— Si tu as le temps, ça me plairait de t'engager pour la décoration.

— Ça me ferait vraiment plaisir ! s'exclama la jeune femme.

Elle fouilla dans son sac pour en sortir une carte de visite qu'elle lui tendit, puis elles discutèrent pendant quelques minutes des goûts et des préférences de Molly.

Dare en fut bouleversé et furieux. Qu'est-ce que ça signifiait ? Molly avait-elle l'intention de le laisser tomber dès qu'elle n'aurait plus besoin de sa protection ?

Il savait bien qu'ils devraient réfléchir aux modalités de leur relation, mais elle avait pris les devants sans rien lui demander. Et où allait-elle l'acheter, cette maison ?

Trace héla une serveuse.

— Mademoiselle… Je meurs de faim ! dit-il en souriant.

— Vu l'air bougon de Dare, je crois qu'il a faim aussi, plaisanta Alani.

Molly se tourna vers lui.

— Qu'est-ce que tu as ? demanda-t-elle, l'air inquiet.

Il savait que sa contrariété se lisait sur son visage, mais il n'avait pas envie de s'expliquer.

— Rien.

Il connaissait le menu par cœur, mais il attrapa tout de même la carte et fit mine de la lire.

Quand ils eurent fini de passer la commande, il prit la main de Molly.

— Est-ce que Molly vous a dit qu'elle écrit des romans ? demanda-t-il.

— Oui, fit Alani. Des romances policières. C'est génial, non ?

— Pas possible ! s'exclama Trace.

Il posa à Molly quelques questions, auxquelles elle répondit patiemment.

— En racontant ce que vous venez de vivre, vous pourriez écrire un super-roman, fit remarquer Trace, avec un manque de finesse qui surprit tout le monde.

— Je... J'avoue que ça ne m'avait pas effleuré l'esprit, bredouilla Molly.

Alani vint à son secours.

— Le danger et l'amour se mêlent plus facilement sur le papier que dans la vie, fit-elle remarquer.

Cet échange laissa Dare songeur. Oui, si Molly n'avait pas été enlevée, il ne l'aurait jamais rencontrée...

— Il est vrai que cette expérience, ou du moins le contact direct avec le danger, va probablement m'inspirer, enchaîna Molly en évitant de regarder Dare.

Il espéra qu'il ne finirait pas en personnage de roman, puis il se rassura. Il pouvait faire confiance à Molly pour la discrétion.

Ils déjeunèrent en conversant tranquillement, parlant de tout et de rien, comme s'ils n'avaient pas à leur table deux femmes qui venaient de partager plusieurs jours de terreur et de séquestration. Ils passèrent donc un moment agréable. Dare fut ravi de constater que Molly sympathisait avec Trace et Alani. Trace était moins revêche que lui, mais très impressionnant. Peu de gens savaient l'apprécier à sa juste valeur.

Mais Molly, comme toujours, ne s'arrêta pas aux apparences.

Elle s'arrangea pour que la conversation ne tourne pas autour d'elle et de son métier, posant des questions qui montraient qu'elle s'intéressait à ses interlocuteurs, sans pour autant paraître intrusive ou indiscrète.

Trace semblait parfaitement à l'aise avec elle. Alani aussi, d'autant plus que Molly ne la traitait pas comme une gamine.

Au moment de se séparer, Molly la serra longuement dans ses bras.

— J'aimerais que nous restions en contact, dit-elle.

Puis, plus bas, elle ajouta :

— Et si tu as besoin de parler, surtout, n'hésite pas. Je serai toujours disponible pour toi.

Alani eut un sourire tremblant.

— J'aimerais être aussi forte que toi, murmura-t-elle.

Sa réponse fit rire Molly.

— Crois-moi, si tu m'avais vue appeler Dare au secours après un cauchemar, tu ne dirais pas ça !

Elle pressa la main d'Alani.

— Nous surmontons l'épreuve comme nous pouvons. J'ai Dare pour me soutenir, toi, tu as ton frère. J'espère que les autres femmes de la caravane ont autant de chance que nous.

— Tu as raison, acquiesça Alani. A bientôt.

— A bientôt, répéta Dare en l'embrassant. Prends soin de toi.

Ils roulaient depuis quelques minutes en écoutant distraitement la radio, quand Molly demanda :

— Tu as demandé à Trace de nous suivre ?

Dare en resta muet de surprise. Bon sang, elle ne l'avait tout de même pas entendu parler avec Trace ? Elle n'avait sûrement pas non plus repéré la Jaguar, Trace n'était pas un bleu.

— Pourquoi cette question ? éluda-t-il.

— Je ne sais pas. Il avait un drôle d'air en nous disant au revoir.

Il faillit siffler d'admiration. Cette femme avait vraiment une sacrée intuition !

— Oui, il est derrière nous, avoua-t-il.

— Au cas où ?

— Exactement.

Il contempla avec une légère inquiétude les gros nuages gris qui assombrissaient le paysage.

— Je ne m'en fais pas pour le trajet d'autoroute, confia-t-il. Mais plutôt pour la suite. Nous allons emprunter de petites routes peu fréquentées pour arriver chez moi, et là, nous serons vulnérables.

Molly posa une main sur sa cuisse.

— Inutile de me dire de ne pas m'inquiéter et de te faire confiance. Je te fais confiance. Mais s'il se passe quelque chose d'anormal, je voudrais le savoir. Je te promets de ne pas paniquer.

— Tu préfères être prévenue ?

Elle acquiesça.

409

— Je ne veux plus être prise au dépourvu.

— Je comprends.

Elle se cala dans son fauteuil et ferma les yeux, mais laissa sa main où elle était. Dare la couvrit de la sienne.

C'était bon de rentrer.

Et plus encore de rentrer avec Molly.

Bishop était bouleversé, mais il décida de prendre le temps de s'isoler pour téléphoner. La bibliothèque ne lui paraissait pas sûre. Sa chambre non plus. Pas pour cet appel, en tout cas.

Il chercha donc un endroit à l'écart des oreilles indiscrètes des domestiques et de son épouse. Il sortit et se dirigea vers les garages, qu'il contourna, indifférent à la terre boueuse dans laquelle il piétinait et qui allait abîmer ses chaussures.

Il soupçonnait depuis quelque temps sa femme de le tromper et avait même engagé un détective privé pour la suivre. Mais depuis cette conversation dans la bibliothèque, il ne doutait pratiquement plus.

Il ne prit pas le temps de se présenter quand le détective répondit.

— Vous avez du nouveau ? demanda-t-il.

Il y eut un temps de pause.

— Bishop ?

Le père de Molly eut un geste impatient de la main.

— Oui, c'est moi. Qui voulez-vous que ce soit ?

— Je croyais qu'on devait se rencontrer. Que vous ne vouliez pas parler de ça au téléphone.

— Je ne peux plus attendre. Avez-vous quelque chose à m'apprendre ou pas ?

— Oui, répondit posément le détective. Vous aviez raison. Je suis désolé.

Bishop en eut la nausée. Il ferma les yeux. Et en fermant les yeux, il eut l'impression de sentir le parfum de sa femme… Il fit volte-face. Elle était là. Inquiète, attentive. Elle s'approcha prudemment, comme si elle craignait d'être mal reçue.

Il était habitué à ce comportement docile et obséquieux. Jusque-là, il l'avait toléré avec un zeste d'agacement.

— Bishop? demanda-t-elle d'une petite voix effrayée. Qu'est-ce que tu fais là?

Bishop écarta le téléphone de son oreille. Elle le dégoûtait.

— Je sais tout, Kathi.

Elle parvint à ébaucher un sourire qui se voulait apaisant.

— De quoi parles-tu? A qui tu téléphones?

Il aurait voulu lui répondre que ça ne la concernait pas — mais ça la concernait, et comment!

— Tu as un amant, Kathi.

Elle secoua la tête d'un air affolé.

— Qu'est-ce que tu racontes?

Il lui montra le téléphone et se mit à hurler.

— Je te fais suivre, Kathi. Je sais. Je m'en doutais depuis un moment, de toute façon.

— Mais… Comment as-tu…?

Bon sang, elle le prenait pour un idiot ou quoi?

— Tu crois qu'un homme ne sent pas quand sa femme couche avec un autre?

Il s'approcha d'elle.

— Tu penses vraiment que je suis niais à ce point-là?

Elle secoua la tête.

— Ce n'est pas ce que tu crois, murmura-t-elle d'un ton suppliant. Je l'ai fait pour nous. Pour toi.

Il s'arrêta net. Il n'en croyait pas ses oreilles.

— Pour protéger ta réputation, expliqua-t-elle.

Est-ce qu'elle avait perdu la tête?

— Parce que le fait que ma femme se conduise comme une traînée serait censé protéger ma réputation? ricana-t-il.

— Je ne suis pas une traînée, protesta-t-elle. Comment peux-tu dire une chose pareille?

Il la contempla fixement.

— Tu me dégoûtes.

— Tu ne comprends donc pas qu'elle allait attirer le scandale sur nous? gémit-elle en tendant le bras vers lui.

411

De plus en plus écœuré, Bishop referma le téléphone. Le détective en avait assez entendu.

Lui aussi, d'ailleurs. Il aurait préféré en rester là. Car ce qu'il venait de comprendre le révulsait. Il aurait tellement préféré se tromper !

— Qui allait attirer le scandale ? gronda-t-il.

— Molly.

Seigneur Dieu… Ainsi, c'était elle…

Se méprenant sur l'intérêt qu'il manifestait pour ses révélations, Kathi se risqua à faire un pas vers lui, mais il recula.

— Qu'est-ce que tu as fait, Kathi ? demanda-t-il d'un ton doucereux.

— Tu as entendu Dare ? Elle s'apprête à céder les droits de son livre à un producteur de cinéma. Tu ne comprends pas ce que ça veut dire ? Tu n'as pas lu le livre en question, Bishop, sinon tu saurais qu'il était nécessaire de nous protéger. C'est un livre répugnant. Ta fille est une dépravée, comme tu l'as toujours dit. Les personnages sont intéressants, mais ils n'ont aucune morale. J'ai essayé de la mettre en garde, mais elle n'a pas tenu compte de mes lettres.

Bishop sentit une sueur glacée couler dans sa nuque.

— Des lettres ? Quelles lettres ?

Kathi détourna le regard et poursuivit, comme si elle se parlait à elle-même :

— Elle a continué à écrire ses saletés, et maintenant qu'ils vont en faire un film, tout le monde va s'intéresser à elle. Les gens apprendront qu'elle est ta fille et ils se demanderont pourquoi tu as une fille qui publie de telles horreurs.

Elle était complètement cinglée. Bishop n'arrivait toujours pas à y croire.

— C'est toi qui as envoyé quelqu'un pour fouiller son appartement ?

— Je n'ai pas eu le choix. Cet horrible type avait réussi à la libérer… Je ne savais pas où elle était ni ce qu'elle faisait.

Il sentit le sang lui monter au visage.

— C'est toi qui es responsable de l'enlèvement de Molly ?

Sa fille avait failli mourir à cause de cette femme? De *sa* femme?

— Mais enfin... Comment t'y es-tu prise?

— Oh! Ça n'a pas été très compliqué, répondit-elle avec un petit rire. Mark connaît beaucoup de monde. Il n'a eu aucun mal à organiser tout ça.

Elle marqua un temps de pause.

— Il l'a fait pour moi, ajouta-t-elle fièrement.

Dare ne s'était donc pas trompé. Elle avait demandé l'aide de Sagan. Si bien qu'ils étaient maintenant à la merci de ce salaud.

Il regarda autour de lui avec affolement. Il s'attendait presque à voir surgir des assassins de derrière les fourrés.

— Te rends-tu compte de ce que tu as fait? dit-il.

De nouveau, elle laissa échapper un petit rire aigu.

— Ne t'inquiète pas. Mark croit vraiment qu'il y a quelque chose entre nous. Il ne se doute pas que j'ai fait tout ça uniquement pour toi.

Elle se pencha vers lui.

— Mais George va le tuer pour moi, dès qu'il se sera occupé de Molly, ajouta-t-elle sur le ton de la confidence. Comme ça, il ne pourra pas nous faire chanter. J'ai tout prévu.

Elle eut un petit sourire satisfait.

— George aussi croit qu'il y a quelque chose de spécial entre nous.

Sa perversité laissa Bishop sans voix. Elle prenait pour évoquer le meurtre d'un homme le même ton détaché que pour donner ses ordres à une domestique. Elle paraissait même plutôt fière de sa ruse, comme si elle venait de l'aider à conclure une affaire un peu louche, mais juteuse.

Une affaire un peu louche? Soudain, il se répéta la petite phrase qu'elle venait de prononcer. *Dès qu'il se sera occupé de Molly.* Le cœur battant, il la prit par l'épaule et la plaqua sans ménagement contre le mur de brique du garage. Son poing se crispa sur son joli cachemire.

— Où est George, en ce moment? demanda-t-il.

— Bishop ! se plaignit-elle en se tortillant pour se dégager, visiblement furieuse du traitement qu'il infligeait à son pull.

— Où est George ?

Sa lèvre supérieure s'avança en une sorte de moue.

— Il est en train de suivre Molly et Dare, bien entendu. Tu as entendu Dare ? Il est déterminé à te nuire. Mais je ne le laisserai pas faire.

Elle passa un bras autour de sa taille et appuya sa tête contre son épaule.

— J'aime trop la vie que nous menons pour risquer de la perdre.

Les bras ballants, la gorge nouée de dégoût, Bishop se résigna. Il ne pouvait pas couvrir un truc aussi énorme. Que sa femme l'ait trompé et qu'elle le fasse passer pour un crétin, passe encore. Mais sa complicité dans un enlèvement... Et le reste...

Quand l'affaire sortirait au grand jour, certains le prendraient en pitié, d'autres lui jetteraient la pierre. Il risquait de tout perdre.

Mais il n'avait pas l'intention de se taire.

Il repoussa Kathi d'un geste résolu, mais la tint tout de même fermement par l'avant-bras, pour l'entraîner avec lui. Il était mort de honte à l'idée que cette folle ait pu croire un seul instant qu'il accepterait d'être complice de l'enlèvement de sa fille.

Il se mit à courir vers la maison, à travers la pelouse. Il n'avait pas une minute à perdre.

— Bishop ! protesta Kathi qui résistait à chaque pas.

— Viens avec moi, dit-il calmement, pour ne pas éveiller sa méfiance.

— D'accord, soupira-t-elle en cessant de traîner la patte. Qu'est-ce qu'on va faire ?

Devant la maison, l'autre vigile attendait, immobile, mais aux aguets.

Bishop s'arrêta à sa hauteur et poussa Kathi vers lui.

— Toi aussi, tu la baises ?

— Bishop, protesta Kathi en tentant de lui prendre la main. Ne sois pas vulgaire.

— Pourquoi moi aussi ? s'étonna le garde avec un mouvement de recul.

— Parce que George en a bien profité, répondit Bishop.

Le garde remonta ses lunettes de soleil sur son crâne.

— Non monsieur, fit-il d'un ton solennel. Pas moi.

— Tu tiens à ton boulot ? insista Bishop.

— Oui, monsieur, j'y tiens.

— Dans ce cas, empêche-la de s'enfuir, ordonna Bishop.

Le garde la prit aussitôt par les bras pour l'immobiliser, tandis que Bishop composait un numéro sur son portable.

— La police ne tardera pas à arriver, assura-t-il.

— Non ! hurla Kathi, oubliant le calme et la réserve qu'une femme de sa classe se devait d'afficher.

Bishop se détourna. Mais ça ne l'empêcha pas d'entendre le cri de rage de sa femme.

Chris n'aimait pas ça. Le système d'alarme s'était mis à clignoter. Il s'était rebranché automatiquement, parce qu'il était programmé pour ça, mais il avait sauté. Etait-ce à cause de l'orage ? Ce ne serait pas la première fois. Heureusement qu'il avait un générateur de secours !

Chris sortit sur le seuil pour regarder le lac et les montagnes.

Il y avait de l'humidité dans l'air. La pluie s'abattrait bientôt sur le parc. Quant à l'orage… Au-delà du lac, derrière les montagnes, le ciel était d'un noir d'encre, zébré d'éclairs.

Les deux chiennes lui tournaient autour, visiblement énervées. Elles faillirent même le faire tomber. Sargie poussa un gémissement et Tai dressa les oreilles. Il s'en étonna. De quoi avait-elle peur ? On n'entendait pas encore le tonnerre, pourtant…

— Qu'est-ce qui se passe, Tai ? Tout ce cinéma pour quelques éclairs derrière les montagnes ? Dare sera probablement rentré avant la pluie. Tu n'as pas à t'inquiéter.

Elle se serra contre lui, lui montrant ainsi qu'elle avait réellement peur.

Sargie, toujours jalouse, vint se placer devant Tai pour réclamer elle aussi un peu d'attention. Puis elle poussa un gémissement angoissé.

Chris éclata de rire et se laissa renverser par les chiennes, lesquelles grimpèrent sur lui, comme il s'y attendait. Pour les détendre un peu, il accepta de se laisser bousculer, de jouer, de les caresser. Au bout de quelques minutes, le ciel devint tout noir et, cette fois, ce furent les veilleuses de la pelouse qui clignotèrent.

Sargie se retourna et se mit à aboyer furieusement en regardant du côté du pavillon de Chris. Chris tenta de scruter la pénombre, mais il ne vit rien.

— Qu'est-ce qui t'arrive, ma chérie? C'est une feuille qui t'a fait peur? Ou bien une grenouille?

Quand Dare n'était pas là, les chiennes s'effrayaient facilement et se montraient sensibles au moindre bruit.

— Tu n'as pas confiance en moi, on dirait?

Les eaux du lac venaient battre les rochers et la végétation par intermittence. Les poissons sautaient. Quelques oiseaux le survolaient en décrivant des cercles.

Chris admira le spectacle de cette nature si vivante. Dieu, comme il aimait cet endroit!

Il se demanda comment il s'y sentirait si Molly s'y installait définitivement. Pour l'instant, il appréciait sa présence, mais il avait l'intuition qu'elle était là pour longtemps et… il n'avait pas franchement envie de devenir la cinquième roue du carrosse!

Le ronronnement d'un moteur se fit entendre. Les chiennes s'élancèrent en courant dans l'allée, en aboyant comme des folles. Chris s'empressa de les suivre. C'était forcément Dare. Personne d'autre que lui n'aurait pu franchir les grilles.

Il s'agissait bien de Dare, qui sortit précipitamment de la SUV. Chris comprit aussitôt que quelque chose clochait.

Molly prit le temps d'accueillir les chiens et de rire à leurs démonstrations d'enthousiasme. S'il y avait un problème, elle n'était pas au courant.

— Qu'y a-t-il? demanda Chris à voix basse.

— La porte d'entrée a été trafiquée.

— C'est-à-dire…?

— Quelqu'un a tenté d'ouvrir le boîtier du code. La végétation du sol était complètement écrasée en dessous.

Chris se mordilla la lèvre inférieure, tout en réfléchissant.

— Le système a clignoté à deux reprises, puis les choses sont revenues à la normale.

— Ouais, grommela Dare en regardant autour de lui.

Il recula d'un pas quand Sargie se jeta sur lui. Comme Molly les observait, il se força à rire et laissa la chienne renifler son visage. Elle en profita pendant quelques secondes, puis l'abandonna et se mit à courir entre lui et Molly. De temps en temps, elle faisait un petit détour par Chris.

Tai s'approcha et attendit que Dare lui manifeste son affection en la grattant derrière les oreilles.

Molly leva les yeux vers le ciel.

— Il va y avoir un orage, fit-elle remarquer.

— Les orages au-dessus du lac sont toujours splendides, assura Dare.

Tai vint quêter une caresse auprès de Molly et Chris éclata de rire.

— Sur l'échine, juste à la base de la queue, c'est ce qu'elle préfère, conseilla-t-il.

Molly obtempéra.

— Le système de sécurité fonctionne, à l'intérieur? demanda Dare en lui tournant le dos pour être sûr qu'elle n'entende pas.

— Il fonctionnait il y a quelques minutes. Personne n'a pu entrer.

— Et chez toi?

Merde.

— Les chiennes ont aboyé…, murmura Chris.

Il secoua la tête.

— Mais tu sais bien qu'elles sont peureuses quand tu n'es

pas là, et avec cet orage qui se prépare… J'ai jeté un coup d'œil : je n'ai rien vu.

— Je ne veux pas prendre de risques, marmonna Dare.

Il réfléchissait déjà à la manière dont il allait procéder, tout en fouillant le parc du regard.

— Fais rentrer Molly pendant que je vérifie qu'il n'y a personne dans le parc, dit-il.

— Ce n'est pas une bonne idée, protesta Chris. Il vaut mieux que tu sois près d'elle. Parce que si quelqu'un est entré, c'est probablement elle qui est visée.

Le visage de Dare prit une expression féroce.

— Fais-la rentrer, toi, insista Chris. Je vais aller voir ce qui se passe dans mon pavillon, puis je bouclerai toutes les portes et je viendrai vous rejoindre.

Cette manière de procéder n'enchantait visiblement pas Dare, mais il céda, soucieux de demeurer auprès de Molly.

— Dépêche-toi et rejoins-nous tout de suite, ordonna-t-il.

Molly, qui s'était approchée, entendit l'injonction, elle fronça les sourcils.

— Je te ferai un compte rendu complet dans quelques minutes, s'empressa d'enchaîner Chris. J'ai préparé la cafetière. Tu n'as plus qu'à appuyer sur le bouton.

— Merci, dit Dare.

Il attira Molly contre lui.

— Entrons, murmura-t-il. Avant qu'il ne se mette à pleuvoir.

— De quoi parliez-vous ? demanda-t-elle.

— De mon travail, mentit Chris en s'éloignant déjà.

En le voyant tourner au coin de la maison, Dare eut des remords. Il l'avait inquiété pour rien.

— Je reviens tout de suite ! lança Chris avant de disparaître.

Comme il s'était mis à courir, Sargie le suivit, persuadée qu'il s'agissait d'un jeu. Il n'en fut pas mécontent.

— Viens, ma fille, encouragea-t-il. Débarrassons-nous de cette corvée avant que l'orage n'éclate.

Tout en se répétant qu'il s'agissait d'une formalité, Chris

suivit le chemin éclairé menant jusqu'à son pavillon. Les grands arbres du parc se balançaient dans le vent.

Sargie ramassa une branche dans sa gueule, puis la laissa tomber.

Elle paraissait parfaitement tranquille, à présent, mais Chris n'en fut pas rassuré pour autant. Un léger frisson grimpa le long de sa colonne vertébrale. Il venait de remarquer que les rideaux d'une des fenêtres, qu'il avait laissés ouverts, étaient maintenant tirés.

Il serra les dents. Avec Sargie à ses côtés, il ouvrit la porte d'entrée en faisant délibérément du bruit — afin d'alerter l'intrus s'il y en avait un, et donc de l'affronter tout de suite, ou bien de l'effrayer et de l'inciter à s'enfuir.

Il actionna l'interrupteur. La grande pièce qui servait de cuisine, salle à manger et salon, était vide.

Mais des traces de pas sur le tapis montraient que quelqu'un était passé par là. Elles traversaient le couloir et menaient jusqu'à sa chambre. Il y avait des débris de feuilles, de la boue, du paillis — éléments provenant du sol de derrière le pavillon.

Chris fit un pas en direction de sa chambre. Et sentit une odeur de fumée.

— Merde…

Il retourna dans l'entrée pour avertir Dare et l'aperçut qui arrivait en courant.

Il brandissait son revolver et paraissait complètement affolé.

— Sors de là! hurla Dare.

Tai courait derrière lui, mais il était trop préoccupé pour l'en empêcher. Après le coup de fil de Trace, il avait ordonné à Molly de rentrer dans la maison et il s'était précipité vers le pavillon du lac.

Trace lui avait annoncé que deux hommes avaient quitté la voiture noire qu'il croyait encore derrière eux, mais qui les avait précédés, visiblement. Quand il avait interrogé le conducteur — en utilisant la manière forte, bien entendu —

celui-ci avait avoué qu'ils étaient en train de mettre en place une diversion au niveau du pavillon, de manière à pouvoir embarquer la fille.

Chris se retourna pour regarder à l'intérieur du pavillon. Dare comprit qu'il hésitait entre éteindre le feu et sortir. Il était toujours à quelques mètres du seuil.

— Sors d'ici, merde! Ils ont posé une...

Le dernier mot de sa phrase fut avalé par une explosion retentissante.

Les carreaux des fenêtres se brisèrent et des flammes jaillirent des ouvertures. Chris fut projeté, face contre terre, sur le sol de son entrée.

— Non...

Dare rejoignit Chris au moment où celui-ci roulait sur le dos en poussant un gémissement.

Il dut écarter Tai qui venait s'en mêler, visiblement aussi inquiète que son maître, puis il s'agenouilla près de son ami. Une grosse bosse était en train de pousser sur son crâne, là où il avait heurté le sol. Il le secoua par l'épaule.

— Dis quelque chose, bon sang!

Chris toussa.

Merci, mon Dieu.

Si le jeune homme s'était trouvé quelques mètres plus loin à l'intérieur, l'explosion l'aurait probablement tué. Il avait eu une chance incroyable... mais ils n'avaient guère le temps de s'en réjouir.

— Tu n'as rien de cassé? demanda Dare.

— Non, répondit Chris en secouant la tête.

Puis il se figea avec une grimace.

— Qu'est-ce que c'était? marmonna-t-il.

— Une bombe. Si tu t'en sens capable, je préférerais que tu te lèves, au cas où il y en ait une deuxième.

— D'accord, répondit Chris en faisant un effort pour se redresser.

— Je vais t'aider.

Il le hissa sur ses pieds, mais Chris avait du mal à tenir

debout. Il était blessé. Dare en fut si contrarié qu'il dut serrer les dents pour ne pas hurler de rage.

Il entendit du bruit et se retourna. Molly était là. Blême, le souffle court, elle se tordait les mains.

Elle était supposée rester enfermée à l'intérieur, merde ! Il n'eut pas le temps de le lui reprocher.

— Dare, j'ai voulu me réfugier dans la maison, comme tu me l'avais dit, mais ils sont entrés. J'ai entendu un bris de carreaux, l'alarme s'est déclenchée, mais quelqu'un l'a éteinte. Je ne pouvais pas rester là-bas avec eux, tu comprends...

Elle remarqua l'état de Chris et poussa un cri étouffé.

— Seigneur... Est-ce qu'il est gravement blessé ?

Chris appuyait d'une main sur sa bosse. Il saignait du nez.

— Non, ça va, répondit-il d'une voix rauque. Sargie était avec moi dans le pavillon. Elle est sortie ?

Molly ouvrit de grands yeux horrifiés.

— Je vais la chercher ! hurla-t-elle.

Dare devint livide.

— Non ! Molly !

Trop tard. Elle courait déjà vers la pièce voisine. Sans tenir compte de son avertissement. Bon sang, s'il y avait une autre explosion, elle...

Jamais Dare ne s'était senti aussi partagé. D'un côté, il y avait Chris, blessé et impuissant, à la merci des hommes qui avaient envahi la propriété. De l'autre, Molly qui courait au-devant du danger... Il hissa Chris sur son épaule, lui arrachant un gémissement de douleur, puis alla le déposer au pied d'un grand chêne.

— Tu ne bouges pas d'ici, ordonna-t-il à Tai d'un ton sévère. Tu veilles sur lui, compris ?

Les oreilles de Tai s'aplatirent et elle se laissa tomber près de Chris qui s'agrippa à son collier.

Dare se mit à courir comme un fou en direction de la maison. Il allait l'atteindre quand Molly apparut sur le seuil, avec Sargie.

Il crut qu'il allait s'évanouir de soulagement.

Il rangea son arme dans sa ceinture et les rejoignit en quelques longues enjambées.

Sargie haletait, la langue pendante, les yeux exorbités, le poil noirci par la fumée. Le visage de Molly était couvert de larmes.

Dare les prit toutes les deux, l'une par la main, l'autre par le collier, et les entraîna vers l'arbre où il avait déposé Chris.

— Elle était terrorisée, expliqua Molly. Elle s'était cachée derrière une porte. Je pense que c'est ce qui l'a protégée. Mais elle est venue vers moi dès qu'elle m'a entendue. Elle a dû inhaler de la fumée, mais elle va s'en tirer, n'est-ce pas, Dare ? Elle va s'en tirer ?

— Oui, ne t'inquiète pas.

— Et Chris ?

Elle était à genoux, tout contre Sargie, et fit volte-face pour se tourner vers Chris. Elle se pencha sur lui et écarta quelques mèches de cheveux collées à son front ensanglanté.

— Seigneur, Chris, murmura-t-elle. Tu aurais pu mourir.

Dare sentit des larmes lui piquer les yeux.

Il avait juré à Molly de veiller sur elle, mais elle avait frôlé la mort, chez lui, dans sa propriété soi-disant si bien protégée. Et c'était elle qui lui était venue en aide en bravant le danger pour voler au secours de Sargie.

Quand elle était entrée dans le pavillon, il avait brutalement compris qu'il n'aurait pas pu supporter de la perdre.

Il inspira longuement. Il devait se contrôler. Réagir. Ne pas se laisser emporter par ses émotions. Passer en mode offensif.

— A présent, reste tranquille et fais ce que je te dis, murmura-t-il sèchement.

Elle chercha son regard, mais il détourna la tête. Il ne voulait pas être tenté de la prendre dans ses bras, de lui dire que...

Il serra les dents et fit un effort pour se concentrer.

Il passa discrètement le Glock à Chris et referma sa main sur la sienne pour s'assurer qu'il le tenait fermement.

— Pigé ? lui dit-il.

— Oui, répondit Chris.

Mais il avait une sale mine. Il souffrait probablement d'une commotion cérébrale — ou pire. Dare sentit sa gorge se nouer.

— Je suis en état de réagir, Dare. Vas-y.

Molly ouvrit la bouche, puis la referma, avant de se décider à parler.

— Il va où ? De quoi parlez-vous ?

Dare n'arrivait pas à se décider. Devait-il partir ou rester ? Si les intrus découvraient Chris, ils n'hésiteraient pas à lui tirer dessus.

Merde et merde.

Il inspira à pleins poumons et se rendit compte qu'il avait un goût de fumée dans la bouche.

— Tu sais à quel point tu comptes pour moi, Chris.

Ce dernier le fixa avec des yeux pleins de tristesse.

— C'est pas le moment, Dare. Je vais m'en tirer, je t'assure.

Puis il ajouta, en marmonnant :

— Mais tu comptes énormément pour moi aussi.

Ces déclarations solennelles décuplèrent l'angoisse de Molly. Elle s'agrippa au bras de Dare.

— Qu'est-ce que tu vas faire ? demanda-t-elle. Il faut qu'on sorte tous d'ici au plus vite.

Il ôta gentiment sa main de son bras et la posa sur le collier de Sargie.

— Je te confie les filles. Ne les laisse pas me suivre.

Il n'osait pas la regarder. Il savait qu'il craquerait s'il croisait ses yeux suppliants.

— Et n'oublie pas qu'elles sont deux.

Il était obligé de crier pour se faire entendre par-dessus les craquements et les sifflements du feu qui ravageait le pavillon. Un long jet de fumée noire s'élevait des hautes flammes qui projetaient une lueur orange sur le paysage.

Il avait promis à Molly que personne ne saurait pour son enlèvement, mais il n'était plus certain de pouvoir tenir sa promesse après cette putain de bombe. Le système d'alarme n'était pas relié au central de la police, mais les flammes et la fumée se voyaient sûrement de loin et les pompiers ne tarderaient pas à débarquer.

Il se tourna vers sa maison au moment où deux hommes en sortaient. Ils portaient des cagoules sombres qui dissimulaient leurs visages. Il cessa aussitôt de réfléchir.

A présent, il savait ce qui lui restait à faire.

Il prit le temps de les observer quelques secondes. L'un d'eux était sans nul doute George Wallace, l'un des vigiles de Bishop. L'homme était facile à identifier : il avait une silhouette et une démarche particulières.

L'autre lui était inconnu.

Tous deux étaient armés de revolvers.

— Tu restes ici avec Chris, ordonna-t-il à Molly sans quitter les types des yeux. Et tu ne bouges sous aucun prétexte.

Il sentit peser sur lui le regard de Molly, mais ne lui donna pas d'autre explication.

Pressentant le danger, les deux chiennes commencèrent à s'agiter. Molly serra Sargie contre elle, attrapa le collier de Tai, et tenta de les rassurer.

Chris remua pour se placer face à la maison de Dare, toujours adossé à son arbre, mouvement qui lui arracha un gémissement de douleur.

— J'ai ton arme, Dare. Je n'ai rien à craindre. Tu peux y aller.

Dare acquiesça en se redressant, puis, quittant l'ombre protectrice de l'arbre, il avança résolument vers les intrus en s'efforçant d'écarter les émotions qui le perturbaient — la colère, l'inquiétude.

Peu à peu, il se transforma en une force froide et implacable. Son pas régulier, mais sans précipitation, réduisait la distance qui le séparait des deux hommes.

Ils étaient entrés chez lui, ils avaient mis le feu au pavillon, ils avaient tenté de tuer son meilleur ami, ils avaient peut-être blessé l'une de ses *filles*...

Et ils voulaient enlever sa femme.

Il fit rouler sa tête pour se détendre la nuque, plia et déplia ses doigts. Un petit sourire étira ses lèvres. Il était prêt.

Plus que prêt.

George recula en le voyant.

— Ne vous approchez pas plus que ça, dit-il.

Dare s'arrêta posément, dans une attitude parfaitement décontractée.

— Il manque un de vos copains, George. Où est-il?

Son interlocuteur tressaillit.

— De quoi parlez-vous?

— Vous pensiez que je ne vous avais pas reconnu? ricana Dare en secouant la tête et en avançant de nouveau. Vous êtes foutu, mon vieux.

George agita son revolver dans sa direction.

— Ne faites pas un pas de plus, ou je tire!

Dare s'arrêta.

— Qu'est-ce que vous lui voulez, à Molly?

George ricana.

— S'amuser un peu avec elle. La secouer. Il n'est pas question de la tuer.

— La secouer pour s'amuser? Dans quel but?

George haussa les épaules.

— Il s'agissait simplement de la garder prisonnière.

— Pourquoi?

— Le temps qu'on l'oublie un peu.

Dare savait que Molly entendait tout. Il ne pouvait rien faire pour l'épargner, hélas.

— Je vois. C'est donc Kathi qui tire les ficelles, n'est-ce pas?

Les deux hommes se figèrent, surpris.

Les crétins! Ils s'imaginaient peut-être que leur plan était imparable… Dare avait pourtant soupçonné Kathi dès qu'elle avait ouvert la bouche, dans la bibliothèque. Bishop aussi, sans doute.

— Avouez tout. Tout de suite. Sinon j'appelle les fédéraux.

— Si vous sortez votre téléphone, je tire.

George se sentait en position de force parce qu'il était armé. Quel demeuré, ce type !

— Il n'est pas question de tuer la fille, mais pour vous, c'est une autre affaire, fit-il remarquer.

— Il vous manque un élément pour apprécier la situation, ricana Dare.

L'homme qui accompagnait George commença à s'agiter.

— Qu'est-ce qu'il veut dire ? demanda-t-il.

— Ta gueule, répondit George. Il bluffe. Fais pas attention.

— Vous vous trompez. A la minute où vous avez trafiqué mon système d'alarme, les flics ont été prévenus. Ils ne vont pas tarder à arriver. De plus, je savais que vous étiez derrière moi. Je suppose que vous avez dû me dépasser, puisque vous êtes arrivés avant moi. J'ai remarqué que vous aviez trafiqué le code. Bravo pour avoir déniché ma propriété ! Vous vous souvenez que je me suis arrêté pour manger ? Eh bien, il s'agissait d'une manœuvre pour permettre à un ami de vous suivre. Je l'ai eu au téléphone. Il s'est occupé de votre copain.

Dare regarda au-delà des hommes et fit un petit signe, comme s'il s'adressait à quelqu'un.

— Tu arrives à point, dit-il.

Le complice de George fit volte-face, pour affronter l'ennemi.

Chris était là, qui suivait tout depuis le début. Il n'hésita pas à tirer et visa l'épaule de l'homme qui fut propulsé en avant par l'impact de la balle et alla s'effondrer contre le mur, avant de glisser lentement à terre.

Dare profita de ce que George contemplait son compagnon d'un air abasourdi pour lui foncer dessus. George se retourna juste à temps pour tirer. Dare sentit une brûlure au niveau du bras, mais rien de grave — pas assez pour l'immobiliser.

Ni pour le ralentir.

Comme s'il n'avait attendu que ça, le ciel s'ouvrit pour laisser tomber une pluie torrentielle. Dare faucha les jambes de George et ils tombèrent ensemble sur le sol bétonné du porche. La tête de George fit un agréable bruit sourd. Sa main s'ouvrit et lâcha son arme.

Il y eut de nouveau un coup de feu. Dare jeta un coup d'œil derrière lui. C'était encore Chris, trempé comme une soupe, la pluie se mêlant au sang qui coulait encore de sa blessure au front. Il chancelait, mais il tenait son revolver à deux mains, pour être sûr de ne pas le lâcher.

Il venait de tirer sur sa première cible, une deuxième fois, pour être certain qu'il ne se relèverait pas — un truc que Dare lui avait appris.

Dare envoya un coup de coude dans la mâchoire de George et le sentit devenir mou. Il en profita pour le saisir par le devant de sa chemise et le redresser, puis il le bourra de coups de poing rageurs.

Il aurait voulu tuer ce fils de pute. D'ailleurs, il allait le tuer s'il continuait comme ça.

Mais il avait promis à Molly de ne tuer que si nécessaire. De plus, elle avait besoin de savoir toute la vérité. Or les cadavres ne parlaient pas. George avait de la chance.

Il le lâcha et recula.

— Ça y est, tu as fini ? demanda Chris qui n'avait pas perdu son sens de l'humour noir.

— Non, répondit Dare.

Il arracha à George sa cagoule ensanglantée. Apparemment, il avait le nez cassé. Sa mâchoire était en train de virer au mauve.

— Je ne fais que commencer, figure-toi.

25

Dare se redressa et observa Chris avec inquiétude.

— Tu es sûr que tu vas tenir le coup ?

— Oui, assura le jeune homme en faisant la moue. Je ne suis pas du genre à me plaindre d'une petite bosse sur le crâne ou de la pluie glaciale. En tout cas, pas devant toi qui as une balle fichée dans le bras !

— Merde. Je l'avais carrément oubliée, celle-là ! grommela Dare. Je croyais qu'elle n'avait fait que m'effleurer.

Chris leva les yeux au ciel — imprudence qui faillit lui faire perdre l'équilibre.

Dare chercha Molly du regard. Tremblante de froid, elle se tenait toujours sous l'arbre — exactement là où il lui avait demandé de rester —, une main sur le collier de chacune des chiennes.

— Viens, Molly ! appela-t-il.

Elle se redressa et se mit à courir à petites foulées, entraînée par les deux chiennes qu'elle n'avait pas lâchées.

— C'est bon, tu peux laisser les filles, maintenant, dit-il.

George remua. Dare lui jeta un regard menaçant.

— Il y a un troisième larron. C'est Trace qui s'en occupe, mais restons tout de même sur nos gardes, dit-il à Chris.

Il ramassa le revolver de George, donna un coup de pied à celui de son complice pour l'envoyer au loin, puis les fouilla pour vérifier qu'ils ne cachaient rien d'autre.

En entendant mentionner un troisième homme, Chris se mit à scruter les alentours. Les chiennes paraissaient épuisées et inquiètes. Elles avançaient en rampant, les oreilles rabattues et la tête basse. Elles étaient encore sous le choc. Elles avaient besoin de l'attention de leur maître et Dare prit quelques minutes pour les rassurer.

— Tu es une bonne fille, dit-il à Sargie.

Puis il caressa le poil de Tai.

— Et toi, aussi. Tout va bien, maintenant.

Les bras croisés sur la poitrine, les joues noircies de mascara, Molly demeurait figée et silencieuse. Dare s'avança vers elle, tout en se demandant si elle mesurait l'étendue de la catastrophe. Ils ne contrôlaient plus rien, à présent. Les flics allaient débarquer. Tout le monde saurait pour son enlèvement.

Lui pardonnerait-elle d'avoir sous-estimé la gravité de la situation ?

Trace apparut, en poussant devant lui un homme au visage tuméfié et ensanglanté — l'un de ses yeux était si enflé qu'il ne pouvait plus l'ouvrir.

— Celui-ci était chargé de garder la voiture, commenta Trace d'une voix neutre. C'est lui qui m'a prévenu pour la bombe.

Il le poussa de manière à le faire asseoir à terre.

— Et vous, ça va ? Tout le monde est en vie ?

— Oui. Ça va, affirma Dare en frissonnant sous la pluie glacée. Où est Alani ?

— A l'intérieur, répondit Trace.

Il posa les yeux sur Chris.

— Hmm… Tu as l'air bien amoché, toi ! Tu devrais la rejoindre.

L'intéressé ne se le fit pas dire deux fois. Il rendit le revolver à Dare et encouragea Molly à le suivre.

— Viens…

Il lança un mauvais regard à Dare.

— Rentrons nous sécher.

Elle battit des paupières, comme si elle revenait brusquement à la réalité, puis avala sa salive.

Dare aurait voulu la prendre dans ses bras, mais il ne s'en sentait pas capable. Pas encore.

Chris lui fit les gros yeux pour lui faire comprendre qu'il désapprouvait la froideur qu'il témoignait à Molly. Mais Chris n'était pas à sa place : il ne pouvait pas comprendre à quel point il était bouleversé.

Molly arracha ses pieds à la boue dans laquelle ils s'étaient enfoncés, et s'approcha de lui. Sa lèvre inférieure tremblait. Elle serra son poing et le frappa en pleine poitrine.

Pris de court, Dare se contenta de l'immobiliser.

— Rentre te changer, Molly. Je te rejoindrai bientôt.

Mais elle ne bougea pas. Elle paraissait à la fois furieuse et effrayée.

— Dare…

Chris passa un bras autour d'elle.

— Viens. Il sait ce qu'il fait.

— Tout ça, murmura-t-elle d'une voix brisée. Tout ça, c'est à cause de moi !

Chris jeta de nouveau un regard réprobateur à Dare, qui se sentit obligé d'intervenir.

— Tu dis n'importe quoi, bougonna-t-il. A présent, rentre.

Trace haussa un sourcil.

— Quelle délicatesse, vraiment ! Tu exagères.

George gémit et tenta de se redresser.

— Je vais rentrer, déclara Molly en se dégageant de l'étreinte de Chris, mais tu devrais l'aider.

— L'aider ? protesta Chris. C'est à cause de lui que mon pavillon est en feu !

Elle bouscula Chris, mais pas aussi violemment que Dare quelques secondes plus tôt.

— Ce n'est pas à toi que je m'adressais, imbécile, mais à Dare.

Chris sourit d'un seul côté, car l'autre était trop douloureux, ce qui lui donna un air grotesque.

— Dare n'a pas besoin que tu lui dictes sa conduite,

expliqua-t-il patiemment. Entre, s'il te plaît. Alani nous attend et je doute qu'elle ait envie de rester seule.

— Vous aussi, les filles, ordonna Dare en s'adressant aux chiennes. Allez avec Chris.

Chris appela les chiennes, et Molly prit machinalement Sargie par le collier.

— Contacte Henrietta, dit Dare à Chris. Demande-lui de venir le plus vite possible.

— D'accord. Je lui proposerai de doubler ses honoraires. Henrietta est notre vétérinaire, expliqua-t-il à Molly. Elle ne travaille pas à cette heure-ci.

Molly passa un bras autour de la taille de Chris pour l'aider à marcher, et ils entrèrent, encadrés par les deux chiennes.

Dare les regarda s'éloigner avec émotion. Les voir ainsi tous quatre lui procurait une joie indicible. Il se sentait comblé.

Il attendit qu'ils aient disparu à l'intérieur pour se tourner vers l'homme que Trace avait amené.

— Bon… J'ai quelques questions à vous poser.

— Allez vous faire…

Il le fit taire d'un coup de pied dans les côtes. L'homme se courba en deux, ahanant de douleur.

George voulut profiter de la diversion. Il se leva d'un bond et voulut frapper, mais Dare intercepta sa main et la tordit sans ménagement — il entendit craquer ses os. George se mit à hurler. Dare plaqua une main sur sa bouche.

— La ferme. Si tu fais peur à Molly, tu le paieras cher. Pigé ?

Le visage déformé par la douleur, George acquiesça.

— Oui, gémit-il.

Dare le lâcha et l'aida à s'asseoir.

— A présent, tu vas répondre à mes questions si tu ne veux pas finir en miettes, compris ? Crois-moi, je n'hésiterai pas. A toi de choisir.

Du coin de l'œil, il vit Trace s'éloigner, le téléphone à l'oreille. Il était probablement en train d'appeler une ambulance, mais d'ici à ce qu'elle arrive, il aurait fait parler George.

La peur à fleur de peau

*
* *

Dans la maison, Molly trouva Alani assise dans le salon, tétanisée par la peur. Mais elle ne prit pas le temps de la rassurer ou de s'occuper d'elle.

— Viens, lui dit-elle. On a besoin de toi.

Alani se leva d'un bond.

— Qu'est-ce qui se passe ?

— Dare et Trace ont… neutralisé les types qui sont entrés dans la propriété. Tout va bien.

Elles rassemblèrent des serviettes qu'elles apportèrent dans l'entrée où Chris attendait avec Sargie et Tai.

— Aide-moi à essuyer les chiennes, dit Molly.

Alani lui saisit le bras.

— Je vais m'en occuper. Toi, tu devrais plutôt aller te changer.

Molly fit la grimace. Elle était trempée, et elle avait si froid qu'il lui semblait qu'elle ne pourrait plus jamais se réchauffer.

— Elle a raison, intervint Chris. Va te changer.

— Laisse-moi d'abord t'aider, rétorqua-t-elle en passant un bras autour de sa taille pour le soutenir. Je pense que les vêtements de Dare t'iront.

Chris voulut protester, mais elle l'entraînait déjà vers les appartements du maître de maison. Il parvenait à tenir debout, mais il semblait tout de même complètement sonné.

Dans la salle de bains, elle lui ôta sa chemise et lui fit enfiler un pull col roulé.

Ses cheveux noirs étaient collés à son crâne et poisseux de sang par endroits. Il avait le regard vague… mais son sens de l'humour n'était pas atteint, heureusement !

— Si tu oses toucher à mon short, je te garantis que ça va mal finir.

— Tu es pudique ? sourit Molly.

Soucieuse de ne pas dramatiser davantage la situation, elle s'efforçait de se comporter comme si tout était normal.

— Je m'habille seul depuis l'âge de cinq ans.

432

Il s'appuya au lavabo.

— Va te changer. Je vais me débrouiller, insista-t-il.

Elle acquiesça.

— Préviens-moi avant de sortir dans la chambre, parce que je vais me changer, moi aussi.

— Je ne te regarderai pas si tu ne me regardes pas.

Elle parvint à esquisser un demi-sourire, mais elle était si gelée, si bouleversée que ce simple effort lui coûta.

Elle venait d'enfiler une grande chemise en flanelle de Dare et un des shorts qu'il lui avait achetés à San Diego, quand les chiennes firent irruption dans la pièce — ventre à terre, comme toujours. Alani les avait séchées, mais Sargie avait les yeux rouges et son poil était encore noirci de fumée.

Molly en eut le cœur serré.

— Ma pauvre chérie, murmura-t-elle en s'accroupissant pour la câliner.

— Tu es habillée ? demanda Chris depuis la salle de bains.

— Oui, tu peux sortir, répondit Alani à sa place.

Chris s'assit sur le lit et utilisa le téléphone de la table de nuit pour appeler la vétérinaire. Molly fut surprise du ton badin avec lequel il s'adressait à Henrietta et lui demandait de venir d'urgence, sans rien lui expliquer de ce qui s'était passé.

— Tu ne crois pas qu'on devrait appeler la police ? demanda-t-elle quand il eut raccroché.

— Si les flics arrivent trop tôt, les trois loustics vont contacter leurs avocats et Dare n'aura pas eu le temps de les faire parler.

Il ferma les yeux et se laissa retomber sur le lit.

— Laissons-le faire son boulot. Il faut qu'il tire toute l'affaire au clair pendant qu'il en a encore les moyens.

Sargie sauta sur le lit pour renifler le visage de Chris, lequel finit par se redresser pour échapper à son inspection. Molly allait poser une question, quand elle entendit des sirènes.

— Merde ! s'exclama le jeune homme. Ce sont sûrement les pompiers. Quelqu'un a dû voir la fumée.

Il rassembla ce qui lui restait d'énergie pour se lever d'un bond.

— Il faut que je dise à Dare de se dépêcher.

— Pas la peine, fit la voix de Dare.

Il se tenait sur le seuil de la porte. Il était... Il était différent. Il se dégageait de lui une sorte de tension vibrante, sa bouche était amère, son regard dur. Il avait ôté sa chemise pour l'envelopper autour de son bras blessé. Son T-shirt et son jean étaient imbibés de sang.

Il était impressionnant. Effrayant.

Il paraissait distant. Absent.

Molly eut la désagréable sensation de contempler un étranger. Elle en resta saisie.

Alani, au contraire, paraissait parfaitement à l'aise avec ce nouveau Dare. Elle se leva et courut jusqu'à lui pour le serrer dans ses bras.

— Où est Trace ? demanda-t-elle.

— Il surveille nos gorilles, répondit-il en lui embrassant le front. Tu devrais aller préparer du café avec Chris. Un peu de café ferait du bien à tout le monde.

Alani jeta un regard interrogateur à Molly, qui acquiesça en silence.

Les chiennes sautèrent à bas du lit pour venir renifler Dare et réclamer son attention. Il s'accroupit pour les flatter et les caresser, longuement, en les rassurant de la voix.

Molly aussi aurait eu besoin de son attention. Mais elle ne voulait pas quémander.

Tout de même, au bout de quelques minutes, elle n'y tint plus.

— Est-ce qu'il y a des morts ? demanda-t-elle dans un murmure.

— Celui sur lequel Chris a tiré ne s'en sortira peut-être pas, répondit-il en levant les yeux vers elle.

Il la contempla fixement pendant quelques secondes.

— Mais je t'interdis de te lamenter sur son sort ou de te sentir responsable.

Elle se mordit la lèvre.

— D'accord.

— Les deux autres n'ont pas grand-chose, ajouta-t-il avec une pointe de regret.

Le cœur de Molly se serra.

— Et toi ? demanda-t-elle. Ça va ?

— Ouais.

Il la dévisagea avec intensité.

— Et toi ? demanda-t-il à son tour.

— Oui, ça va.

Elle se leva et s'approcha de lui. Il avait un genou à terre et serrait Sargie, tout en grattant le ventre de Tai qui se tortillait de plaisir.

La tête inclinée vers les chiennes, il leur parlait d'une voix douce, présentant à Molly sa nuque, l'arrière de ses larges épaules, les muscles de son dos. Elle posa une main sur ses cheveux encore trempés.

— Tu as reçu une balle ? murmura-t-elle en s'efforçant de ne pas trahir son émotion.

Sans cesser de lui caresser les cheveux, elle se laissa tomber près de lui. Elle aurait voulu le prendre dans ses bras, le couvrir de baisers, le supplier de… De quoi ? Elle n'en savait rien. Elle se sentait perdue, une fois de plus.

Il se tourna vers elle et sa joue effleura sa main.

— Trace a appelé une ambulance pour celui qui est blessé par balles, dit-il en la regardant droit dans les yeux. Elle sera là dans une minute.

Je t'aime.

Voilà ce qu'elle aurait voulu dire, mais le moment était mal choisi. La maison serait bientôt envahie de flics et d'infirmiers. Dare avait besoin de soins, Chris aussi. Les chiennes étaient encore sous le choc.

Elle avait donc des milliers de raisons de lui épargner ses débordements amoureux, mais qu'il était difficile de garder ses sentiments pour soi !

— Merci, Molly, dit-il soudain.

Elle haussa les sourcils.

— Merci de quoi ?

Il gratta l'oreille de Sargie, puis lui embrassa le museau.

— Tu n'as pas hésité à prendre de gros risques pour la faire sortir de la maison, répondit-il d'une voix lasse.

— Tu l'aurais fait aussi. Mais il y avait Chris et...

Sa poitrine se gonfla, comme s'il retenait un soupir.

— Quand je t'ai vue entrer...

Il ferma les yeux et sa voix devint dure.

— Je crois que je n'ai jamais eu aussi peur de ma vie, acheva-t-il.

Il paraissait furieux. Pourquoi ? Cherchait-il à la culpabiliser ? C'était inutile : elle le faisait très bien elle-même !

— Je suis désolée, lâcha-t-elle.

— Ah, non, cesse de t'excuser ! C'est plutôt moi qui devrais te présenter mes excuses.

Elle secoua la tête. Décidément, elle n'y comprenait rien. Cet homme était un mystère.

— Je t'ai fait peur, reprit-il.

— Non.

Il lui lança un regard en coin. Un regard qui lui criait *menteuse*. Vexée, elle haussa les épaules.

— D'accord, tu m'as fait peur. Mais pas tant que tu crois. Et surtout pas pour la raison que tu crois.

— Pour quelle raison ?

— Tu étais comme... Comme une machine.

Elle lui prit le visage à deux mains et chercha son regard. Elle voulait qu'il écoute, qu'il sache, qu'il comprenne.

— Tu étais devenu si froid, si distant... Comme si tu avais transformé d'un seul coup l'affection que tu ressens pour Chris en haine pour ces hommes.

— Je me suis concentré avant d'attaquer, rien de plus.

— Oui, j'avais compris.

Elle se mordilla les lèvres.

— Le fait que tu puisses te concentrer de cette manière, justement... C'était effrayant.

— Il le faut, avec le travail que je fais.

Oui, elle le comprenait aussi, mais cela signifiait qu'il avait la capacité de se couper de tout et de tout le monde quand il visait une cible. Est-ce qu'un homme tel que lui pouvait réellement aimer une femme ?

— Si je n'avais pas réagi comme je l'ai fait...

— Je sais, répéta-t-elle.

Elle parvint même à ébaucher un sourire pour le rassurer sur le fait qu'elle le comprenait bel et bien.

— Je suis contente que tu t'en sois sorti, dit-elle.

Il l'attira vers lui et la serra contre son torse en dépit de son bras blessé.

— Dare ?

— Je sais qui a organisé ton enlèvement, annonça-t-il tout à trac.

Elle se figea.

— C'était ta belle-mère, ma chérie. Cette folle voulait protéger Bishop de ta popularité grandissante.

— Kathi ?

Elle se sentit étrangement soulagée.

— Ce n'était pas mon père, alors ?

— Non. Le téléphone portable de George a sonné il y a quelques minutes. C'était Bishop. Il venait d'obtenir des aveux complets de Kathi.

— Papa a appelé ?

— Il voulait te prévenir, expliqua Dare en lui caressant les cheveux. Faire sonner le téléphone de George était pour lui l'unique moyen de se signaler, et éventuellement de nous joindre... De son côté, il a déjà tout raconté à la police.

Molly avait du mal à tout comprendre.

— Tu n'as pas l'air surpris, fit-elle remarquer.

— Non, en effet.

Puis elle se souvint.

— J'ai entendu ce que tu disais à George, tout à l'heure. Que c'était Kathi... Tu le savais donc avant le coup de fil de papa ?

— Après notre entrevue dans la bibliothèque, j'ai commencé à la soupçonner. Bishop était parvenu à la même conclusion que moi, apparemment. C'est pour ça qu'il m'a pris à part pour me demander de lui laisser le temps de mener sa petite enquête.

Il soupira.

— Et ce que Bishop ne savait pas, George s'est fait un plaisir de me l'expliquer.

— Un plaisir, hein ?

Il haussa les épaules.

— Kathi voulait te faire comprendre qu'on n'a pas droit à l'erreur.

— Tout ça à cause d'un personnage de roman !

— Pour Kathi, on ne peut ni se racheter, ni être pardonné. Seules comptent les apparences. Et elles doivent être absolument parfaites.

Il lui caressa les lèvres, du revers du pouce.

— Je pense que ça ne l'aurait pas dérangée que tu aies du succès si tes personnages avaient obéi à son code moral.

— Je me demande si elle appréciait vraiment mes romans ou si elle ne les lisait que pour me surveiller, commenta Molly en soupirant.

La deuxième solution devait être la bonne, probablement.

Dare se pencha pour déposer un baiser sur ses lèvres.

— D'après George, elle n'a jamais eu l'intention de te faire assassiner. Elle voulait que le projet de film tombe à l'eau, parce que tu n'aurais pas été là pour le signer. A ce moment-là, elle t'aurait libérée.

Molly sentit monter en elle une bouffée de rage.

— J'aurais pu mourir dix fois avant que le projet ne soit abandonné !

Dare ferma les yeux, comme si l'éventualité lui paraissait atroce et qu'il préférait ne plus y songer.

Molly non plus n'avait pas envie de s'appesantir sur la folie quasi meurtrière de sa belle-mère. Elle orienta donc la conversation sur les autres protagonistes de la machination dont elle avait été victime.

— Pourquoi avait-elle chargé George de nous suivre ?

— Parce que George était son amant, figure-toi. Et pas que lui : Sagan aussi.

— Tu avais donc vu juste.

Elle était surprise de sa perspicacité. Il avait tout compris, avant tout le monde.

— Kathi a fait appel à Sagan pour ton enlèvement. Quand George l'a découvert, il a voulu lui prouver qu'il était capable de tout pour elle, lui aussi.

— C'est-à-dire ?

— Il devait tuer Sagan, pour qu'il ne puisse pas faire chanter Kathi. Ou Bishop. Mais le pauvre George n'y était pas du tout. Si je ne l'avais pas coincé...

— C'est Sagan qui l'aurait fait éliminer ?

— Exactement.

Des pas résonnèrent dans le couloir. Dare se leva, en entraînant Molly avec lui.

— Kathi n'aurait jamais quitté papa pour un garde du corps, fit remarquer Molly.

— George se serait contenté de rester son amant, ricana Dare. Il paraît qu'elle valait le coup.

Il eut un rictus de mépris.

— Et puis, elle le rétribuait largement pour ses services.

— Ah, je vois ! Il était surtout motivé par l'argent, en fait.

— Oui, elle l'a payé avec son argent personnel. Et à mon avis, elle avait de quoi.

— En effet, confirma Molly.

Kathi s'était souvent vantée de la générosité de Bishop, lequel tenait à ce que sa femme porte de beaux vêtements et conduise une belle voiture.

— Et papa... comment était-il, au téléphone ?

— Un peu sonné, je crois, répondit Dare.

— Il y a de quoi !

— Il peut tout de même se réjouir, parce que Sagan l'aurait peut-être éliminé, lui aussi, après s'être débarrassé de Kathi et de George. Il aurait maquillé le tout en crime passionnel doublé d'un suicide, et s'en serait sans doute sorti sans encombre.

— Seigneur! murmura Molly. Toutes ces machinations… C'est affreux.

— Toutes ces machinations tournaient autour de ta belle-mère, lui rappela Dare en la prenant par le menton. J'avoue que j'ai du mal à comprendre. C'est une belle femme, certes… mais de là à se donner autant de mal pour gagner ses faveurs — franchement, ça me dépasse!

— Tu ne l'as pas vue sous son meilleur jour. Je t'assure qu'elle peut être vraiment charmante.

Elle-même avait souvent préféré la compagnie de sa belle-mère à celle de son père.

— Ce que j'ai vu, c'est la vraie Kathi sous le masque, rétorqua Dare. Et ça ne m'a pas plu du tout.

Il se pencha pour l'embrasser. Ce fut si bon, si sincère, si juste, qu'elle aurait voulu que ça dure toujours.

Puis il glissa les mains dans ses cheveux encore humides, indifférent à la présence de l'agent en uniforme qui se tenait maintenant sur le seuil de la pièce.

— J'ai été un peu dur, tout à l'heure. Je suis désolé si je t'ai blessée, murmura-t-il.

— Tu étais bouleversé, dit-elle d'un ton conciliant.

Elle posa une main sur son torse.

— Et moi, je suis désolée de t'avoir frappé.

Il sourit et appuya son front contre le sien.

— Je n'osais pas te regarder, mon amour. Je savais que tu étais morte de peur et j'aurais voulu te rassurer, mais je n'arrivais pas à oublier les ordures qui t'avaient fait du mal.

Il l'embrassa encore.

L'agent se racla la gorge.

— Encore une minute, grommela Dare.

— Dépêche-toi, tout de même : ce monsieur nous attend! murmura Molly avec embarras.

Il la serra contre lui.

— Je veux que tu saches quelque chose, dit-il.

Molly sentit son cœur s'accélérer et l'air se bloquer dans ses poumons.

— J'aime Chris et les filles, c'est vrai. Mais j'aurais pu affronter dix de ces hommes pour te protéger, Molly. Parce que je t'aime aussi.

Elle sentit ses genoux se dérober sous elle, et s'agrippa à lui. Elle était à la fois stupéfaite et transportée de joie.

— Qu'est-ce que tu... ?

Il lui coupa la parole en souriant.

— Je ne pensais pas aimer un jour comme je t'aime.

Une lueur émue passa dans ses prunelles, puis il baissa les yeux.

— Je ne croyais pas que ce serait possible, mais je sens que ta place est ici, Molly, reprit-il. Tu es bien dans ma vie, dans ma maison, avec mes amis. Chris t'adore. Les filles aussi.

Il lança un regard agacé à l'agent, qui attendait toujours. Molly haussa un sourcil. Le type se détourna en soupirant.

Dare prit son visage entre ses mains.

— Maintenant que tu es là, je n'imagine plus cette maison sans toi.

— Tu veux dire que... ?

Elle n'osait y croire. Pourtant, elle pressentait, elle aussi, que sa place était dans cette maison. Mais tout allait si vite...

— Reste avec moi, Molly. Reste vivre avec nous.

Il n'aurait pas pu être plus clair.

— Dare...

Emue aux larmes, elle le contempla un instant. Qu'il était beau... et comme elle l'aimait !

— Tu es sûr de toi ?

Il allait protester, mais elle posa un doigt sur sa bouche.

— Tu es blessé, et la soirée n'a pas été de tout repos... Peut-être que...

— Je sais ce que je veux, coupa-t-il.

Elle secoua la tête.

— Tu te sens responsable de ma sécurité et...

— Je me sens responsable de la sécurité de tous ceux que je juge plus faibles ou plus exposés que moi.

Elle ne put s'empêcher de sourire.

— Autant dire de tout le monde! ironisa-t-elle.

Il haussa les épaules.

— Crois-moi, ce que je ressens pour toi n'a rien à voir avec l'instinct de protection. J'aimerais que nous nous sentions responsables l'un de l'autre, mais il y a bien plus que ça. Je ne sais pas trop comment le définir, parce que je n'ai jamais éprouvé des sentiments pareils. Mais ils sont bien réels, et ils ne changeront pas.

— Moi non plus, je n'ai jamais ressenti ça, murmura Molly.

Mais elle demeurait sur ses gardes. Un peu réticente. Ils avaient besoin de réfléchir.

— Dare, il faut que tu sois absolument sûr de toi, insista-t-elle.

Il fronça les sourcils.

— Parce que toi, tu n'es pas sûre de toi?

Elle décida d'oublier son orgueil et de lui ouvrir son cœur. Quelles qu'en soient les conséquences.

— Je t'aime, dit-elle.

Il laissa échapper un soupir.

— Je crains que les circonstances ne nous permettent pas de fêter ça... mais on se rattrapera dès qu'on sera seuls, je te le promets!

L'une de ses mains glissa le long de sa joue, et son expression se fit soucieuse.

— Les jours à venir nous réservent quelques épreuves... Tu dois t'y préparer. Je ne t'ai pas bien protégée, malheureusement. Cette putain de bombe va faire parler d'elle. On ne pourra pas échapper aux flics. Ils voudront tout savoir. Je tâcherai de faire jouer mes relations pour t'épargner, mais...

— Non, répondit-elle en souriant. Pas la peine de faire jouer tes relations. Je suis prête à tout assumer.

— Vraiment?

Elle hocha la tête.

— C'est papa qui s'inquiète du qu'en-dira-t-on, pas moi.

Dare jeta un coup d'œil du côté de la porte et baissa la voix.

— Je peux m'arranger pour le protéger du scandale, si tu me le demandes.

— Non, dit-elle en nouant les bras autour de son cou.

Dare avait assez de problèmes à régler comme ça. Bishop n'aurait qu'à se débrouiller tout seul !

— Tout ce que je veux, c'est toi, assura-t-elle.

Il la serra contre lui.

— Je suis piégé avec toi, alors ?

L'agent se racla de nouveau la gorge. Cette fois, Dare rompit leur étreinte.

— Tu te sens prête ? lui demanda-t-il.

Elle ne put s'empêcher de sourire. Après tout ce qu'elle avait vécu, affronter la police ne lui paraissait pas si terrible.

— Je me sens prête, répondit-elle.

Puis, pour le taquiner, elle ajouta :

— Je me sens bien. Parfaitement bien.

Dare leva les yeux au ciel, mais ne put s'empêcher de sourire.

— Dans ce cas, allons-y. J'ai hâte que ce soit terminé.

Molly entra dans la cuisine, où elle trouva Chris affalé sur une chaise, l'air bougon. Il était encore tôt. En se levant, elle avait enfilé son plus joli pyjama, celui que Dare avait voulu la dissuader d'emporter. Dare préparait le petit déjeuner, face à la cuisinière. Les chiennes vinrent à sa rencontre pour l'accueillir.

Elle les remercia en leur flattant l'échine, puis elle alla embrasser Chris sur l'oreille, avant d'aller se coller à Dare en le prenant par la taille.

Il lui jeta un coup d'œil par-dessus son épaule.

— Bonjour, ma beauté.

— Chris, tu n'as pas l'air dans ton assiette. Quelque chose ne va pas ?

— Il se tracasse à cause des travaux dans son pavillon, répondit Dare à la place de Chris.

— Alani est insupportable, se plaignit le jeune homme.

J'ai beau lui dire que tout ce que je veux, c'est que ce soit terminé au plus vite, elle n'écoute rien. Elle dit qu'il faut que ce soit bien fait.

— Tu es vexant, Chris. Tu es donc si pressé de retourner vivre dans ton pavillon ? C'est de cohabiter avec moi qui te semble insupportable ?

Il se redressa.

— Mais non, pas du tout. Ce n'est pas ce que je voulais dire.

— Tu en es certain ?

Depuis quelques mois, Chris vivait avec eux dans la grande maison, le temps que son pavillon redevienne habitable.

— Je sais que je suis une sorte d'intruse dans votre vie, mais…

Les deux hommes l'interrompirent pour protester vigoureusement, au point que Sargie se mit à aboyer. Molly tenta de résister à l'hilarité qui la gagnait, mais elle n'y tint pas et éclata de rire.

Chris lui jeta un regard courroucé.

— Ce n'est pas drôle !

Il prit Dare à témoin.

— Ta copine a un sens de l'humour complètement tordu.

Il vida sa tasse de café.

— Et j'aime beaucoup ça, ajouta-t-il avec un clin d'œil.

— Dare, n'oublie pas que nous dînons ce soir avec Jett et Natalie, rappela Molly.

On réclamait de nouveau leur présence en ville. Kathi avait été arrêtée, Mark Sagan et Ed Warwick aussi. Apparemment, Bishop Alexander n'avait rien à se reprocher, car il n'avait pas été inculpé. Il était amer et prenait très mal que la police mette le nez dans ses affaires, mais il coopérait de son mieux. Curieusement, il tentait de renouer des liens avec Molly et l'appelait plus souvent. Le scandale de l'enlèvement n'avait pas trop affecté sa position sociale. Bien sûr, il avait dû supporter les ragots et les regards appuyés de ses soi-disant amis. Mais il tenait bon. Au fond, il avait repris sa routine, en se noyant dans le travail et en passant ses soirées dans des réceptions.

De son côté, Molly était occupée par son livre, son projet de film et son amour pour Dare. Elle n'avait guère le temps de se soucier de l'affection que lui portait ou non son père.

— On devrait profiter de ce qu'on est en ville pour choisir une bague, proposa Dare en posant des *pancakes* devant elle. J'aime bien la petite bijouterie qui se trouve à côté du bureau de Jett.

Molly crut qu'elle allait exploser de joie.

— D'accord, murmura-t-elle.

Elle se tourna vers Chris.

— Tu veux venir avec nous ? lui demanda-t-elle en prenant sa main.

— J'aurais bien aimé, mais je ne peux pas. L'entrepreneur doit passer dans une heure.

Il éleva la main de Molly jusqu'à sa bouche et lui embrassa les phalanges.

— Choisis une grosse bague bien voyante, conseilla-t-il. La plus chère ! ajouta-t-il en riant.

Il s'amusait toujours autant de voir filer l'argent de Dare.

— Elle choisira ce qu'elle voudra, intervint Dare en servant des *pancakes* à Chris.

Ils avaient prévu de se marier bientôt. Dès que Chris aurait réintégré son pavillon. Molly était heureuse qu'ils prennent leur temps et qu'ils fassent les choses correctement. De toute façon, elle était avec Dare. Ils effectuaient toutes les démarches ensemble, et se consultaient mutuellement avant chaque décision. Le reste lui importait peu.

La vie lui avait imposé une épreuve. Mais cette épreuve lui avait donné de la force.

Elle lui avait permis de rencontrer l'amour.

Elle n'avait donc rien à regretter. Et surtout, rien à changer.

Vous retrouverez la suite de cette série
dans un roman à paraître au printemps 2013 chez Mosaïc.

CHEZ MOSAIC

Par ordre alphabétique d'auteur

Composé et édité par les

éditions ⬧ **HARLEQUIN**

Achevé d'imprimer en Allemagne
par GGP Media GmbH, Pößneck
en octobre 2012

Dépôt légal en novembre 2012